TORCHE HUMAINE

DU MÊME AUTEUR
DANS LA MÊME COLLECTION

Dernier battement de cil
Peur de son ombre
Sans Merci

www.lemasque.com

Mark Billingham

TORCHE HUMAINE

Traduit de l'anglais par Philippe Loubat-Delranc

ÉDITIONS DU MASQUE
17, rue Jacob 75006 Paris

Titre original
The Burning Girl
publié par Little, Brown - Grande-Bretagne

Les paroles de *Bigmouth Strikes Again* sont reproduites
avec l'autorisation de Morrissey and Sanctuary Records

Ouvrage publié sous la direction de
Marie-Caroline Aubert

ISBN : 978-2-7024-3272-3

Pour Hilary Hale

And now I know how Joan of Arc felt,
Now I know how Joan of Arc felt,
As the flames rose to her Roman nose,
And her Walkman started to melt[1]*...*

The Smiths
Bigmouth Strikes Again

1. Et maintenant je sais ce que Jeanne d'Arc a éprouvé/Maintenant je sais ce que Jeanne d'Arc a éprouvé/Quand les flammes sont montées vers son profil romain/Et que son Walkman s'est mis à fondre... *(Toutes les notes sont du traducteur.)*

PROLOGUE

PRÈS DE LA MOITIÉ DES NOUVELLES ENTREPRISES DISPARAISSENT DANS LES TROIS PREMIÈRES ANNÉES !

« NE FAITES PAS PARTIE DES MALCHANCEUX ! »

Cher entrepreneur local,

Entrepreneurs nous-mêmes, nous ne connaissons que trop bien les risques qu'implique la création d'une entreprise. Nous savons aussi que, votre entreprise ayant déjà démarré, vous êtes sûrement décidés à réussir. Nous pouvons faire en sorte que cela se produise.

Nous sommes une société spécialisée dans la protection des petits entrepreneurs. Nous pouvons nous occuper de tout afin que vous n'ayez plus à vous inquiéter de rien. Nous pouvons vous **garantir** la tranquillité d'esprit, en contrepartie d'une modique cotisation mensuelle.

Nos tarifs commencent à 400 livres par mois ; cependant si pour une raison quelconque vous deviez vous trouver momentanément en difficulté, les paiements pourraient être différés sous réserve de pénalités de retard négociables. Comparez nos conditions avec celles de nos concurrents, mais **avant de vous engager, prenez la précaution de vous renseigner auprès de certains de nos clients**. Vous vous apercevrez, nous n'en doutons pas, que vous ne pouvez pas vous passer de nos services.

Notre réputation vous garantira, dès l'instant où vous traiterez avec nous, la liberté de gérer votre boutique, votre restaurant ou votre petite entreprise, avec l'assurance que nous serons là pour régler tout problème qui pourrait surgir.

Nous sommes joignables **24 heures sur 24** au numéro de portable que notre représentant vous communiquera ce jour.

Appelez-nous tout de suite et offrez-vous la tranquillité d'esprit !

FÉVRIER

LE PRIX POUR ÊTRE HUMAIN

Plus tard, Carol Chamberlain se persuaderait qu'elle était en train de rêver de Jessica Clarke quand elle avait reçu le premier coup de fil. Que la sonnerie du téléphone l'avait tirée du sommeil, l'éloignant des bruits et de l'odeur. De l'image confuse d'une fille qui court, des couleurs grimpant le long de son dos, explosant et voletant vers son cou, écharpe pourpre et or.

Que le rêve soit imaginaire ou non, elle avait commencé à le refaire dès qu'elle eut raccroché. Assise au bord du lit, frissonnante ; Jack, qui n'avait que peu remué, dormant comme une souche derrière elle.

Elle vit tout.

Les couleurs étaient aussi éclatantes et les bruits aussi clairs et retentissants que ce matin-là, vingt ans auparavant. Carol n'en doutait pas. Bien qu'elle ne se soit pas trouvée sur les lieux et n'ait rien vu de ses propres yeux, elle avait interrogé toutes les personnes présentes, sans exception. Maintenant, en se repassant la scène dans sa tête, en se l'imaginant, elle était persuadée de voir exactement comment tout s'était déroulé...

Les bruits – celui de l'herbe sous les pas de l'homme tandis qu'il gravissait la côte, celui de son fredonnement indistinct – étaient noyés par les échos provenant de la cour de récréation. Entre les pics aigus des cris et des hurlements se glissait le doux vibrato de bavardages et de papotages, une conversation dont la vague roulait à travers la cour et descendait jusqu'au bas de la pente, vers la route.

L'homme tendait l'oreille à mesure qu'il approchait, sans pouvoir rien entendre distinctement. Les conversations devaient sûrement tourner autour des garçons et de la musique. Qui était branché et qui ne l'était pas. Il entendait aussi un autre bruit : le vrombissement d'une tondeuse à gazon provenant de l'autre bout de l'école où s'activait une équipe de jardiniers. Ils portaient des combinaisons de travail vertes, tout comme lui. Il ne manquait à la sienne que l'écusson avec le logo de la ville.

Mains dans les poches, casquette vissée sur la tête, il contourna la cour de récréation jusqu'à l'endroit où la fille et sa bande de copines s'étaient réunies. Certaines d'entre elles s'adossaient au grillage, rebondissant doucement contre lui, détendues.

L'homme détacha le sécateur de sa ceinture et s'accroupit à quelques centimètres des filles, de l'autre côté de la clôture. D'une main, il se mit à couper les mauvaises herbes qui poussaient au pied d'un des poteaux en béton. De l'autre, il sortit de sa poche la recharge d'essence à briquet.

Depuis le début, c'était l'odeur, plus que tout le reste, qui le gênait. Il avait vérifié que la cartouche était pleine et qu'elle n'émettrait pas le moindre sifflement ou gargouillement quand il appuierait dessus et que le jet jaillirait du bec en plastique par un trou du grillage. Son souci était qu'une quantité infime, une émanation ne soit portée par la brise et n'alerte la fille ou une de ses copines.

Crainte superflue. Le temps qu'il pose la recharge dans l'herbe et prenne le briquet, il avait déjà utilisé la moitié de l'essence au moins, et les filles étaient trop occupées à jacasser pour s'apercevoir de quoi que ce soit. Il fut étonné de voir que, pendant une quinzaine de secondes, la jupe de la fillette fuma tranquillement avant, enfin, de prendre feu. Il fut également étonné que ce ne soit pas elle qui crie la première...

Jessica écoutait d'une oreille distraite Alison raconter une anecdote sur la soirée à laquelle elle était allée, et Manda faire le récit de sa dernière dispute avec son petit ami. Elle pensait encore à la stupide prise de tête avec sa mère qui avait duré tout le week-end, et au savon que lui avait passé son père avant de partir travailler ce matin-là. Quand Ali avait fait la moue et que les autres s'étaient esclaffées, Jessica avait suivi le mouvement sans vraiment avoir tout saisi.

Au début, ça lui fit l'effet d'un petit tiraillement, puis d'une chatouille, et elle se pencha pour lisser l'arrière de sa jupe. Ce fut alors qu'elle vit Manda changer de tête, qu'elle la vit ouvrir grand la bouche, mais elle n'entendit jamais le son qui en sortit. Jessica sentait déjà la douleur atroce lui lécher le haut des cuisses quand elle s'écarta brusquement du grillage et se mit à courir...

Bien des années plus tard, Carol Chamberlain ne pouvait qu'imaginer la panique et le supplice de la fillette – choquée une fois de plus par ces événements insupportables qui défilaient dans son imagination.

À une rapidité effroyable. À une lenteur abominable...

Une heure avant l'aube, il faisait sombre dans la chambre, mais la lumière pénétrante d'une chose contre nature brillait de mille feux derrière ses yeux. Avec le recul, et grâce à son expérience, elle était partout à la fois, capable de tout voir et de tout entendre.

Elle vit les fillettes béer comme des vieilles femmes, écarquiller les yeux, l'air effaré, tandis que leurs pas les portaient loin des flammes. Loin de leur copine.

Elle vit Jessica se frayer un chemin irrégulier dans la cour de récréation en battant des bras. Elle entendit les cris, les pas résonner sur l'asphalte, le sifflement quand ses cheveux prirent feu. Elle vit ce qu'elle savait être une enfant s'éloigner en zigzaguant comme un feu de Bengale jeté sur un trottoir. Ralentissant, crépitant...

Puis elle vit le visage d'un homme, de Rooker, au moment où il se détournait avant de redescendre la côte au petit trot. Ses jambes fendant l'air de plus en plus vite. Trébuchant et tombant presque en finissant de dévaler la pente à toute vitesse vers sa voiture.

Carol Chamberlain tourna la tête vers le téléphone. Elle songea à l'appel anonyme qu'elle avait reçu vingt minutes plus tôt. La déclaration toute simple d'un homme qui ne pouvait en aucun cas être Gordon Rooker.

– C'est moi qui l'ai brûlée vive...

1

La rame était à l'arrêt, quelque part entre Golders Green et Hampstead, quand la femme monta dans la voiture.

Tout juste sept heures passées en ce lundi soir. Les passagers offraient un bon échantillonnage de Londoniens rentrant tard chez eux ou se rendant dans le West End pour une éclate d'un soir. Costumes et *Evening Standard.* Tailleurs de bureau et thrillers écornés. Toute la comédie humaine déclinée en panoplie de joueur de foot, élégance Oxfam et ligne Ciro Citterio. Les têtes rebondissant contre les vitres et dodelinant dans le sommeil ou bien en rythme avec Coldplay, Craig David ou DJ Shadow.

Sans meilleure raison que de circuler sur la Northern Line, la rame s'élança soudain en avant avec des soubresauts, puis s'arrêta de nouveau quelques secondes plus tard. Les gens regardèrent les pieds de ceux d'en face ou lurent les publicités au-dessus des têtes. Le silence, hormis l'hémorragie de basses métalliques qui se déversait des casques, amplifiait le manque de contact.

À une extrémité de la voiture, deux Blacks étaient assis côte à côte. L'un d'eux paraissait quinze ou seize ans, mais était probablement plus jeune. Il portait un bandana rouge, un maillot de football américain trop grand pour lui et un jean baggy. Il était chargé de bagues et de colliers. Son compagnon était beaucoup plus petit, son jeune frère, peut-être, vêtu presque à l'identique.

Pour l'homme assis en face d'eux, cette tenue, ces bijoux, cette posture paraissaient ridicules chez un gamin dont les coûteuses baskets ne touchaient même pas le sol. L'homme était trapu, une petite quarantaine, vêtu d'un vieux blouson en cuir marron. Quand le plus âgé des deux garçons surprit son regard, il détourna les yeux et passa la main dans ses cheveux plus gris d'un côté du crâne que de l'autre. On aurait dit, aux yeux de Tom Thorne, que ces garçons avaient claqué tout leur argent de poche dans une boutique appelée « Mister Gangsta-Rappeur Junior ».

La femme avait franchi les portes depuis deux secondes à peine que déjà l'atmosphère dans la voiture avait changé. De coincée à carrément bloquée. British en diable...

Thorne la regarda juste assez longtemps pour noter le foulard, les épais sourcils bruns et le bébé calé sous un bras. Puis il détourna la tête. Il ne se cacha pas derrière un journal, contrairement à de nombreux autres passagers, mais il eut honte de s'avouer que c'était seulement parce qu'il n'en avait pas.

Il fixa ses chaussures, mais il eut conscience de la main qui se tendait quand la femme s'arrêta à sa hauteur. Il vit le gobelet en plastique au bord déchiré, mordillé peut-être. Il entendit la femme parler doucement dans une langue qu'il ne connaissait pas et n'avait nul besoin de connaître.

Elle agita le gobelet devant son visage, et Thorne remarqua que rien ne s'entrechoquait.

Puis cela devint un enchaînement : le gobelet tendu, la question posée, la requête ignorée et le passage au suivant. Thorne releva les yeux comme elle s'éloignait dans la voiture et sentit une douleur monter dans son ventre en voyant la courbure de son dos sous un cardigan sombre, l'immobilité du bras qui soutenait le bébé. Il tourna la tête quand sa douleur s'aiguisa pour le poignarder d'une tristesse soudaine pour cette femme, et pour lui-même.

Juste à temps pour voir le plus âgé des deux garçons se pencher vers son frère. Claquer des lèvres avant de parler. Un feulement, comme des chats dans un panier.

– Ceux-là, j'ai la haine...

Vingt minutes plus tard, Thorne, toujours déprimé, émergeait du métro dans Kentish Town Road. Il ne se sentait guère mieux quand, d'un coup de pied, il referma la porte de son appartement derrière lui. Mais il ne resterait pas d'une humeur noire très longtemps.

Du salon, une voix s'éleva soudain, maussade et blessée, par-dessus le son de la télévision.

– Putain, c'est à cette heure-ci que tu rentres ?

Thorne lâcha son sac, fit quatre pas dans l'entrée et tourna la tête pour voir Phil Hendricks étendu de tout son long sur le canapé. L'anatomopathologiste était plus grand, plus maigre et, à trente-trois ans, plus jeune que lui de dix ans. Il était vêtu de noir, comme toujours – jean et pull à col en V –, et arborait son assortiment habituel d'anneaux, de pointes et de clous occupant la plupart de l'espace disponible de son visage. Il portait d'autres piercings ailleurs, mais sur ceux-là Thorne préférait en savoir le moins possible.

Hendricks brandit la télécommande et éteignit la télévision.

– Mon dîner sera absolument immangeable !

D'ordinaire, il était aussi efféminé qu'un fourgon blindé, et sa tentative de jouer à la grande folle, avec son accent plat de Mancunien, n'en fit que plus sourire Thorne.

– Ouais, c'est ça, dit-il. Comme si tu étais capable de faire un œuf dur.

– De toute façon, il n'aurait pas été mangeable.

– Qu'y a-t-il de bon ?

Hendricks fit basculer ses pieds par terre et passa les doigts sur son crâne rasé de frais.

– Le menu est à côté du téléphone, répondit-il.

Il fit un geste de la main en direction de la table basse dans le coin.

– Pour moi, ce sera comme d'habitude, plus un *bhaji* champignons.

Thorne ôta son blouson et le déposa dans l'entrée. Il revint, se pencha pour baisser le thermostat du radiateur et porta un mug sale à la cuisine. Il ramassa les bottes de moto de Hendricks devant le canapé et les mit également dans l'entrée.

Puis il décrocha le téléphone et appela le Lancier du Bengale...

Hendricks dormait sur le canapé convertible de Thorne depuis tout juste après Noël, quand la colonie de champignons qui poussait chez lui avait atteint des proportions gigantesques. L'intervention des ouvriers du bâtiment et des spécialistes du traitement de l'humidité aurait dû durer moins d'une semaine, mais comme souvent en pareil cas, l'estimation ne correspondait pas tout à fait à la réalité. Thorne n'avait toujours pas compris pourquoi Hendricks n'avait pas demandé à son petit ami du moment, Brendan, de l'héberger – mais il allait tout de même chez lui deux ou trois soirs par semaine. Thorne supposait que, lorsqu'on avait une relation à épisodes comme la leur, même une installation temporaire aurait été risquée.

Ils étaient un peu à l'étroit dans son petit appartement, mais Thorne devait reconnaître qu'il appréciait sa compagnie. Ils discutaient, sans tabou et en toute franchise, des mérites des Tottenhamp Spurs et d'Arsenal. Ils se disputaient au sujet de la passion dévorante de Thorne pour la musique country. Ils se chamaillaient à propos de la ferveur soudaine et inhabituelle de Thorne pour le rangement.

En attendant que leur curry arrive, Thorne mit un album de Lucinda Williams. Ils se prirent la tête là-dessus un moment, puis ils passèrent à autre chose...

– Mickey Clayton est mort des suites d'une blessure par balle à la tête, dit Hendricks.

Thorne braqua son regard sur lui par-dessus le bord de sa cannette de bière.

– J'imagine que ça n'a pas été une de tes conclusions les plus difficiles. Quid de la plus grande partie de ladite tête collée partout sur les murs quand nous l'avons découvert ?

Hendricks fit la moue.

– Tu trouveras le rapport complet sur ton bureau demain après-midi.

– Merci, Phil.

Il aimait bien le charrier et, de plus, non seulement Hendricks était pour ainsi dire son ami le plus proche, mais c'était aussi le meilleur anapath avec lequel il ait travaillé. Contrairement aux apparences et malgré son ironie et ses blagues scabreuses, il n'y avait pas meilleur que lui pour comprendre les morts. Hendricks les écoutait lui murmurer leurs secrets qu'il traduisait de la mystérieuse langue de la table d'autopsie.

– Tu as retrouvé la balle ? demanda Thorne.

Le tueur s'était servi d'un 9 mm ; les débris des balles avaient été retrouvés à proximité des victimes précédentes, ou encore à l'intérieur de ce qu'il restait de leurs crânes...

– Pas besoin d'un élément comparatif pour savoir qu'on a affaire au même tueur.

– Monsieur X ?

Ce fut une évidence lorsqu'ils avaient découvert le corps la veille au matin. La chemise en nylon remontée autour du cou, les traînées de sang provenant de deux profondes entailles en diagonale – de l'épaule gauche à la hanche droite, et vice versa.

– Mais toujours pas de certitude quant à la lame. Je pensais à un cutter, mais ça pourrait être tout aussi bien une machette ou un truc dans le genre.

Thorne acquiesça. La machette était l'arme de prédilection d'un grand nombre de caïds du milieu.

– Des Yardies ou des Yakuzas, peut-être...

– Bah, quel que soit son commanditaire, il prend son pied. Il les tue très vite après, alors je ne peux pas en être sûr à cent pour cent, mais je pense qu'il donne libre cours à sa créativité en gravure corporelle pendant qu'ils sont encore vivants.

Le responsable de la mort de Mickey Clayton et de trois hommes avant lui au cours des six dernières semaines n'évoquait aucunement les tueurs à gages que Thorne avait rencontrés ou dont il avait entendu parler. Pour ces personnages de l'ombre – des hommes prêts à tuer pour n'importe quel tarif dépassant quelques milliers de livres –, l'anonymat passait avant tout. Celui-là, c'était différent. Il aimait laisser sa marque.

– X appose sa signature, dit Thorne.

– Ou X comme « rayé de la carte ».

Hendricks but d'un trait le restant de sa cannette.

– Et à part ça, toi ça va ? demanda-t-il. Bonne journée au bureau, mon chou ?

Thorne se leva en grommelant. Il prit la cannette vide de Hendricks et alla chercher deux autres bières fraîches à la cuisine. Laissant errer son regard dans l'intérieur du frigo, il tenta en vain de se remémorer sa dernière bonne journée au bureau...

Son équipe de la Section des crimes graves (Ouest) – dont Hendricks était un membre civil – avait été détachée pour seconder la Brigade de recherche et d'intervention à la SO7, la Section de la lutte contre la grande criminalité organisée. Il était vite devenu évident que cette opération-là était tout sauf « organisée ». Les ressources de ceux de la SO7 étaient minces comme du papier à cigarettes, et encore – du moins, c'était leur version de l'histoire. Une chose était sûre : il y avait une guerre de territoires entre deux vieilles familles au sud du fleuve, et une escalade d'affrontements en série entre des gangs de Triades qui avaient provoqué trois fusillades en une semaine et un baston dans Gerrard Street. Quoi qu'il en soit, Thorne soupçonnait que son équipe et lui avaient, grosso modo, été appelés à la rescousse pour couvrir d'autres arrières que les leurs.

Lui, il n'avait rien à y gagner. Si des arrestations avaient lieu, tout le bénéfice leur passerait sous le nez et, de toute façon, on éprouvait très peu de satisfaction à traquer les responsables de l'élimination de vermines telles que Mickey Clayton.

La série des meurtres X – Clayton était le quatrième – était une attaque majeure contre les implantations d'une des plus grosses familles mafieuses du nord de Londres, mais le problème tout bête était que la Brigade de recherche n'avait pas la plus petite idée de l'identité des agresseurs. Tous les rivaux directs avaient été approchés et éliminés. Les habituelles sources d'information non officielles avaient toutes été sollicitées, payées et épuisées. Il devint évident qu'une nouvelle organisation s'était établie et comptait faire sensation. Thorne et son équipe étaient à bord pour trouver de qui il s'agissait. Qui payait un tueur à gages, très vite surnommé Monsieur X, pour donner du fil à retordre à la famille Ryan ?

– Il ne se facilite pas la vie, remarque, hein ? dit Thorne en apportant les bières de la cuisine au salon. Ce coup du X, cette signature ou quoi ou qu'est-ce, ça limite ce qu'il peut faire et où il peut le faire. Il ne peut pas se contenter de surgir à moto ou d'attendre à la sortie d'un pub. Il a besoin d'un minimum de temps et d'espace.

Hendricks prit une cannette.

– Il se donne beaucoup de mal, c'est clair. Il planifie. Je ne te dis pas son tarif.

Thorne songea que Hendricks n'avait sans doute pas tort.

– Ça ne coûte pas cher, tout de même, quand on y pense. De tuer quelqu'un, j'entends. Vingt, vingt-cinq mille livres maxi. C'est vachement moins que ce que les commanditaires déboursent pour leurs Jeep et leurs Mercedes haut de gamme.

– À ton avis, je pourrais me payer quoi pour quelques centaines de livres ? Je pense à cet assistant funéraire qui me casse les couilles.

Thorne réfléchit quelques instants.

– Une brûlure de cigarette ?

De mémoire, Thorne n'avait pas partagé un rire aussi franc avec quelqu'un depuis des jours...

– Comment pourrait-il s'agir des Yardies ? demanda Hendricks, qui avait repris son sérieux. Ou des Yakuzas ? Nous savons que notre tueur n'est ni black ni japonais.

Un témoin, qui affirmait avoir vu l'assassin quitter le lieu du troisième meurtre, avait donné une vague description d'un homme blanc d'une trentaine d'années. Ce témoin, Marcus Moloney, était un « associé » de la famille Ryan, pas vraiment un citoyen modèle mais il semblait sûr de ce qu'il avait vu.

– Ce n'est pas aussi simple, dit Thorne. Ce n'est plus comme il y a dix ans, quand ces gens-là se serraient les coudes au sein d'une même organisation. Maintenant, ça, ils s'en foutent, et les indépendants vont tout simplement là où il y a du boulot. Les Triades se servent des Yardies. Les Yardies bossent pour les Russes. Un gang de Yakuzas s'est fait arrêter l'année dernière, il recrutait à l'extérieur. En gros, ils distribuaient des formulaires de candidature, engageant des Grecs, des Pakistanais, des Turcs, qui voulait.

– C'est sympa de voir que tous ces employeurs défendent l'égalité des chances, dit Hendricks avec un sourire.

Thorne grommela, et tous deux retombèrent dans le silence pendant quelques minutes. Il ferma les yeux et tirailla sur le bouc qu'il s'était laissé pousser depuis la fin de l'année précédente. Barbichette qui redessinait sa mâchoire et recouvrait la cicatrice d'un coup de couteau.

La balafre en diagonale sur le menton de Thorne était la seule trace visible du soir où, six mois auparavant, il avait à la fois demandé grâce et prié que la mort vienne vite. Il avait d'autres cicatrices, plus faciles à dissimuler, mais bien plus incommodantes. Parfois, dans le noir, il plongeait la main au tréfonds de son être et les tripotait jusqu'à rouvrir ses vieilles blessures. Il imaginait la croûte se formant sur elles, le sang desséché sur la chair tendre, qui démangeait et s'effritait sous ses ongles – exquise torture – qui pinçaient et tiraient dessus...

Lucinda Williams chantait le désir effréné d'une voix douce et en même temps tranchante qui s'élevait comme de la fumée au-dessus d'une unique guitare sèche.

Thorne et Hendricks sursautèrent légèrement à la sonnerie du téléphone.

– Tom ?

Une voix féminine.

Thorne se laissa retomber dans son fauteuil avec l'appareil. Il cria à l'intention de Hendricks, volontairement fort pour que son correspondant entende :

– Oh, c'est pas vrai, c'est encore cette vieille folle qui n'arrête pas de me relancer...

Hendricks sourit et répondit sur le même ton :

– Dis-lui que je sens la bouffe de chat d'ici !

– Bon, je t'écoute, Carol, reprit Thorne. Raconte-moi ce qui se passe de glamour à Worthing. Des chats coincés dans des arbres, des carambolages de déambulateurs dont j'aurais dû être averti ?

Son interlocutrice n'était pas d'humeur à se lancer dans les vannes habituelles.

– Il faut que je te parle, Tom. J'ai besoin de toute ton attention...

Alors, Thorne la lui accorda. Le curry arriva et refroidit, mais il n'en eut cure. Il devina, dès qu'elle se lança dans son récit, qu'il se passait quelque chose de grave.

Depuis que Thorne connaissait Carol Chamberlain, c'était bien la première fois qu'il l'entendait pleurer.

2

– Je suppose que tu as essayé le 1471[1]... ?

Elle arqua le sourcil. Lui demanda s'il la prenait pour une gourde.

Thorne haussa les épaules en guise d'excuse.

La première fois qu'il avait rencontré Carol Chamberlain, l'année précédente, il l'avait considérée comme une femme vieillissante et un peu vieux jeu ayant trop de temps devant elle ; et qu'il avait prise, à tort, pour la mère d'un de ses constables.

Elle prétendait ne le lui avoir toujours pas pardonné.

Sept mois auparavant, par une belle matinée humide, l'ex-inspecteur-chef Carol Chamberlain avait déboulé dans le bureau de Thorne et redémarré une enquête sur un violeur et tueur sadique. Elle faisait partie de ce qu'on avait surnommé La Grande Ridée – une brigade composée d'anciens policiers arrachés à leur retraite pour reprendre des affaires non élucidées. Il n'avait pas fallu insister longtemps pour persuader Chamberlain de rempiler. Au bout de trente années d'ancienneté – et, de son point de vue, en tout cas, prématurément – , on l'avait gentiment poussée vers la porte de sortie de la police londonienne ; or, à cinquante-cinq ans, elle estimait avoir encore beaucoup à offrir. La première affaire sur laquelle elle avait travaillé avait fourni des informations qui avaient changé le cours de l'enquête de Thorne et, dans la foulée, celui de son

1. L'équivalent de notre service 3131.

existence. L'affaire classée – loin de l'être à présent – avait été retirée illico à Chamberlain, mais Thorne était resté en contact avec elle, et ils s'étaient rapidement liés d'amitié.

Thorne ne voyait pas trop quel intérêt Carol Chamberlain trouvait dans leur relation, mais il était heureux de le lui apporter – quel qu'il soit – en échange de sa franchise, de ses conseils avisés et de son sixième sens redoutable qui semblait s'aiguiser avec l'âge.

En la regardant à présent, assise en face de lui, se remémorant la première impression qu'elle lui avait faite, il se demanda comment il avait pu commettre une erreur de jugement aussi grossière...

Chamberlain mit l'enveloppe jaunie sous les yeux de Thorne, puis l'inclina, vidant les cendres sur la table.

– J'ai reçu ça hier matin.

Thorne prit une fourchette et la promena lentement entre les petits morceaux noircis. Il s'arrangea pour ne pas les toucher avec les doigts, sans vraiment savoir pourquoi il prenait cette précaution. Il n'était pas trop sûr d'en faire quoi que ce soit. Les petits morceaux se désagrégeaient dès que la fourchette les touchait, mais il voyait qu'un ou deux fragments avaient conservé leur couleur bleue d'origine.

– Je vais les garder, dit-il.

Il prit un menu et s'en servit pour faire glisser les cendres et les remettre dans l'enveloppe.

Chamberlain acquiesça.

– C'est de la serge, je dirais. Ou un coton épais. Le même tissu que celui de la jupe que portait Jessica Clarke...

Thorne réfléchit à ce qu'elle voulait dire, à ce qu'elle avait commencé à lui raconter au téléphone la veille au soir. Il se souvenait vaguement de cette affaire, du retentissement qu'elle avait eu à l'époque, mais la majeure partie des détails lui était inconnue. Il n'était pas sûr d'avoir déjà entendu une histoire aussi horrible. En tout cas, ça ne lui revenait pas.

– Quel genre de salopard fait ça à une gamine ? demanda-t-il.

Il regarda autour d'eux, désireux de ne pas alarmer les occupants des tables voisines.

Chamberlain attendit qu'il tourne de nouveau la tête vers elle et le regarda dans les yeux.

– Quelqu'un qu'on a payé pour ça, répondit-elle.

– Quoi ?

– Nous avons cru avoir affaire à un taré, comme tout le monde. Nous, les écoles, la presse, on était tous à cran, on s'attendait à ce qu'il récidive. Puis on a découvert que Jessica Clarke n'était pas la bonne...

– Comment ça, « pas la bonne » ?

– La fille qui se trouvait à côté d'elle ce jour-là, dans la cour de récréation, s'appelait Alison Kelly. C'était une des meilleures amies de Jessica. Même taille, même couleur de cheveux. C'était aussi la fille la plus jeune de Kevin Kelly.

Elle regarda Thorne comme si elle s'attendait à une réaction de sa part. Elle en fut pour ses frais.

Thorne hocha la tête.

– Je devrais... ?

– Permets-moi de te briefer sur la situation en 1984. Tu devais en être à...

Thorne fit un rapide calcul mental.

– À quitter l'uniforme. À bientôt me marier. À finir de mener ma vie de bâton de chaise, sans doute. À sortir en boîte, assister à des concerts...

– Tu habitais dans le nord de Londres, hein ?

Thorne acquiesça.

– Alors, il y a de grandes chances que les boîtes que tu fréquentais aient appartenu à une organisation mafieuse, et les Kelly étaient le clan le plus important. Il y en avait d'autres qui prenaient le contrôle du sud-est, et aussi quelques indépendants qui tiraient leur épingle du jeu, mais les Kelly étaient impliqués dans presque tout ce qui se tramait au nord du fleuve...

Tout en l'écoutant, Thorne se rendait compte que son débit habituel était devenu hésitant ; que sa voix neutre dérapait, laissant percer son accent natal du Yorkshire. Il avait déjà remarqué cela chez elle lorsqu'elle était en colère ou surexcitée. Choquée par quelque chose. Même si elle ne le lui avait pas dit, Thorne aurait deviné qu'elle était fortement bouleversée.

– Les Kelly étaient basés à Camden Town et dans ses environs. Il y avait d'autres organisations, d'autres familles à Shepherd's Bush et à Hackney et, dans la plupart des cas, elles réglaient les problèmes entre elles. Il y avait bien les petits dérapages – deux ou trois fusillades par an –, mais ce n'était pas pire que d'habitude. Puis, en 1983, quelqu'un a voulu régler son compte à Kevin Kelly...

– En lançant un contrat ?

– Tout juste, mais, va savoir pourquoi, il en a réchappé. Le message qu'on voulait lui faire passer n'a pas été compris. Alors, ils s'en sont pris à sa fille...

– Qui en a réchappé elle aussi. Pfff...

– Mais, cette fois-là, Kelly a bien reçu le message. Une dizaine de personnes sont mortes au cours des trois semaines qui ont suivi l'affaire Jessica Clarke. Un soir, trois frères ont été abattus dans un pub. Kevin Kelly a plus ou moins maté l'opposition.

Thorne leva sa tasse. Le café était complètement froid.

– Laissant tout le nord de Londres ou presque à M. Kelly et à ses amis...

– À ses amis, oui, mais pas à Kelly. À croire que ça l'avait mis à plat, qu'on ait voulu s'attaquer à sa fille. Une fois la concurrence éliminée, il s'est retiré. Il s'est mis au vert, du jour au lendemain. Il a pris femme et enfant, deux ou trois millions, et il s'est cassé.

– Ça me semble avoir été une bonne idée...

Chamberlain haussa les épaules.

– Il est mort brutalement cinq ans plus tard. Il venait d'avoir cinquante ans.

– Qui a pris la tête des opérations quand Kelly a rejoint la brigade des pantouflards fumeurs de pipe ?

– En réalité, ce n'était une famille que de nom. Kelly n'a ni frères ni fils. Il a transmis toute son organisation à un des amis dont nous parlions : un énergumène particulièrement redoutable du nom de William – alias Billy – Ryan. C'était le numéro deux de Kelly, et...

Avisant le changement d'expression de Thorne, elle s'interrompit.

– Quoi ?

– Quand tu auras terminé ton cours d'histoire, je te mettrai au courant, répondit Thorne.

– D'accord.

Chamberlain reposa la petite cuiller qu'elle manipulait nerveusement depuis dix minutes.

– Je vais chercher un autre café, dit Thorne en repoussant sa chaise. Tu veux quelque chose ?

Ils s'étaient donné rendez-vous dans un petit troquet grec près de Victoria Station. Chamberlain avait pris le premier train partant de Worthing ce matin-là, et comptait rentrer le plus tôt possible.

Du comptoir, en attendant de pouvoir commander, Thorne l'observa. Il la trouva légèrement amincie. À tout autre moment, elle en aurait été ravie, il le savait, mais les choses n'étaient pas comme d'habitude. Sur son visage, les rides ne se cachaient plus. Elles apparurent quand elle se tourna vers lui et lui sourit. Une femme vieillie soudain... et apeurée.

Thorne regagna leur table avec un plateau : deux cafés et un baklava pour deux. Il l'attaqua aussitôt et, entre deux bouchées, informa Carol de l'opération de la SO7. De la configuration actuelle du crime organisé au nord de Londres. Des provocations d'origine encore inconnue contre un chef mafieux, un certain Billy Ryan...

– Ça fait plaisir d'apprendre que Billy s'en sort bien, dit-elle.

Thorne ne fut pas mécontent de retrouver cette ironie et ce sourire, plus proches de la Carol Chamberlain qu'il connaissait.

– Il s'en sort même très bien. Ryan, lui, est à la tête d'une vraie entreprise familiale ; il a des frères et des cousins dans toute sa boîte, un fils et héritier : Stephen. C'est un gagnant, à coup sûr.

Chamberlain avait repris sa cuiller. Elle tapotait sa paume avec.

– Il se trouve que Billy a épousé Alison Kelly, dit-elle.

– La fille de Kevin Kelly ? Celle que... ?

Elle acquiesça.

– Celle que Gordon Rooker avait l'intention de brûler vive. Celle qu'il a confondue avec Jessica Clarke. Si ma mémoire est bonne, ils se sont mariés juste avant la mort de Kelly. Ça a fait plaisir au vieux, mais ça ne devait pas durer. Elle était beaucoup plus jeune que Billy Ryan. Tout juste dix-huit ans, je crois. Lui avait la trentaine passée...

Thorne montra avec sa cuiller le dernier morceau de baklava.

– Il n'y a que moi qui mange. Tu ne veux pas... ?

Elle secoua la tête. Il se servit.

– Parle-moi de Rooker, dit-il.

– Il n'y a pas grand-chose à raconter. Il a avoué.

– C'est déjà ça.

À présent, le sourire n'était plus qu'un lointain souvenir.

– Franchement, Tom, c'était une des affaires les plus simples sur lesquelles j'aie eu à travailler. C'était moi l'inspecteur. J'ai recueilli ses premières déclarations.

– Et qu'en as-tu pensé ?

– Tout semblait coller. Rooker était déjà connu de nos services. Ce qu'il avait fait dans cette école, à cette gamine, sortait vraiment de l'ordinaire, mais c'était le genre de type qui aurait fait à peu près n'importe quoi, à n'importe qui, si on y mettait le prix.

Des gens comme ça, Thorne n'en avait rencontré que trop. Et continuait d'en rencontrer.

– A-t-il dit qui avait payé pour ça ?

– Il n'est jamais allé jusqu'à prononcer un nom, mais ce n'était pas nécessaire. On savait qu'il avait déjà travaillé pour plusieurs petites organisations. On pensait qu'il pouvait être impliqué dans le contrat raté passé sur Kevin Kelly. En outre, il aimait bien brûler les gens. Ça n'avait pas pu être prouvé, mais on l'avait dans le collimateur pour un contrat de 1982. Quelqu'un, probablement Gordon Rooker, avait ligoté à une chaise le directeur d'une boîte de sécurité et vidé une recharge d'essence à briquet sur ses cheveux...

– Charmant.

– Tu ne saurais mieux dire, il l'était. Enfin, il pensait l'être. Ce salaud flirtait avec moi dans la salle d'interrogatoire.

Elle se tut, et déglutit comme si elle espérait chasser un mauvais goût.

– Comme je te le disais, c'était simple. Rooker a plaidé coupable. Il a été condamné à perpète. Et, pour en revenir à hier, quand j'ai appelé pour vérifier, il était toujours en prison, à Royal Park.

Thorne posa quelques instants sa main sur celle de Carol Chamberlain.

– Il y était encore il y a trois heures, dit-il. Quand moi, j'ai appelé.

Un sourire fugace, et un peu forcé, reparut sur les traits de Carol.

– Merci, Tom.

– Et Jessica ?

Le regard de Chamberlain se détacha du visage de Thorne pour glisser au-delà de lui, par-delà la vitre du café.

– Elle a été grièvement brûlée. Il lui a fallu un an avant de pouvoir retourner à l'école.

– Qu'en est-il maintenant ? Qu'est-ce qu'elle... ?

Elle secoua la tête et murmura d'une voix à peine audible :

– Voyons, Tom, tu ne t'attends pas à un happy end, tout de même ?

– Ça ne ferait pourtant pas de mal, une fois de temps en temps..., répondit Thorne après quelques instants de réflexion.

Chamberlain reporta son attention sur lui et son expression s'adoucit, comme si elle se trouvait face à un enfant qui demanderait l'impossible.

– Elle s'est jetée du dernier étage d'un parking le jour de ses seize ans...

Muslum Izzigil pestait avec véhémence depuis une dizaine de minutes quand deux garçons entrèrent dans sa boutique.

Il n'en finissait pas de trier une énorme pile de cassettes, toutes rapportées la veille au soir, dont chacune devait être rembobinée. Les gens qui rendaient les vidéos sans prendre la peine de les caler au début étaient pour lui un véritable fléau. Il en sortit une de l'appareil, l'enfonça brutalement dans une boîte et en prit une autre.

– Quelle bande de flemmards !

Il lança un coup d'œil aux deux garçons qui passaient en revue les boîtes vides dans les bacs « occasions/à vendre » à l'entrée. Il brandit une des cassettes à bout de bras.

– C'est pas compliqué de rembobiner, si ?

Un des deux garçons le considéra d'un air inexpressif tandis que l'autre murmurait quelque chose et se mettait à rire. Izzigil appuya pour la énième fois sur le bouton de retour en arrière et s'adossa au comptoir. Il leva les yeux vers l'écran, regarda le film d'Austin Powers pendant une ou deux minutes, puis reporta son attention sur les deux garçons.

– Les nouveautés, c'est de ce côté, dit-il en tendant le doigt. Si on ne l'a pas, le film sera disponible la prochaine fois. Comme chez Blockbuster.

Les deux garçons prenaient des boîtes en exposition dans les rayonnages de la section pour adultes, lorgnant les photos au verso. L'un d'eux en frotta une à hauteur de son sexe, tira la langue et la fit tournoyer entre ses lèvres.

– Hé ! dit Izzigil en esquissant un geste. On se calme.

Les deux garçons s'empressèrent d'attraper une brassée d'autres boîtes, s'approchèrent du comptoir et les jetèrent dessus. L'un faisait une tête de plus que l'autre, mais tous deux étaient carrés. Ils portaient des casquettes de base-ball et une doudoune identique à celle qu'affectionnaient les petits Blacks qu'Izzigil voyait traîner dans le centre commercial le samedi après-midi...

– Y en a avec de la meuf turque ? demanda le plus grand des deux garçons.

– Il aime les femmes bien poilues..., dit l'autre en se penchant par-dessus le comptoir.

Izzigil se sentit rougir. Il ne dit rien, rassembla les boîtes d'exposition que les deux garçons avaient jetées et commença à les empiler.

– Ce que vous avez, j'espère que c'est un peu plus bandant que ça, dit le plus petit des deux en plongeant la main dans sa doudoune dont il sortit une boîte vidéo noire qu'il abattit avec force sur le comptoir. J'ai loué ça chez vous l'autre jour.

Izzigil regarda la boîte, secoua la tête.

– Ça ne vient pas d'ici. Mes boîtes sont différentes, regardez...

– Tu cherches à m'entuber ?

– Tu vas nous rendre notre putain de fric, mec...

Alors, Izzigil perçut l'odeur. Il faillit vomir, puis laissa retomber sa main derrière le comptoir.

– Vous feriez mieux de partir avant que j'appelle la police...

Le plus grand des deux garçons prit la boîte, l'ouvrit et la secoua pour faire tomber la merde sur le comptoir.

Izzigil fit un pas en arrière.

– Bon Dieu ! s'écria-t-il.

Le plus grand des deux garçons se mit à rire. Son copain afficha un air faussement sérieux.

– Ce film, c'est une merde, mec...

– Foutez le camp d'ici !

Izzigil tendit la main sous le comptoir, mais avant qu'il ait pu atteindre la queue de billard, le plus petit des deux garçons s'était penché vers lui et un couteau se trouvait soudain à quelques centimètres de son visage.

– On t'avait remis une lettre...

– Quelle lettre ? Je ne sais pas de quoi tu parles.

– Des amis à nous t'ont remis une putain de lettre. On t'a donné la chance de te comporter en bon commerçant, mais tu ne l'as pas saisie. Alors, maintenant, on ne va plus perdre de fric en putain de papier à lettres. C'est clair ?

Izzigil acquiesça.

– Maintenant, on arrête de jouer au con. La prochaine fois, il se peut qu'on passe quand tu seras en haut à tringler ta poilue et que ton fils sera ici à tenir la boutique...

Izzigil acquiesça derechef, regardant par-dessus l'épaule du garçon son copain qui déambulait sans se presser dans la boutique et renversait nonchalamment par terre le contenu des bacs et des rayonnages. Il vit un client poser la main sur la poignée de la porte, se figer puis s'éloigner rapidement en se rendant compte de ce qui se passait à l'intérieur.

À ce moment-là, Izzigil enroula fermement ses doigts autour de la queue de billard. Il savait qu'il était beaucoup trop tard pour que ça puisse être utile, mais il la serra en regardant partir les deux garçons.

Sur l'écran au-dessus de lui, Austin Powers dansait sur un titre de Madonna. Izzigil contourna lentement le comptoir et marcha jusqu'à la devanture de la boutique. Là, il colla son visage à la vitrine et regarda des deux côtés de la rue.

– Muslum... ?

Izzigil se tourna vers sa femme et fit un pas vers elle. Il la vit écarquiller les yeux, tout à coup, rester bouche bée, et il se retourna juste au moment où la forme noire fila vers la vitrine. Au moment où le monde parut soufflé par une explosion de bruits, de douleur et dans une effroyable cascade de verre brisé.

Ils repartirent par Buckingham Palace Road, se dirigeant lentement vers la gare. C'était le milieu de la pause déjeuner, et des gens attendaient devant des traiteurs et des coffee shops. Février se faisait mordant ; Thorne avait remonté la glissière de son blouson jusqu'en haut et bien enfoncé ses mains dans ses poches.

– Comment réagit Jack ?

Carol Chamberlain s'arrêta juste le temps de céder le passage à une fille qui lui coupait la route.

– Toujours pareil.

Ils reprirent leur marche.

– Il me soutient comme il peut, mais il n'a pas vraiment envie que je rempile. Je sais qu'il craint que j'en fasse trop, mais je devenais folle entre mes quatre murs.

Elle se regarda dans une vitrine, passa la main dans ses cheveux.

– Le jardinage, j'en ai rien à battre..., soupira-t-elle.

– Je parlais par rapport à ces appels téléphoniques. À cette lettre.

– Il n'est pas au courant pour la lettre, et il dormait quand j'ai reçu ces coups de fil à part un. Je lui ai dit que c'était un faux numéro.

Elle resserra son écharpe autour de son cou.

– Maintenant, je tournicote toute la nuit autour de ce foutu téléphone. C'est presque pire quand il n'appelle pas.

– Tu ne dors pas de la nuit ? Bon sang, Carol, ça fait quand même quinze jours que ça dure...

– Je récupère pendant la journée. Je n'ai jamais été une grosse dormeuse de toute façon.

– Il te fait quelle impression ?

Elle répondit sans hésitation et sans détour. Thorne supposa qu'elle devait savoir quelles questions il lui poserait, car c'étaient celles qu'elle-même aurait posées.

– Il est très calme. Comme s'il me disait des choses évidentes. Comme s'il me rappelait des choses que j'aurais oubliées...

– Un accent ?

Elle fit non de la tête.

– Une idée de son âge ?

Elle refit non de la tête.

– Écoute, je sais que ça va te paraître bizarre, mais je ne vois pas trop pourquoi tu n'as pas tout bonnement appelé la police.

Elle s'apprêta à répondre, mais Thorne l'arrêta.

– Je te parle de ton commissariat de quartier. C'est un taré, voilà tout, Carol. Un gamin qui veut te faire chier. Quelqu'un qui a lu un bouquin de fouille-merde sur les affaires criminelles et qui ne trouve rien de mieux à faire.

– Il sait des choses, Tom. Des choses qui n'ont jamais été révélées. Il sait que le briquet a été jeté sur les lieux, et quelle marque d'essence a été utilisée...

– Alors, c'est un ex-compagnon de cellule de Rooker. Rooker lui aura dit de te harceler à sa sortie.

À nouveau, elle fit non de la tête.

– Rooker n'a aucune raison de me désigner à quelqu'un. Il a avoué, je te rappelle. En outre, il m'avait à la bonne.

– Il avait une relation avec toi. C'est toi qui l'avais interrogé. Raison pour laquelle c'est toi qu'il cible maintenant et non l'officier qui était sur cette enquête.

– Je pense que c'est seulement parce que je viens en second. L'officier en question a quitté la police bien avant moi et a émigré en Nouvelle-Zélande il y a dix ans. Il serait beaucoup plus difficile de le retrouver, lui, que moi.

Ça se tenait, mais Thorne avait une autre théorie.

– Ou peut-être que celui qui fait ça sait que tu as été... affectée par ce qui est arrivé à Jessica.

Elle le regarda, soucieuse.

– Comment quelqu'un le saurait-il ? D'ailleurs, comment le sais-tu... ?

Ils marchèrent en silence pendant une cinquantaine de mètres avant que Thorne ne reprenne la parole.

– Ce qui t'inquiète, ce serait d'avoir fait emprisonner un innocent, Carol ? C'est ça la question ?

– Non, ce n'est pas ça. Gordon Rooker a brûlé Jessica Clarke. Je le sais.

Ils se turent jusqu'à ce qu'ils atteignent la gare.

Au beau milieu du hall, elle s'arrêta et se tourna vers Thorne.

– Inutile que tu attendes. J'ai un quart d'heure de battement avant mon prochain train.

– Oh, ça me va. Pas de problème.

– Retourne travailler. Moi, j'ai envie de traîner un peu. Je vais m'acheter un magazine, je peux me débrouiller seule. Que veux-tu, je suis une vieille monomaniaque.

– Tu n'es pas monomaniaque.

Elle se pencha vers lui et l'embrassa sur la joue.

– Vil flatteur !

Thorne soupira et s'écarta.

– Je ne vois pas trop ce que tu attends de moi sur ce coup, Carol. Officiellement, il n'y a rien que je puisse faire de plus qu'un autre.

– Je ne te demande pas d'intervenir officiellement.

À cet instant, il se rendit compte, malgré le ton enjoué et les plaisanteries d'avant, à quel point elle était secouée. Et elle voulait éviter à tout prix que les Hautes Instances ne s'en aperçoivent. Thorne n'en revenait pas qu'on l'ait retirée de la Section des affaires classées, mais nombreux étaient ceux qui pensaient que la police de Londres ne devait pas faire appel à des gens qui seraient plus à leur place dans les files d'attente de la poste.

– D'accord, finit-il par dire. Moi, ce n'est pas grave si je perds mon temps.

Carol Chamberlain tira un gros sac sur sa petite épaule et pivota sur ses talons.

– Il y a de ça...

Thorne la regarda disparaître à l'intérieur d'un WH Smith.

En repartant vers le métro, il songea aux cicatrices qu'on dissimule, et à celles qu'on exhibe. Aux cicatrices douloureuses au point de vous faire sauter dans le vide du haut d'un parking.

3

Toutes ces salles avaient un point commun. Leur taille pouvait varier, leur style dépendait en général de leur époque, et leur décoration des aléas budgétaires ou des goûts du Patron, mais il y régnait invariablement la même odeur. Chrome, verre teinté ou placoplâtre orange écaillé. Glaciales ou surchauffées. Intimes ou tout le contraire. Quel que soit leur aspect, ces relents indiqueraient à coup sûr où l'on se trouvait même si on avait un sac sur la tête. Dès qu'il les sentait, Thorne, en fin connaisseur, pouvait en citer les composantes : tabac froid, transpiration et désespoir.

Il regarda autour de lui. Celle-là proposait un zeste de chaque : une nouvelle couche magnolia, des émanations renforcées par la chaleur émanant d'épais radiateurs. Il y avait un nouvel assortiment de chaises aux couleurs pétantes. Bleues pour les visiteurs, rouges pour les détenus...

La plupart étaient occupées, mais quelques rouges étaient encore disponibles. Une femme noire, au deuxième box après le sien, lui décocha un coup d'œil. La chaise face à elle était inoccupée. Elle lui adressa un petit sourire, ses paupières se plissant derrière les verres épais de ses lunettes, puis elle détourna le regard avant que Thorne ait eu le temps de la payer de retour. Il vit son visage s'éclairer au moment où un jeune homme – son fils, supposa-t-il – s'avança vers elle en roulant des mécaniques. Le jeune homme sourit jusqu'aux oreilles, puis il se contint et regarda autour de lui pour vérifier si quelqu'un l'avait surpris en flagrant délit de spontanéité.

Thorne consulta sa montre : bientôt dix heures. Il devait en finir avec ça le plus rapidement possible, puis retourner au bureau. Il avait téléphoné au constable Holland pendant le trajet vers l'ouest de Londres et la prison de Sa Majesté...

– J'ai besoin que tu me couvres. Raconte à Tughan que je suis allé voir un indic, ou que je suis sur une piste, bref, raconte-lui ce que tu veux. Pioche dans notre « panier à salades » de flics...

– Me feras-tu l'honneur de me dire ce que tu fais réellement ?

– Je rends service. Je devrais être revenu pour l'heure du déjeuner si ça roule bien, alors...

– Ah, parce que tu es en voiture ? Depuis quand l'as-tu récupérée ?

Ladite voiture était une BMW jaune pulsar de trente ans d'âge pour laquelle Thorne avait lâché pas mal de fric l'année précédente. Il trouvait que c'était un modèle classique. D'autres y voyaient une « antiquité ». Holland, en particulier, ne manquait jamais une occasion de le chambrer, soutenant depuis le jour où il avait vu cette caisse que c'était une grosse galère. Il avait sauté au plafond lorsque, quinze jours plus tôt, elle avait été recalée de façon spectaculaire au contrôle technique et avait disparu au garage.

– Combien ? avait demandé Holland d'un ton réjoui.

Thorne avait lâché un juron à un feu rouge, et mis le frein à main.

– C'est une vieille bagnole, d'accord ? Les pièces détachées sont chères.

Elles étaient non seulement chères, mais innombrables. Thorne ne se souvenait pas de toutes, mais il n'avait pas oublié l'angoisse croissante qui l'étreignait au fur et à mesure qu'on les lui énumérait joyeusement. Pour ce que Thorne savait de ce qui se tramait sous le capot, le mécanicien aurait tout aussi bien pu lui parler serbo-croate.

– Cinq cents ? avait insisté Holland. Plus ?

– Écoute, elle est vieille, mais encore sublime. Comme ces actrices sur le retour qui sont toujours craquantes, tu vois ?

Pour faire honneur à sa BMW, Thorne avait essayé de citer une actrice allemande. Sans succès. Glenda Jackson, s'était-il dit en redémarrant. Ouais, ça ferait l'affaire.

– Sublime, avait repris Holland que ça paraissait beaucoup amuser.

– Oui, sublime, autant que Glenda Jackson.

– Les gens qui trouvent que leur bagnole est « sublime » ne doivent pas être très loin de porter des gants de conduite et de fumer la pipe...

Au raclement de la chaise en face de lui, Thorne leva les yeux et vit Gordon Rooker se laisser tomber sur le siège rouge. Thorne n'avait jamais vu aucune photo de lui et on ne lui avait pas donné son signalement, mais il n'y avait aucun doute possible.

– La place est libre ? demanda Rooker dont le sourire révéla une dent en or.

La soixantaine, à un ou deux ans près, grand. Le visage fin et rasé de frais. La peau du cou pendante, tannée et molle ; la tignasse blanche, au-dessus du front, jaunie par une vie de clopeur intensif.

D'un signe de tête, Thorne désigna une sorte de bavette verte, sur laquelle figurait son matricule, que Rooker, comme tous les prisonniers, portait par-dessus le sweat-shirt bleu réglementaire.

– Très seyant, dit-il.

– On doit tous mettre ça maintenant. Il y a des endroits qui l'ont depuis belle lurette, mais pas mal de dirlos, dont le nôtre ici, pensaient que c'était humiliant pour les taulards, ce qui est formidable et progressiste de leur part. Là-dessus, un condamné à perpète, à Gartree, a permuté avec son frère jumeau pendant que personne ne regardait et il est ressorti par la grande porte. Alors, maintenant, il faut que ce soit évident qui est prisonnier et qui ne l'est pas, et quand on a une visite, on doit tous s'habiller comme des couillons de premier ordre.

Il s'exprimait d'une voix expressive et énergique. Une voix de philosophe de comptoir ou d'humoriste, agréablement voilée par des décennies de quarante cigarettes roulées par jour. Pendant que Rooker parlait, Thorne avait sorti sa carte de police. Il la fit glisser sur la table. Rooker ne prit même pas la peine de la regarder.

– Qu'est-ce que vous voulez, monsieur Thorne ?

Il leva la main.

– Oh, pas la peine, on n'a qu'à bavarder. Je suis sûr que vous finirez par cracher le morceau.

– Je suis un ami de Carol Chamberlain.

Rooker plissa les paupières.

– Elle devait s'appeler Carol Manley quand vous l'avez connue...

La dent en or refit lentement son apparition.

– Elle est devenue préfet, la dame ? J'ai toujours pensé que c'était dans ses cordes.

Thorne secoua la tête.

– Elle était inspecteur-chef quand elle a pris sa retraite, il y a sept ou huit ans.

– Elle était réglo, vous savez.

Rooker regarda dans le vide. Un souvenir lui revenait.

– Je suis pas étonné qu'elle se soit mariée, reprit-il. C'était une belle femme. Toujours appétissante, hein ? Partante, la vieille ?

Il se pencha sur la table.

– Vous les aimez un peu mûres ?

Que ces remarques soient destinées à le déstabiliser ou à gagner sa sympathie, Thorne les ignora.

– Quelqu'un l'importune. Un abruti la bombarde de lettres et de coups de fil anonymes...

– Je suis navré de l'apprendre.

– L'homme prétend être l'auteur de la tentative de meurtre commise sur la personne de Jessica Clarke.

Thorne regardait intensément Rooker, scrutait son visage, à l'affût d'une réaction.

– Il affirme que c'est lui qui l'a brûlée vive, Gordon.

Il y eut une réaction, pas une question, et Thorne se demanda ce qui pouvait tant amuser Rooker.

– Vous trouvez ça drôle ?

– Très drôle, ouais. Comme je vous disais, je suis désolé que Mlle Manley, dont je connais pas le nom actuel, soit ennuyée de la sorte, mais c'est trop marrant d'avoir son taré de service, hein ? Qui que ce soit, en tout cas, il en a mis du temps...

– Autrement dit, vous ne savez pas qui est cette personne ?

Rooker tourna ses paumes, glissa ses mains sous le carré de tissu vert.

– Pas la moindre idée.

Si, à cet instant, on avait demandé à Thorne de parier que Rooker disait la vérité, il se serait fait un plaisir de débourser quelques livres.

– J'ai reçu pas mal de lettres pendant toutes ces années, poursuivit Rooker, hilare. Vous savez, celles écrites à l'encre verte en appuyant si fort que le stylo traverse le papier. Des gens qui veulent que je leur raconte des trucs pour se branler dessus ou autre. J'ai eu quelques foldingues qui m'ont écrit des lettres torrides, elles voulaient m'épouser...

L'année précédente, une affaire – celle au cours de laquelle Thorne avait fait la connaissance de Carol Chamberlain – avait débuté par une lettre de ce genre. Celle-ci n'était pas sincère, mais beaucoup l'étaient, et Thorne ne cessait d'en être étonné et écœuré.

– Bah, Gordon, vous n'êtes pas n'importe quel parti, c'est sûr.

– Mais là, c'est différent, hein ? C'est un peu comme un harceleur inversé. Il ne peut pas me harceler, moi, alors il s'en prend à quelqu'un d'autre, à quelqu'un qui a été impliqué dans tout ça, en se faisant passer pour moi. En prétendant que c'est lui qui a fait ce que, moi, j'ai fait...

Thorne décida d'arrêter de tourner autour du pot.

– Donc, il ment, c'est ça ? Parce que, en réalité, c'est pour ça que je suis venu : pour m'en assurer.

L'insolence, l'aisance se fondirent peu à peu dans les rides du visage de Rooker. Ses épaules s'affaissèrent légèrement. Et ce fut d'une voix sourde, d'un ton égal, qu'il répondit, avec détachement :

– Vous pouvez en être sûr. C'est moi qui l'ai cramée, cette gamine. Je vous rappelle que, en réalité, c'est pour ça que je suis ici.

Pendant quelques secondes, Thorne observa Rooker qui fixait le plateau de la table. Son crâne était visible, rose et parsemé de pellicules à la base des cheveux blancs.

– Mais comme vous le disiez vous-même : il a attendu un sacré bout de temps, votre taré de service. Au fait, pourquoi êtes-vous toujours ici après tout ce temps, Gordon ?

Rooker s'anima de nouveau :

– Demandez ça au putain de juge. Ce pauvre con doit être mort aujourd'hui, s'il y a une justice.

Il rit, sans une once d'humour, à sa propre plaisanterie.

– La justice, il aurait même pas été foutu de la reconnaître si elle lui avait mordu les couilles.

– Cette affaire avait fait beaucoup de bruit, dit Thorne. Vous alliez forcément écoper d'une longue peine.

– Écoutez, je ne m'attendais pas à ce qu'on me flanque juste une taloche, d'accord ? Mais regardez certains de ces salauds qui s'en tirent mieux que moi. Des types qui ont découpé leur femme en morceaux sortent au bout de dix ans. Moins que ça, des fois...

Sans éprouver la moindre sympathie envers Rooker, sachant qu'il méritait chaque seconde qu'il passait derrière les barreaux, Thorne n'en comprenait pas moins qu'il puisse défendre ce point de vue. Le tarif de vingt ans – ou « peine de sûreté incompressible » – dont il avait écopé était deux fois plus long que de prétendues « condamnations à perpétuité » dont Thorne avait été témoin.

– L'impartialité, ça existe pas, dit Rooker. Vingt ans. Vingt ans dans le foutu quartier des D.V...

Thorne faillit ricaner. Les « détenus vulnérables ».

– Parce que vous êtes toujours vulnérable, Gordon ?

Rooker cligna des yeux, ne répondit pas.

– En tout cas, toujours dangereux, apparemment. Vingt ans, et toujours en catégorie B ? Vous n'avez pas dû être très sage.

– Y a eu quelques incidents...

– Aucune importance, hein ? Bientôt le bout du tunnel ?

– Plus que trois mois pour finir ces vingt ans...

Thorne s'enfonça dans sa chaise, et lança un coup d'œil sur sa droite. La femme noire surprit son regard au moment où elle pêchait un mouchoir en papier dans son sac. Il reporta son attention sur Rooker.

– Quelle coïncidence, quand même, non ? Ce type qui surgit maintenant et se désigne comme coupable !

Rooker secoua la tête.

– J'en doute. C'est le meilleur moment pour attirer l'attention sur soi, non ? Quand ma libération approche. Ma « possible » libération. Vous pensez, s'il s'imagine qu'on va me laisser sortir, il est encore plus bête que je pensais.

– Ça dépend de qui, du CPP ?

Rooker acquiesça. Une fois que le détenu avait purgé la peine incompressible, le Comité des Peines Perpétuelles pouvait recommander sa libération au ministre de l'Intérieur. Ce comité comptait un juge, un psychiatre et un autre professionnel lié à l'affaire, soit un criminologue, soit un agent de probation. Cette procédure, contrairement à la libération conditionnelle, impliquait une audition, et le détenu pouvait se faire assister par un avocat ou un ami.

– J'ai pas l'ombre d'une foutue chance, dit Rooker. J'ai essuyé plus d'un refus pendant toutes ces années.

Il regarda Thorne comme s'il attendait des explications ou du réconfort. Il ne reçut ni l'un ni l'autre.

– Qu'est-ce que je peux faire ? Je suis allé à des séances d'aide psychosociale, j'ai suivi Dieu sait combien de programmes...

– Le remords, ce n'est pas rien, Gordon.

Ce mot parut tasser Gordon dans son siège. Thorne inclina le buste vers lui.

– C'est un point fort pour ces gens-là, allez savoir pourquoi. Ils aiment percevoir une certaine empathie avec la victime, vous comprenez ? Un lambeau de compréhension de ce que vous avez réellement fait subir à la victime, à sa famille. Ils estiment peut-être que vous ne regrettez pas suffisamment votre geste, Gordon. À votre avis ? C'est peut-être la question à laquelle ils veulent obtenir une réponse : Et son remords, dans tout ça ?

– Je l'ai exprimé sous serment, non ? J'ai avoué.

– Ce n'est pas la même chose.

Le raclement de la chaise de Rooker quand il la repoussa fut assez fort pour faire grimacer Thorne.

– On en a terminé ? demanda Rooker.

Thorne fit doucement glisser sa chaise en arrière et regarda de nouveau à sa droite. La femme noire sanglotait à présent, serrant fort son mouchoir en papier contre sa bouche. Il surprit le regard du jeune homme face à elle.

Qui le regardait comme s'il voulait lui arracher la gueule.

Comme promis, Tom Thorne avait téléphoné à Carol Chamberlain dès qu'il avait quitté la prison pour lui relater son entretien avec Rooker. Elle avait entendu tout ce qu'elle espérait entendre, et pourtant le soulagement tant attendu continuait à se faire désirer.

Elle était assise à son bureau dans le coin travail que Jack et elle avaient bricolé dans la chambre d'amis l'année précédente. Il était moins encombré qu'à l'origine, car beaucoup de bazar avait été transféré dans le haut de la penderie ou entassé sous le lit, et les boîtes de dossiers avaient été empilées sur l'ancienne coiffeuse. Désormais, cette pièce ne servait de chambre qu'une ou deux fois par an lorsque la fille de Jack, née d'un premier mariage, daignait venir les voir.

– Je fais du thé, ma puce. Tu en veux ? lui cria Jack d'en bas.

– Oui, merci !

Chamberlain ne comprenait pas quand ses collègues – ses ex-collègues – affirmaient ne pas se souvenir de telle ou telle affaire. Elle n'en revenait pas de les voir se creuser les méninges pour se rappeler les noms et les visages de certains violeurs et assassins – ou de leurs victimes. Certes, un numéro de dossier ou la couleur d'un véhicule précis, ça s'oublie, oui, bien sûr, mais les gens restent en vous, eux. En elle, en tout cas, ils étaient restés.

Et ils restaient en Tom Thorne, aussi, elle le savait. Elle l'entendait encore lui dire que les visages qu'il ne pourrait jamais oublier était ceux qu'il n'avait jamais vus. Ceux des tueurs qu'il n'avait pas arrêtés. La morgue de ceux qui s'en étaient sortis.

Ceux qui affirmaient ne pas se souvenir avaient peut-être mis au point une technique d'oubli automatique, une ficelle du métier. Dans ce cas, elle regrettait de ne pas en avoir côtoyé certains d'un peu plus près, de ne pas avoir passé un peu plus de soirées dans des restos indiens ou à faire la tournée des bars. Peut-être alors lui auraient-ils transmis la formule magique ?

Pour des raisons qu'elle avait du mal à admettre, elle n'avait pas voulu faire ressortir officiellement le dossier Jessica Clarke, attirer l'attention sur elle ou sur cette affaire. Au lieu de cela, elle avait sollicité un service, s'était rendue au Bureau du Registre général, dans le quartier de Victoria Station, et y avait jeté un rapide coup d'œil pendant qu'un vieil ami avait le dos tourné. À peine avait-elle ouvert la première chemise marron écornée que cela lui avait sauté aux yeux : elle se souvenait parfaitement de Gordon Rooker. Le visage sur le vieux cliché anthropométrique noir et blanc était exactement celui qu'elle visualisait depuis la nuit où elle avait reçu le premier appel téléphonique...

« C'est moi qui l'ai brûlée vive... »

C'était bien le visage qu'elle revoyait encore, malgré le passage de deux décennies. Elle avait essayé, depuis qu'elle avait parlé avec Thorne, de vieillir mentalement cette image, de lui donner les cheveux blancs et les rides que Thorne lui avait décrits, mais sans succès.

Elle se disait que c'était ainsi que la mémoire travaillait...

Un collègue de la Section des affaires classées, qui approchait de la soixantaine et avait travaillé sur l'enquête des « Moors Murders[1] », lui avait raconté que, lorsqu'il pensait à Hindley et Brady, il revoyait toujours ces ignobles photos d'eux, avec leur air arrogant et leurs yeux creux. Il ne pouvait jamais l'imaginer, lui, en vieux monsieur ravagé par les ans, et elle, en mémère redevenue brune.

Bizarrement, Carol Chamberlain éprouvait le besoin de se souvenir du visage de Rooker. Elle assimilait la netteté de l'image qu'elle en gardait à la certitude qu'elle avait de sa culpabilité. C'était une association d'idées absurde et ridicule ; pourtant, pour elle, c'était parfaitement logique. Ce visage, celui qu'elle connaissait dans le moindre détail, était celui de l'homme qu'elle voyait à genoux près de la clôture. Ce visage, celui qu'elle revoyait animé d'un sourire en face d'elle dans une salle d'interrogatoire, était celui de l'homme qu'elle voyait fuir loin de l'école à toutes jambes, grisé, vers le bas de la butte.

Elle se raccrochait à ce souvenir à présent, plus fermement encore depuis l'appel de Thorne. Bien entendu, le doute avait plané, et elle savait, à la question qu'il lui avait posée au poste, que Thorne l'avait senti. Il avait jailli dans l'obscurité et grandi tandis qu'elle restait assise, fris-

---

1. Entre 1963 et 1965, dans la région de Manchester, Ian Brady et sa complice Myra Hindley torturent et tuent deux enfants et un adolescent. Ils sont condamnés à perpétuité.

sonnante. Il avait poussé comme du chiendent, forçant le passage entre les fissures d'une dalle tandis qu'elle était allongée sans pouvoir fermer l'œil.

« C'est moi qui l'ai brûlée vive... »

Maintenant, Dieu merci, ce doute s'éteignait. Il avait commencé à se ratatiner dès qu'elle avait décroché son téléphone et appelé Thorne. Depuis, Thorne était allé voir Rooker et l'avait entendu confirmer les faits. L'avait entendu avouer, une fois encore...

Mais le soulagement qu'elle éprouvait ne pourrait jamais être complet, car, alors que le souvenir du visage de Rooker était étrangement réconfortant, il y avait aussi le visage de Jessica Clarke à prendre en considération.

Chamberlain avait vu des photos : instantanés d'une adolescente souriante, au teint pâle et aux cheveux bruns qui lui descendaient au milieu du dos. Elle revoyait encore le tremblement des mains des parents quand ils soulevaient des petits cadres en bois alignés sur un buffet, mais le visage de l'adolescente – le visage lisse et parfait qu'elle avait eu jusque-là – avait été bien trop facilement oublié.

Elle entendit Jack monter avec le thé. Elle battit des paupières pour essayer de chasser l'image.

Elle se souvenait toujours de Gordon Rooker exactement comme elle l'avait vu la première fois qu'elle avait posé les yeux sur lui. Elle était vouée à se souvenir de la même façon de Jessica Clarke.

En fin de journée, Thorne monta dans la BMW avec nettement plus d'enthousiasme qu'il n'en avait eu à le faire onze heures plus tôt. Il sortit du parking de Peel Centre et, pendant quelques minutes, conduisit en pilotage automatique. La plus grande partie de son attention était fixée sur la tâche autrement plus importante de choisir de la bonne musique. La voiture disposait d'un lecteur de CD à changeur six disques dont l'amplificateur était installé dans le coffre, et Thorne appréciait le temps qu'il passait, une fois par semaine, à changer ses sélections en s'assurant qu'elles lui proposeraient, dans un souci d'équilibre, une bonne variété de choix. En général, on trouvait des choses des débuts de la musique country et d'autres plus contemporaines – Hank Williams et Lyle Lovett étant les deux serre-livres du moment. Pris en sandwich entre eux, il y avait forcément deux ou trois compilations, parfois la bande originale d'un film, et, en général, un groupe de « alt-country », genre auquel il se mettait, ou Calexico. Et, toujours, un album de Cash.

Il parcourut les options à sa disposition. Il était important de faire le bon choix qui le soutiendrait pendant la demi-heure de route avant de le déposer chez lui d'une humeur différente. Il avait besoin de se laisser dériver, de s'égarer dans la musique pour qu'un peu de sa tension puisse sortir de ses veines.

Le problème, c'était Tughan...

À huit cents mètres avant Hendon, Thorne avait opté pour *Unchained*. Quand la voix de Cash résonna avec *Sea of Heartbreak*, Thorne frappait ses paumes contre le volant et commençait à se sentir beaucoup mieux. Aussi bien qu'il le pouvait vu l'actuelle réorganisation de la procédure. Et du personnel...

Il roula un moment vers l'est, puis coupa par le sud, traversant la North Circular Road et prenant la direction de Golders Green.

Thorne avait provoqué un clash entre Nick Tughan et lui au cours d'une affaire, quatre ans plus tôt, et il avait remercié tous les dieux auxquels il ne croyait pas quand, enfin, leurs routes s'étaient séparées. Alors que Thorne intégrait la nouvelle équipe montée au sein de la Section des crimes graves, Tughan avait trouvé d'autres couilles à casser à la SO7. Or, voilà qu'il faisait son come-back dans l'enquête sur les meurtres imputés à Billy Ryan, enquête à laquelle Thorne et son équipe étaient censés coopérer. Voilà qu'il revenait emmerder Thorne. Cerise sur le gâteau : ce lèche-cul avait été promu inspecteur-chef.

S'ils ne s'étaient pas revus une seule fois en quatre ans, ils avaient repris leur relation exactement là où elle en était restée. Sa quintessence s'était clairement exprimée dans le premier échange, très succinct, qu'ils avaient eu dans la Salle des enquêteurs à Becke House :

– Thorne...

– Tughan...

– Je me contenterai de « monsieur » ou de « chef »...

– Et que dirais-tu de « banane » ?

Si un policier s'avisait de passer à l'acte, de flanquer un coup de poing, par exemple, à un autre policier, ça pouvait devenir un tantinet problématique. S'il s'avisait de flanquer ce coup de poing – et de casser le nez, voire l'os d'une pommette –, ou même s'il se contentait de donner une bonne vieille baffe à un « supérieur » – à un inspecteur-chef, disons –, alors il se retrouvait dans la merde jusqu'au cou. Alors que Thorne songeait à cette injustice, son téléphone portable se mit à sonner.

Quand il vit quel nom de correspondant s'affichait sur l'écran, il prit une profonde inspiration.

– Tom... ?

Tatie Eileen, la sœur cadette de son père.

– Écoute-moi, il n'y a pas de quoi paniquer...

Donc, Thorne l'écouta, lançant un coup d'œil dans le rétroviseur avant de se déporter vers la gauche et de se garer dans un couloir de bus. Il l'écouta pendant que des bus et des taxis l'évitaient, sourd aux imprécations des chauffeurs en colère, aux aboiements et aux bêlements de leurs klaxons. Il l'écouta, écœuré, puis angoissé, et finalement en s'en foutant comme ce n'est pas permis.

Il mit un terme à la conversation, effectua tant bien que mal un demi-tour et repartit en trombe vers le nord, par où il était venu.

La trace de brûlé s'élevait au mur derrière la gazinière et léchait le plafond sur une cinquantaine de centimètres. Le papier peint à motifs cloquait et pelait là où la graisse accumulée au cours des années commençait à s'attaquer à l'enduit et au plâtre. Les fenêtres de la cuisine étaient ouvertes depuis des heures, pourtant la forte odeur était nauséabonde.

– Plus de friteuses, bordel de merde, dit Thorne. On fout en l'air toutes ses poêles, toute son huile.

Eileen paraissait choquée. Thorne pensa que c'était à cause de son vocabulaire, mais, quand elle prit la parole, il se rendit compte qu'il n'y avait pas que cela.

– On devrait débrancher la gazinière, dit-elle. Ou mieux : faire venir quelqu'un pour emporter cette cochonnerie...

– Je vais m'en occuper.

– Et si tu me laissais faire ?

– Je m'en charge !

Eileen haussa les épaules et soupira.

– Il sait, pourtant, qu'il ne doit pas venir ici.

– On devrait peut-être poser un verrou sur la porte en attendant, dit Thorne qui se mit à arpenter la pièce en ouvrant les placards. Il devait avoir faim...

Elle acquiesça.

– Il se peut que son déjeuner lui ait manqué. Je crois qu'il a insulté la dame de *Meals on Wheels*[1]. Il l'a traitée de « grosse truie ». Il lui a dit que son ragoût, elle pouvait « se le carrer dans le cul ».

Elle se retenait de rire, mais, quand elle vit Thorne céder à cette tentation, elle ne prit plus cette peine.

Une fois leur tension libérée, tous deux s'appuyèrent contre les plans de travail. Eileen croisa fermement les bras sur sa poitrine.

– Qui a appelé les pompiers ? demanda Thorne.

– Lui, finalement. Quand il a compris que c'était l'alarme incendie qu'il entendait, il a paniqué. Il lui a fallu un moment, je crois, pour reconnaître le bruit.

1. *Meals on Wheels* est une association à but non lucratif qui livre des plats afin d'aider les personnes à rester indépendantes et à maintenir un certain niveau de vie.

Thorne laissa tomber sa tête à la renverse, regarda le plafond. Tout un réseau de fissures arachnéennes noircies par la fumée entourait le plafonnier. Il savait très bien que, certains matins, son père avait du mal à se rappeler à quoi servaient ses chaussures.

– Nous devons vraiment songer à faire quelque chose, Tom.

Thorne la regarda. Pendant des années, Eileen et son père n'avaient pas été proches, mais depuis deux ans, depuis le diagnostic de la maladie d'Alzheimer, elle était son plus grand soutien. Elle organisait pratiquement tout, et, bien qu'habitant à Brighton, elle s'arrangeait pour faire le trajet jusque chez son père, à St Albans, plus souvent que Thorne ne le faisait lui-même depuis le nord de Londres.

Thorne se sentait fatigué et un peu étourdi, épuisé comme toujours par les coups combinés de la gratitude et de la culpabilité.

– Comment se fait-il qu'on t'ait appelée, toi ?

– Ton père aura donné mon numéro à un des pompiers, j'imagine...

Thorne leva les bras au ciel et éleva la voix, surjouant la stupéfaction.

– Mon numéro est noté partout comme contact en cas de problème.

Il se remit à fouiller dans les placards.

– Celui de mon domicile et celui de mon portable.

– Il parvient toujours à se souvenir du mien, va savoir pourquoi, dit Eileen. Il doit être facile à retenir...

– Et toi, pourquoi as-tu mis autant de temps avant de m'appeler ? J'aurais pu arriver ici bien avant toi.

Eileen s'approcha de lui, posa la main sur son avant-bras.

– Il ne voulait pas t'inquiéter.

– Il savait que je serais furieux contre lui, oui !

– Il ne voulait pas t'inquiéter, et je ne le voulais pas non plus. D'ailleurs, l'incendie était déjà maîtrisé quand on m'a téléphoné. J'ai pensé qu'il valait mieux que j'arrive en premier pour faire un peu de rangement, voilà tout.

Thorne voulut fermer la porte du placard, mais elle était voilée et, il avait beau la claquer de plus en plus fort, elle refusait d'obéir à sa main.

– Merci pour tout, finit-il par dire.

– Nous devrions au moins en parler. Examiner toutes les éventualités.

Elle montra la gazinière.

– Nous avons eu de la chance, mais le moment est peut-être venu d'envisager un placement pour ton père. Nous pourrions faire évaluer la maison, au moins...

– Non.

– J'ai peur qu'il fasse des fugues, tu sais, qu'il se perde. J'ai entendu parler, à la radio, de bracelets GPS. Nous pourrions lui en mettre un, comme ça, si jamais il ne pouvait plus s'orienter...

– C'est ce qu'on met aux jeunes délinquants, Eileen. Ce qu'on met aux foutus agresseurs.

Il passa à côté d'elle pour aller dans la petite entrée. Il jeta un rapide coup d'œil à son reflet dans le miroir, puis s'adossa à la porte du salon et entra dans la pièce.

Jim Thorne, assis sur le bord d'un fauteuil marron cabossé, se penchait vers la table basse jonchée de pièces de plusieurs postes de radio qu'il avait démontés et ne parvenait pas à remonter.

– J'avais envie de frites, dit-il sans lever les yeux.

Il avait un accent plus prononcé que Thorne. Une voix plus haut perchée, et un peu chevrotante.

– Il y a une excellente friterie au bout de la rue, je te signale...

– Ce n'est pas pareil.

– Tu aimes beaucoup leurs frites.

– Je voulais les faire moi-même.

Il leva la tête, agita rageusement un gros morceau de plastique.

– Je voulais faire moi-même mes putains de frites, ça te va ?

Thorne se contint. Il gagna avec lenteur le fauteuil devant la cheminée, et s'y laissa tomber.

Il se demanda si c'était le moment où la maladie passait officiellement du stade « modéré » à « aggravé ». Peut-être n'était-ce pas défini par des symptômes cliniques. Peut-être que cela correspondait tout simplement à la première fois où la personne atteinte de cette maladie attentait involontairement à ses jours...

– Conneries, dit son père à personne en particulier.

Ça n'était pas évident tous les jours, assurément, mais, jusqu'à présent, ils avaient su gérer les difficultés d'ordre pratique comme les clés, le courrier et l'argent, la perte de repères spatio-temporels, l'obsession de certains détails, le manque total de jugement sur les vêtements qu'il devait porter et sur le moment où les porter, les médicaments pour lutter contre les phases dépressives, les sautes d'humeur et l'agressivité verbale. Son père n'avait pas encore fugué et n'était pas tombé dans un fossé. Il ne s'était pas mis à boire de l'eau de Javel comme si c'était de la citronnade. Il n'avait encore jamais mis sa vie en danger. Jusqu'à présent...

– Tu sais que tu ne dois pas aller dans la cuisine, lui rappela Thorne.

Alors, résonna le verbe que le vieil homme semblait dire le plus souvent ces derniers temps. Sa « devise », comme il disait dans ses meilleurs moments. Un verbe craché ou bafouillé, sangloté ou crié, mais, la plupart du temps, marmonné en grinçant des dents de rage.

– J'avais oublié.

– Je sais, et tu as aussi oublié d'éteindre la gazinière. Si on te donne des règles à suivre, c'est qu'il y a de bonnes raisons, non ? Que se passerait-il si tu oubliais qu'un couteau, ça coupe ? Ou que le grille-pain et l'eau, ça ne fait pas bon ménage ?

Son père leva brusquement la tête, la surexcitation envahissant son visage comme il saisissait une pensée.

– La majorité des gens meurent chez eux, dit-il. Pas loin de cinq mille personnes par an meurent d'un accident dans leur maison ou dans leur jardin. Je l'ai lu. Ça arrive plus souvent dans le salon que dans la cuisine, d'ailleurs, ce que j'ai trouvé étonnant.

– P'pa...

Thorne vit l'effort de concentration durcir les traits de son père tandis qu'il commençait à compter sur ses doigts.

– Les chutes arrivent en tête de liste, si je me souviens bien. « Accidents de plain-pied », on dit. L'électrocution, c'est une autre bonne raison. L'incendie, c'est sûr. Étouffement, asphyxie, incidents de bricolage...

– Pourquoi n'as-tu pas demandé qu'on m'appelle, moi ?

Son père continua son énumération, mais en articulant en silence les mots. Au bout d'une petite minute, il cessa et se remit à farfouiller dans les ressorts et les circuits électroniques éparpillés sur la table.

Thorne l'observa quelques instants.

– Je vais dormir ici, dit-il.

Le vieil homme lui fit un grand sourire et se leva. Il plongea la main dans sa poche et en sortit un billet de cinq livres tout froissé. Il l'agita sous le nez de Thorne.

– Tiens. Voilà de... oh, merde...

Il ferma les yeux, cherchant le mot.

– Un morceau de papier qui sert à acheter des trucs...

– Qu'est-ce que tu veux que je fasse de cet argent ?

– De l'argent !

– Que veux-tu que j'en fasse ?

– Que tu ailles au bout de la rue nous acheter des frites. C'est que je n'ai pas encore dîné, moi, bordel...

Allongé dans le noir, éveillé, il songeait à la gamine brûlée vive.

Pour une raison ou une autre, il n'avait jamais vraiment cessé de penser à elle, jamais durant de longues périodes, mais, ces derniers temps, pour des raisons évidentes, elle lui venait souvent à l'esprit. Les couleurs et les odeurs, qui, bien sûr, s'étaient estompées au fil des années, redevenaient soudain plus vives, plus fortes que jamais. Non qu'il ait disposé de plus de quelques petites secondes pour tout capter. Dès que les flammes avaient commencé à se propager, il avait dû se tirer vite fait, dévaler la butte vers l'endroit où il avait garé la bagnole. Il avait couru presque aussi vite que la gamine elle-même.

Ses lacunes – le visage de la gamine, tout ça –, il les avait comblées plus tard. Il l'avait vu, emmailloté de bandages, étalé sur toutes les unes et tous les écrans de télévision. Plus tard, il avait vu à quoi elle ressemblait sans les bandages ; il était impossible de deviner son visage d'avant.

C'est marrant, songea-t-il. Quelle ironie du sort ! Ce visage, s'il l'avait vu ce jour-là, dans la cour de récréation, il se serait rendu compte de sa méprise. Après, c'est sûr, plus personne n'aurait pu la confondre avec une autre.

Il glissa, finalement, vers le sommeil. Ses pensées cédant la place à une confusion d'images et de sentiments...

La gamine battant des bras juste avant de se mettre à courir, comme si ce n'était rien de plus grave qu'une piqûre de guêpe. Le bruit de ses chaussures dans la cour au moment où lui-même se détournait. L'impression d'être le dernier des cons quand il s'était aperçu que ce n'était pas la bonne.

Thorne passa la plus grande partie de la nuit à tourner et se retourner entre des draps en nylon, s'enfonçant dans le matelas ridiculement mou de la chambre d'amis de la maison paternelle, et à ramener sur lui la couette qui n'arrêtait pas de glisser, entraînée par la pente naturelle du lit. Au moment où il eut l'impression de céder enfin au sommeil, son téléphone sonna. Il consulta sa montre et vit qu'il était déjà plus de neuf heures et demie. Au moment où il commençait à paniquer, il se souvint d'avoir appelé Brigstocke la veille au soir pour l'informer de ce qui se passait. On ne devait pas l'attendre au bureau.

Il tendit le bras vers son portable, posé sur ses vêtements, qui pépiait. Il avait mal au cou et froid aux bras.

C'était Holland.

– Je suis dans une boutique vidéo à Wood Green, dit-il. Il y a deux corps encore chauds. Et ce n'est pas le titre d'un de leurs films...

4

Le constable en uniforme arrivé le premier sur la scène de crime était assis à une petite table dans l'arrière-boutique, à côté d'un adolescent que Thorne supposa être le fils de Muslum Izzigil. Thorne les regardait du seuil de la pièce. Il ne parvenait pas à discerner lequel était le plus jeune ou le plus bouleversé des deux.

Holland rejoignit Thorne.

– Quand le gamin les a découverts, il s'est précipité dans la rue, dit-il. Le constable Terry prenait son petit déj dans le café d'en face. Il l'a entendu hurler.

Thorne hocha la tête et ferma doucement la porte. Il se retourna et regagna la boutique où des paravents avaient été placés à la hâte autour des corps. Les techniciens de la police scientifique évoluaient avec une efficacité de spécialistes, mais Thorne avait l'impression qu'ils mettaient la sourdine à leurs vannes habituelles, à l'humour noir, au *craíc*[1]. Thorne avait déjà traqué des tueurs en série ; il avait connu des ambiances de scènes de crime chargées de respect, voire de peur, au moment de la présentation, de l'offrande de la toute dernière victime. Ce qu'ils avaient sous les yeux, ce n'était pas cela. C'était sûrement un meurtre sur contrat. Il n'empêche qu'un sentiment étrange flottait dans la pièce. Peut-être était-il dû au fait qu'il y avait deux corps. Mari et femme.

– Où était leur fils quand c'est arrivé ?

1. Mot irlandais indiquant l'idée de faire la fête, l'idée de « fun ».

– En haut, répondit Holland. Il se préparait à partir à l'école. Il n'a rien entendu.

Thorne hocha la tête. Le tueur s'était servi d'un silencieux.

– Celui-là est un peu moins frimeur que Monsieur X, dit-il.

Muslum Izzigil était assis contre le mur entre des rayonnages de vidéos pour enfants et une silhouette en carton grandeur nature de Lara Croft. Sa tête était penchée sur le côté, ses yeux entrouverts et exorbités. Un filet de sang coulait depuis sa nuque sur ses bajoues rasées de frais, imbibant de rose le col d'une chemise blanche en nylon. Son épouse gisait, face contre terre, entre ses jambes. Elle avait très peu saigné, et seul le petit trou noirci derrière son oreille révélait ce qui s'était passé. Du moins, en partie...

Qui avait été tué en premier ? Avait-on obligé le mari à regarder l'exécution de sa femme ? Était-elle morte seulement pour avoir essayé de secourir son époux ?

Thorne détacha le regard des corps. Il remarqua la petite caméra dans un coin de la boutique.

– Ce serait trop beau, je suppose ?

– Beaucoup trop beau, répondit Holland. L'enregistreur vidéo n'est pas vraiment difficile à trouver. Il est là, sous le comptoir. Le tueur a pris la cassette.

– Pour la montrer plus tard à ses petits-enfants...

Holland s'agenouilla et pointa son stylo-bille vers la nuque de la morte.

– Un .22, à ton avis ?

Thorne voyait à présent où le sang s'était accumulé. Il lui encerclait le cou, collier délicat, mais il formait une flaque poisseuse entre son menton et la moquette aiguilletée grise.

– On le dirait bien, dit-il.

Il s'éloignait déjà vers l'arrière-boutique. Vers ce qui ne serait pas une conversation facile...

Le constable Terry bondit sur ses pieds dès que Thorne franchit la porte. Thorne lui fit signe de se rasseoir.

– Comment s'appelle ce garçon ?

Le garçon en question répondit lui-même.

– Yusuf Izzigil.

Thorne lui donnait environ dix-sept ans. Allait passer son bac, sans doute. Hérissait ses courts cheveux bruns avec du gel, et s'efforçait, non sans un certain succès, de se laisser pousser la moustache. Sa crise de nerfs qui, selon le récit de Holland, avait en premier lieu alerté la police, avait cédé la place à l'abattement. Il était calme et, apparemment, se dominait, mais il continuait de verser des larmes qu'il essuyait d'un revers de main dès qu'elles débordaient et commençaient à couler.

Il reprit la parole, de lui-même.

– Je me préparais en haut. Mon père descend toujours juste après huit heures pour s'occuper des cassettes rendues pendant la nuit dans le distributeur automatique. Ma mère l'a rejoint pour l'aider à ranger après avoir débarrassé la table du petit déjeuner.

Il s'exprimait bien, et lentement, sans accent. Thorne s'aperçut soudain que le pull bordeaux et le pantalon gris étaient un uniforme, et en conclut que le garçon fréquentait une école privée.

– Tu n'as rien entendu ? demanda-t-il. Pas d'éclats de voix ?

Le garçon fit non de la tête.

– Seulement le tintement de la clochette de la porte, mais ça n'a rien d'inhabituel.

– C'était un peu tôt, tout de même, non ?

– Beaucoup de clients viennent en allant au travail pour rendre un film pris la veille...

– Autre chose... ?

– Après, j'étais dans la salle de bains. L'eau coulait. Sinon, j'aurais peut-être entendu quelque chose.

Il plaqua sa main sur sa joue, l'essuya d'un geste ferme.

– Ils ont tiré avec des silencieux, non ? demanda-t-il.

C'était une remarque étrange. Thorne se demanda s'il en savait plus long qu'il ne le disait, puis conclut que c'était sûrement parce qu'il avait regardé trop de films policiers anglais merdiques parmi ceux que son père alignait sur ses rayonnages.

– Qu'est-ce qui te fait penser qu'ils étaient plusieurs, Yusuf ?

– La semaine dernière, deux mecs sont passés. À peu près le même âge que moi, a dit mon père. Ils ont essayé de l'intimider.

– En faisant quoi ?

– Des trucs nuls, des menaces. Une merde de chien dans une boîte vidéo. Une poubelle lancée dans la vitrine.

Il montra la devanture de la boutique où un épais tissu noir avait été placé devant la vitrine et la porte d'entrée pour cacher aux yeux des passants ce qui se déroulait à l'intérieur.

– Il y a d'abord eu une lettre. Mon père n'en a pas tenu compte.

– Il l'a gardée ?

– Ma mère a dû la ranger quelque part. Elle ne jette jamais rien.

Le garçon se rendit compte de ce qu'il venait de dire, et cilla lentement. Sa main se porta à son visage et y resta un peu plus longtemps, cette fois. Thorne pensa à l'écriteau qu'il avait vu coincé sur le devant de la caisse : *Vous êtes filmé.*

– Ton père l'avait enregistré sur cassette ? L'incident avec les deux mecs ?

– J'imagine. Comme tout le reste. Mais ce ne sera plus là.

Thorne posa la question avec un regard appuyé.

– Parce qu'il réutilisait toujours les mêmes cassettes, répondit Yusuf. Il en changeait cinq ou six fois par jour, et réenregistrait par-dessus. Il cherchait toujours à faire des économies, mais sur les cassettes vidéo, c'était idiot, vu qu'on en vendait, bordel ! Toujours à vouloir faire des économies...

Le garçon laissa tomber sa tête en avant, donnant libre cours à ses larmes, les mains qui les avaient essuyées s'agrippant à présent au comptoir.

– Tu n'es plus un enfant, Yusuf, dit Thorne. Tu es loin d'être assez bête pour gober des conneries, alors je ne vais pas t'en dire, d'accord ?

Il lança un coup d'œil vers les paravents, vers ce qu'il y avait derrière eux.

– Il ne s'agit pas d'un différend, ni d'une liaison, ni d'une facture impayée. Je ne vais pas te promettre que je pourrai arrêter ceux qui ont fait ça, parce que je n'en sais rien. Ce que je sais, en revanche, c'est que je vais tout faire pour y parvenir.

Thorne attendit, mais le garçon ne releva pas la tête. Alors, il adressa un petit signe de tête à Terry qui se leva et posa la main sur l'épaule de Yusuf. Le constable lui dit quelque chose, des paroles de réconfort murmurées à voix basse, au moment où Thorne refermait la porte derrière lui.

Comme il émergeait dans la boutique, il vit le tissu noir être tiré sur le côté et l'inspecteur-chef Nick Tughan surgir de derrière tel un cabotin.

– Bon, on a quoi, là ?

Tughan était un Irlandais mince comme un fil, aux lèvres tout sauf généreuses. Ses cheveux blond-roux coupés court étaient toujours propres, et ses cols toujours impeccables sous différents costumes onéreux.

– Je vous écoute, qui tire le premier... ?

Thorne sourit et haussa les épaules – Moi, si tu m'en laisses l'occasion, petit branleur. Il fut ravi de voir Holland s'avancer avec obligeance et sans enthousiasme, mais sachant qu'il aurait bien mérité le pot que Thorne lui devrait. Une bière, ce ne serait pas une mauvaise idée, même à onze heures du matin. En comptant les Izzigil, il y avait une dizaine de personnes dans la petite boutique, et leur présence, combinée à la chaleur émanant des spots, avait très vite transformé les lieux en un véritable sauna. Pressé de prendre l'air, Thorne se dirigea vers la porte juste au moment où quelqu'un écartait le rideau. Le nouveau venu était lui-même vêtu de noir de la tête aux pieds.

– Que t'est-il arrivé hier soir ? demanda Hendricks.

Thorne soupira. Il avait complètement oublié d'appeler pour le prévenir qu'il allait chez son vieux.

– Je t'expliquerai ça plus tard...

– Tout va bien ?

– Oui, très bien... juste mon père.

– Il t'inquiète ?

– Il me les casse...

– Je t'ai attendu. Tu aurais pu appeler.

– Oh, c'est-y pas mignon, dit une voix.

C'était celle de Tughan. L'inspecteur-chef se tenait près des corps de Muslum et de Hanya Izzigil, un sourire moqueur aux lèvres.

– Non, je t'assure, c'est très touchant qu'il se soit fait du mouron pour toi...

Dix minutes plus tard, Thorne écumait toujours de rage quand Holland le rejoignit sur le trottoir devant la boutique.

– S'il fallait une motivation pour résoudre une affaire...

– Ouais, rétorqua Thorne. Se débarrasser de cet enfoiré.

– Bah, il n'avait pas tort. C'est vrai que c'était touchant...

Thorne tourna la tête, prêt à en découdre, mais le sourire qui s'étalait sur le visage de Holland adoucit le rictus qui crispait le sien. Il poussa un long soupir et s'adossa à la vitrine de la boutique.

– Tu as l'air patraque, Dave...

Thorne avait vu le constable David Holland prendre un petit coup de vieux en quelques années, surtout après la naissance de sa fille. Depuis peu, ses cheveux blonds et souples étaient coupés court, ce qui lui donnait deux ou trois ans de plus, et ses pattes d'oie en ajoutaient quelques autres. Thorne savait que fort peu de policiers gardaient le teint frais très longtemps. Il n'y avait que les chanceux ou les cossards pour ça, et Holland n'était pas de ceux-là. L'année précédente, il lui avait sauvé la vie, et, depuis le procès qui en avait résulté, ils n'en avaient jamais évoqué les circonstances – scène d'intimité ténébreuse et dépravée que tous deux avaient partagée.

– Je suis vanné, répondit Holland.

Thorne regarda la barbe naissante qui parsemait ses joues pâles et légèrement creusées. Son changement était peut-être autant dû au sens des responsabilités qu'à l'expérience. Quelques années plus tôt, et surtout pendant la grossesse de sa petite amie, Holland n'avait vraiment témoigné ni de l'un ni de l'autre.

– C'est la petite ?

– En fait, c'est Sophie, dit Holland. Ça doit être hormonal, j'imagine, mais elle me saute dessus trois ou quatre fois par nuit pour faire l'amour.

– Hein ?

– Mais non, bien sûr que c'est la petite ! On t'a fait un pontage humoristique ?

– Moi non plus je n'ai pas beaucoup dormi. J'ai passé la nuit chez mon père.

– Oh, pardon, j'avais oublié. Comment va-t-il ?

– Je dirais qu'il aura ma peau avant de réussir à se tuer.

Sur le trottoir d'en face, un groupe de badauds s'était formé pour observer les allées et venues à la boutique d'Izzigil. Le bar d'où le constable Terry était sorti en courant pour voir la raison de tant de cris était devenu un poste d'observation idéal. Le propriétaire des lieux courait joyeusement dans tous les sens, servant cafés et pâtisseries à ceux qui voulaient s'installer en terrasse, aux premières loges.

Holland sortit un paquet de dix Silk Cut. Il tapa du feu à une femme qui passait avec une poussette.

– Ça fait combien de temps ? demanda Thorne en désignant la cigarette des yeux.

Il ne fumait plus depuis longtemps, mais serait encore prêt à tuer avec joie pour le plaisir d'en griller une.

– Depuis le bébé, je dirais. C'étaient les clopes ou l'héroïne.

– Ah, pour ça, tu es au bon endroit...

Au nord de Finsbury Park, Green Lanes s'enorgueillissait du quartier connu sous le nom de Harringay Ladder. En voyant l'animation perpétuelle autour de ses petits commerces, il n'était pas très difficile de percevoir son identité : un des coins les plus peuplés de la ville et, certainement, un de ceux où la mixité de la population était la plus grande. Bien entendu, cela n'expliquait pas la présence de policiers armés dans les parages. Six mois plus tôt, dans ces mêmes rues, des tirs nourris avaient fait trois morts, ne révélant que trop clairement la face cachée du quartier. Harringay abritait plusieurs bandes agissant au sein de la communauté turque. Selon des chiffres du NCIS, le service de renseignements nationaux en matière criminelle, elles contrôlaient plus des trois quarts des soixante-dix tonnes d'héroïne qui transitaient par Londres chaque année. Et elles défendaient farouchement leurs investissements.

– Tughan pense que ça a un rapport avec la came ?

Holland n'écoutait pas.

– Pardon ?

Thorne montra la boutique.

– Les Izzigil. Est-ce que notre expert en groupes mafieux pense que c'est une guerre de territoires ?

– En fait, il pense que c'est les Ryan.

– Hein ?

– Il semble croire que c'est un message fort adressé par Billy Ryan à celui qui zigouille ses sbires.

– C'est quand même un peu hâtif comme conclusion, non ? Il se fonde sur quoi ?

– Aucune idée. Mais il semble assez convaincu.

Thorne ferma les yeux quand un filet de fumée de la cigarette de Holland passa devant son visage.

– En un sens, c'est logique, je suppose, dit-il.

– Hein ?

– Les Ryan devaient trouver bien avant nous qui en a après eux, c'était couru.

Thorne suivit du regard deux policiers qui se dirigeaient vers l'entrée de la boutique avec des housses mortuaires. Hendricks devait avoir fini son examen préliminaire. Thorne leur emboîta le pas, en murmurant à Holland au passage :

– Heu... le fait que Hendricks habite chez moi... Des vannes circulent à ce sujet ?

Holland, qui tirait avec délectation une longue bouffée de sa cigarette, s'étrangla de rire.

Depuis trois ans, Thorne était rattaché au Peel Centre, à Hendon, et sa familiarité avec ces lieux, avec Becke House en particulier, avait engendré chez lui une bonne dose de mépris. Le bâtiment – tache grisâtre de deux étages sur un paysage déjà terne – abritait autrefois les dortoirs des recrues. Les lits avaient cédé la place à des salles de réunion décloisonnées et des rangées de bureaux minuscules, mais on repérait encore beaucoup de nouvelles têtes dans les couloirs, car les cadets de la police de Londres étaient désormais logés dans une autre bâtisse de la même enceinte.

Thorne avait toujours trouvé étrange que la Section des crimes graves soit domiciliée là, dans un mouchoir de poche avec un centre de formation. Il se rappelait être revenu en fin d'après-midi, environ un an plus tôt, et, en se retournant après avoir verrouillé sa voiture, être tombé nez à nez avec un cadet. Il venait de passer des heures à essayer d'expliquer à une vieille dame les raisons pour lesquelles son gendre avait massacré sa femme et ses enfants à coups de hache. L'expression de Thorne, ce jour-là, avait coupé le sifflet au cadet, tranchant net ses joyeuses formules de salut et faisant refluer le sang de ses joues glabres...

La réunion avait lieu dans le bureau que Russel Brigstocke partageait à contrecœur avec Nick Tughan. La Brigade de recherche et d'intervention était basée dans une collection de préfabriqués, à Barkingside, où Tughan et son équipe passaient toujours la majeure partie du temps, mais depuis la mise en place de la restructuration des services, il y avait eu du mouvement au deuxième étage de Becke House. Holland et le constable Andrew Stone partageaient désormais « leur » bureau en alternance avec deux constables de la Section de la lutte contre le crime organisé, et le troisième bureau revenait à Thorne et Yvonne Kitson. Cette dernière passait le plus clair de son temps dans la Salle des enquêteurs, collationnant des informations au côté du sergent Samir Karim et de leurs homologues de la SO7. Ainsi, dans les faits, Thorne disposait le plus souvent de son bureau pour lui seul.

– Bon, dit Tughan, on se lance. Je pense que nous avons affaire à une guerre...

Son accent irlandais pouvait être sirupeux comme strident. Ce jour-là, il transperça les oreilles de Thorne, lui rappelant le raclement de la chaise de Rooker sur le sol du parloir de sa prison.

Tughan s'appuya contre le bureau pour essayer, en vain, de ne pas afficher sa supériorité. Il brandit un sachet en plastique transparent contenant une feuille de papier.

– On a trouvé ceci parmi les affaires du mort, dit-il. Des photocopies en ont été faites pour chacun d'entre vous.

Brigstocke et Kitson avaient déjà la leur. Holland, Stone et Thorne s'avancèrent et en prirent une sur le bureau.

– Cette lettre n'est pas datée, poursuivit Tughan, mais aux dires du fils, elle a été remise en main propre il y a cinq ou six semaines.

– Un cadeau de Noël à retardement..., dit Stone, quêtant les rires, un peu trop imbu de sa personne, comme à son habitude.

– Elle ne présente rien de très nouveau, reprit Tughan, ignorant son intervention. Plus subtile que certaines autres – beaucoup de bla-bla sur les risques qui attendent les nouveaux commerces. Mais, en gros, c'est une proposition de protection classique. Le seul problème, c'est qu'ils sollicitaient quelqu'un qui bénéficiait déjà d'un service similaire.

– Ce « ils », dit Thorne, étant Billy Ryan.

– Pour autant que je sache, oui.

– « Autant » que tu saches ? le reprit Thorne.

Tughan réprima un sourire et détourna les yeux de Thorne.

– Nous partons du principe que cette lettre émane de la famille Ryan, ou de criminels étroitement liés à elle.

Thorne laissa tomber, mais ça le tracassait tout de même. Cela n'avait rien à voir avec les lettres de menaces envoyées sur papier à en-tête. Comment Tughan pouvait-il être certain que celle-ci provenait de la famille Ryan ?

Thorne capta le regard de Brigstocke, mais l'inspecteur-chef ne lui laissa pas le loisir de le soutenir très longtemps. De façon générale, son attitude vis-à-vis des membres de la SO7 revenait à faire le dos rond jusqu'à ce qu'ils disparaissent. Thorne avait beaucoup d'estime pour l'homme – il était inflexible et avait des principes, se retrouvait bien trop souvent tiraillé entre ses supérieurs et ses subordonnés –, mais il avait une fâcheuse tendance à protéger ses arrières. D'un autre côté, évidemment, Thorne avait parfaitement conscience que son refus de faire la même chose lui attirait souvent des ennuis...

Yvonne Kitson craignait moins que d'autres d'exprimer le fond de sa pensée.

– Tout cela n'est pas très logique, dit-elle. Ils lui envoient une lettre de menaces. Ils diligentent les deux petits durs pour balancer une poubelle à travers la vitrine. Puis ils font abattre les propriétaires ?

Holland leva les yeux de la lettre.

– Effectivement, pour une escalade, c'en est une, chef.

– Ce n'est pas très compliqué, rétorqua Tughan.

Son sourire lui fit allégrement traverser la frontière entre la communication d'égal à égal et la condescendance.

– C'était une campagne d'intimidation pure et simple, poursuivit-il. Il aurait pu y avoir du grabuge, mais pas au point d'aller jusqu'au meurtre. Les Ryan ont découvert que la boutique vidéo était sous la protection de ceux-là mêmes qui étaient responsables de la mort de Mickey Clayton et des autres. Ceux-là mêmes qui paient Monsieur X.

– Sacrée coïncidence, hein ? dit Holland.

Tughan s'attendait à une remarque de ce genre.

– Je ne le pense pas...

– C'est cette lettre, dit Thorne. C'est elle qui est le point de départ de tout.

– C'est « probablement » cette lettre, rectifia Tughan qui ne put empêcher l'irritation de crisper ses traits en voyant qu'on lui coupait ses effets. De toute façon, ça n'a plus trop d'importance de savoir ce qui est à l'origine de tout ça...

Thorne profita de l'expression de Tughan pour enfoncer le clou.

– Ceux qui protégeaient le petit commerce d'Izzigil ont commis une infraction majeure quand les Ryan ont essayé de s'imposer.

– Une « infraction majeure » ? se récria Holland. Ce n'est rien de le dire. Ils ont fait buter quatre des proches de Billy Ryan.

– À croire que briser les jambes, ça ne se fait plus, renchérit Brigstocke.

– Ça va bien au-delà d'une stricte question de territoire, dit Thorne. Ce n'est sans doute pas d'aujourd'hui. Nous supposons qu'ils sont turcs, d'accord ? Je parle de ceux qui s'attaquent aux Ryan...

– Nous ne supposons rien, trancha Tughan. Le fait que cette boutique vidéo soit tenue par des Turcs n'est pas forcément significatif.

– Pas forcément, non. Mais je pense quand même que ça l'est.

– Le NCIS ne nous a rien dit en ce sens...

– Ils ne sont pas infaillibles. Nous avons sans doute affaire à quelqu'un de relativement nouveau. Une ramification d'une bande existante, peut-être...

– D'accord, c'est un secteur tenu par les Turcs, mais d'autres groupes tentent tout de même leur chance.

– Il faudrait être idiot pour le faire...

– Les Ryan l'ont bien fait.

– C'est vrai, dit Thorne. Et regarde comment ils sont récompensés de leur peine.

Soudain, Tughan parut décider que ce serait une bonne idée de mettre une barrière matérielle entre Thorne et lui. Il contourna le bureau et se laissa tomber dans le fauteuil. Il regarda son ordinateur, adopta un air pensif, mais Thorne eut avant tout l'impression qu'il se ressaisissait.

– Nous supposons que, d'un côté, nous avons les Ryan, d'accord ? s'empressa de reprendre Thorne avant que Tughan ait eu le temps de le remettre à sa place. Si nous supposons que, de l'autre côté, nous avons une organisation turque encore inconnue, on commence à y voir un peu plus clair. Quand on est une nouvelle bande qui essaie de prendre ses marques, on ne va pas s'attaquer à la puissante mafia turque qui contrôle déjà le secteur. Pas si on a envie d'être encore de ce monde dans six mois. Il suffit de mettre un tant soit peu le nez dans un des gros trafics d'héroïne pour se faire liquider, pas vrai ?

Si certains ne partageaient pas son point de vue, ils ne le firent pas savoir.

– Le plus logique, si on veut faire un coup d'éclat, c'est de s'attaquer à quelqu'un de complètement différent, poursuivit-il. Des gens qui ne soient liés ni avec les affaires locales, ni avec les caïds du secteur. Quand cette lettre est tombée sur le paillasson de cette boutique vidéo, quelqu'un y a vu l'occasion de s'étendre dans une tout autre direction en envoyant un message fort aux groupes du coin sans se mettre quiconque à dos. Cette bande, quelle qu'elle soit, considère probablement les Ryan comme une cible vulnérable.

Tughan, qui tapait quelque chose, leva les yeux de son écran d'ordinateur et sourit.

– Quelqu'un devrait aller raconter ça à Billy Ryan.

Ce qui n'éveilla pas l'ombre d'un sourire chez Yvonne Kitson.

– Ainsi qu'aux Izzigil..., dit-elle.

– Donc, qui sont-ils ? demanda Stone. Si nous voulons mettre fin à une guerre, nous devons savoir qui la mène, et contre qui.

Tughan tapa sur une touche et s'enfonça dans son siège.

– Je pense qu'il se pourrait bien que l'inspecteur Thorne ait raison quand il suggère que nous avons affaire ici à un groupe turc – ou peut-être kurde. Je suis en liaison avec le NCIS, et plus précisément avec l'Unité de renseignement sur l'héroïne...

Thorne secoua la tête.

– Je te dis, pour moi, ça n'a aucune relation avec l'héroïne. Pour moi, ça a rapport avec aller foutre la merde ailleurs que chez soi.

– C'est du jargon technique ? demanda Holland. Aurais-je raté un séminaire ?

– J'ai vu deux ou trois films de Guy Ritchie, répondit Thorne avec un sourire.

Tughan éleva un peu la voix, se cabrant légèrement, comme toujours lorsque la conversation devenait moins lugubre.

– Je suis persuadé que vous établirez rapidement l'identité de ce groupe. Nous trouverons quelque chose qui le relie à la boutique vidéo, ou alors les meneurs de la communauté turque du secteur nous donneront peut-être une piste...

– Seuls ceux poussés par une forte pulsion de mort, dit Brigstocke.

– Grosso modo, les choses sont devenues beaucoup plus claires qu'elles ne l'étaient, dit Tughan en brandissant la lettre dont les menaces implicites avaient probablement été le catalyseur de la mort d'au moins six personnes. On a fait un grand pas en avant aujourd'hui.

L'humeur de Thorne s'assombrit aussitôt. Il revit les larmes embuer deux yeux foncés et rougis.

Un grand pas en avant...

Il n'était pas sûr que Yusuf Izzigil voyait les choses comme ça.

Ils revinrent du restaurant sans rien se dire ou presque.

Comme toujours, Jack restait bien en deçà de la limite de vitesse en manœuvrant la Volvo dans des rues qu'une averse de début de soirée avait rendues glissantes. Cette petite sortie, ils essayaient de la faire au moins une fois par mois – parfois plus, quand il s'agissait de fêter leur anniversaire, ou celui de leur mariage. Jack conduisait toujours, s'en tenait toujours à une bière en attendant leur table et à un verre de vin pendant le repas.

– Tu es fâché ? finit par demander Carol.

– Ne sois pas bête. J'étais seulement inquiet.

– J'ai l'impression d'avoir gâché ta soirée.

– Ce n'est pas ta faute. Je parle de ce qui est arrivé. Tu n'as pas gâché ma soirée.

Carol détourna la tête et regarda par la vitre. Elle sentait toujours le goût du vomi dans sa gorge. Machinalement, elle vérifia encore qu'il n'y en avait pas sur son corsage.

– Tu dois couver quelque chose, dit Jack. Je vais appeler le toubib dès demain matin.

C'était venu de nulle part pendant qu'elle s'attaquait à ses spaghettis – une chaleur qui l'avait picotée et s'était propagée très vite –, et elle n'avait pu faire autrement que de poser sa fourchette et courir aux toilettes. Elle en était ressortie dix minutes plus tard, pâle et avec un faible sourire qui n'avait trompé personne : ni le restaurateur, qui avait proposé d'appeler un médecin et insisté auprès d'elle pour offrir le repas, ni, surtout, son mari. Jack avait congédié les serveurs d'un haussement d'épaules, et souri. Il l'avait prise par le bras.

– Viens, ma puce. Tu es blanche comme un linge. Nous ferions mieux de partir...

Carol savait pertinemment quel était le problème. C'était le premier symptôme de la présence d'un virus tapi en elle qui attendait la première occasion de s'épanouir depuis le jour où elle avait rendu sa carte de police. Elle avait essayé de l'ignorer à d'autres occasions, lorsqu'une réaction qui ne lui était pas familière l'avait forcée à se poser la question.

Ai-je cessé d'être flic intérieurement ?

Elle connaissait la réponse. Les affaires classées, c'était un truc de Mickey ; ce n'était que jouer à ce qu'elle faisait pour de vrai auparavant. À présent, elle était en proie au doute, à l'inquiétude, à la douleur, à la colère. Et à la peur. Elle les ressentait comme jamais en trente années passées à les observer chez les autres. Elle se faisait l'effet d'être un civil. Et elle détestait ça.

Elle savait que tout cela était de la faute de Gordon Rooker. Le réconfort que lui avait procuré la visite de Thorne à la prison n'avait duré que quelques heures. Bon Dieu, c'était trop bête ! Après tout, les faits parlaient d'eux-mêmes : Rooker était sous les verrous ; Rooker était coupable ; les lettres et les appels anonymes qu'elle avait reçus provenaient d'un déséquilibré qui, apparemment, s'était lassé.

Ce n'était pas tant les faits, cela dit, qui l'avaient fait vomir. Elle devait gérer ses sentiments. Et sa panique.

Elle devait recommencer à se comporter en flic.

– Ça ne peut pas être à cause de la nourriture, dit Jack en ralentissant pour tourner dans leur paisible rue en demi-cercle. Combien de fois avons-nous dîné là-bas depuis tant d'années... ?

Hendricks dormait déjà quand Thorne rentra, peu après onze heures. Tandis qu'il passait devant le canapé sur la pointe des pieds, Elvis, sa chatte psychotique, sauta de l'endroit où elle s'était roulée en boule, aux pieds de Hendricks, et lui emboîta le pas. Pendant que l'eau pour le thé chauffait dans la bouilloire, il versa des croquettes pour chat dans un vieux bol en plastique et raconta à Elvis deux ou trois choses de sa journée. Il aurait préféré en parler avec son ami, qui était très légèrement plus loquace, mais les ronflements en provenance de la pièce contiguë indiquaient clairement l'état de béatitude dans lequel il se trouvait. Thorne n'avait pas le cœur à le réveiller. Il savait que Hendricks avait dû avoir, lui aussi, une journée plutôt rude.

Plongé jusqu'aux coudes dans les cadavres de Muslum et de Hanya Izzigil.

Tout en buvant son thé à la table de la cuisine, Thorne pensa à ceux qui passeraient une nuit blanche. Ceux qui avaient des soucis d'argent ou des problèmes au travail. Bizarre comme certaines choses pouvaient vous empêcher de trouver le sommeil alors qu'un homme qui vivait de la mort – de morts qui, en général, étaient tout sauf paisibles – pouvait dormir comme un nouveau-né. Il pensa à David Holland, les yeux bouffis par la fatigue à quatre heures du matin, qui savait, lui, combien cette expression était d'un grotesque achevé.

Évidemment, il ignorait de quoi les rêves de Phil Hendricks étaient faits...

Thorne lui-même ne dormait pas si bien que ça depuis le soir, un an plus tôt, où il avait vu la mort de près. Il avait fait des cauchemars, bien entendu, mais à présent c'était comme si son corps s'était parfaitement adapté et nécessitait moins de sommeil. Le plus souvent, quatre ou cinq heures lui suffisaient, puis il sombrait dans un état comateux quand il prenait un jour de congé.

Ayant retiré ses chaussures, il les porta, avec le restant de son thé, vers sa chambre. Dans le salon obscur, il prit au passage son baladeur CD ainsi qu'un album de George Jones. Il laissa la porte de sa chambre ouverte à l'intention d'Elvis qui, sous ses yeux, se réinstalla d'un bond sur les jambes de Phil Hendricks.

– Va te faire voir, dit-il.

Il referma la porte derrière lui.

Ce fut un brusque changement de lumière, rien de plus.

Carol Chamberlain le vit dans le miroir de sa coiffeuse alors qu'elle se démaquillait. Elle avait enlevé le plus gros un peu plus tôt, en se frottant le visage à l'eau froide dans les toilettes de la pizzeria. Essayant de stopper ses vertiges et de reprendre des couleurs.

Jack allait et venait en bas. Verrouillant des portes, débranchant des prises. Leur assurant la tranquillité...

Assise, en chemise de nuit, elle fixait intensément son reflet. Il était temps de s'occuper de ses cheveux et, peut-être, de se débarrasser de quelques kilos, même si, à cinquante-six ans, c'était beaucoup plus difficile qu'avant. Elle pourrait essayer de retrouver sa ligne de l'époque où on l'avait poussée vers la sortie : son « poids de battante », comme disait Jack.

Se penchant vers le miroir, de la crème étalée sur ses doigts, elle vit la lumière changer. Une lueur – rose d'abord, puis orange – qui s'immisça par un interstice des rideaux et éclaira la pièce dans son dos. Elle faillit appeler Jack, puis se ravisa et repoussa sa chaise. Comme elle se dirigeait vers la fenêtre, elle vit la lueur atteindre et éclairer les branches nues du hêtre pourpre au bout de l'allée. Elle devina plus ou moins ce qu'elle allait voir quand elle atteignit l'autre bout de la pièce et regarda dehors. Elle se demanda s'il serait là. Elle espérait que oui...

Il levait déjà la tête vers la fenêtre quand elle écarta les rideaux, immobile à côté de la voiture, le bidon d'essence à briquet d'un blanc éclatant dans sa main gantée.

Il l'attendait.

Durant quelques longues secondes de calme absolu, ils se regardèrent. Les flammes n'avaient rien de spectaculaire ; leur clarté ne dansait que sur le tissu foncé de l'anorak de l'homme. Leur éclat ne menaça jamais de déchirer l'ombre d'un noir bleuté jetée par la capuche bien rabattue sur son visage.

Le feu commençait déjà à se propager sur le capot de la Volvo. Il se répandit sur les côtés, dans les rainures où l'essence à briquet s'était écoulée goutte à goutte. Pourtant, le message, tracé à l'essence et formulé par les flammes, était on ne peut plus clair.

C'est moi qui l'ai brûlée vive...

Carol entendit claquer des verrous, en bas, et vit l'homme tourner vivement la tête vers la porte d'entrée. Il fit un pas sur le côté, s'éloignant de la voiture, puis leva de nouveau les yeux vers Carol et la regarda un bref instant encore avant de pivoter sur lui-même et de partir en courant. Elle n'avait rien vu, rien pu voir de son visage, mais elle savait très bien qu'il n'avait cessé de lui sourire.

Quelques secondes plus tard, Jack se précipitait dehors en maillot de corps. Il traversa la pelouse en courant, bras au ciel, bouche bée. Carol le vit commencer à se retourner pour lever la tête au moment où elle s'écartait de la fenêtre et reculait au cœur de la pièce.

5

Thorne n'avait encore jamais conduit d'interrogatoire avec Carol Chamberlain et, même si celui-ci n'avait rien d'officiel, ça lui faisait tout de même bizarre d'être assis à côté d'elle en attendant qu'on leur amène Rooker. Il regarda la petite salle carrée autour de lui et s'imagina, sans aucune raison *a priori*, en père assis au côté de son épouse. La femme noire secouée de sanglots qu'il avait vue lors de sa précédente visite lui revint en mémoire. Il se projeta, avec Chamberlain, en parents angoissés patientant jusqu'à l'arrivée de leur fils sous bonne escorte.

La porte s'ouvrit et un surveillant fit entrer Rooker dans la pièce. Il paraissait énervé, jusqu'au moment où, avisant la présence de Chamberlain, il se fendit d'un large sourire.

– Salut, la bombe, dit-il.

Thorne s'apprêta à répondre, mais Chamberlain lui coupa l'herbe sous le pied. Sa voix avait un tranchant que Thorne ne se rappelait pas lui avoir déjà entendu.

– Encore une réflexion déplacée de ce genre, et je fais le tour de cette table et vous arrache le peu qui ne soit pas encore flétri entre vos jambes. Ça vous va, Gordon ?

Le sourire de Rooker vacilla un peu, mais réapparut, le temps qu'il tire sa chaise en arrière et s'y laisse tomber. Le surveillant s'éloigna vers la porte.

– Criez quand vous aurez terminé, dit-il.

– Merci, dit Thorne en levant les yeux vers lui. Je vous croyais parti à la retraite, Bill.

Le surveillant ouvrit la porte, se retourna vers Thorne.

– Il me reste encore un an ou deux à tirer.

Il fit un signe de tête vers Rooker et ajouta :

– J'ai l'impression d'être ici depuis aussi longtemps que cet enculé.

Il lança un rapide coup d'œil à Chamberlain, rougissant légèrement.

– Oh, pardon, je ne voulais pas...

Elle l'interrompit d'un geste.

– Ne vous excusez pas. Ça me paraît approprié.

Rooker ricana. Le surveillant quitta la pièce, laissant la porte se refermer derrière lui en claquant.

– Ça va devenir une habitude, dit Rooker.

Il sortit une boîte de tabac de sous sa « bavette » et en ôta le couvercle.

– Deux fois la même semaine, monsieur Thorne. Même ma famille ne vient pas aussi souvent.

Il démêla des filaments de tabac, les plaça scrupuleusement dans un papier Rizla et roula une cigarette grosse comme une épingle.

– Jamais aussi souvent, loin de là...

En fait, la première rencontre entre Thorne et Gordon Rooker remontait à un peu plus d'une semaine. Et il y avait sept jours que Carol Chamberlain avait vu de la fenêtre de sa chambre l'homme qui revendiquait le crime pour lequel Gordon Rooker avait été condamné.

Rooker alluma sa cigarette. Il ôta un morceau de tabac resté sur sa langue et regarda Carol Chamberlain.

– Moi, c'est vous que je croyais partie à la retraite, dit-il.

– Effectivement.

– Installée à la campagne dans une baraque pleine de chats, en train d'écouter *The Archers*[1]...

– Que savez-vous sur l'endroit où j'habite ?

Rooker se tourna vers Thorne.

---

1. Le plus vieux feuilleton radiophonique du monde sur BBC Four. Depuis le 1er janvier 1951, il raconte la vie quotidienne d'un village imaginaire : Ambridge.

– Si elle a raccroché, qu'est-ce qu'on fiche ici ?

Par « ici », il entendait le Parloir légal, normalement réservé aux entretiens confidentiels, aux rencontres avec les officiers de police ou les avocats, aux questions officielles. Thorne tenait à ce que les choses restent officieuses... pour le moment. Il n'avait pas cru utile d'en référer à Brigstocke, et encore moins à Tughan. Le lien entre Rooker et Billy Ryan remontait à vingt ans, et le rapport avec l'enquête de la SO7 était, au mieux, ténu. En outre, Thorne avait promis à Carol Chamberlain qu'il ferait tout pour éclaircir cette histoire à titre personnel. Il avait discrètement frappé à quelques portes et, sur la promesse de deux ou trois renvois d'ascenseur, obtenu que Chamberlain et lui puissent discuter d'un ou deux trucs en privé avec Gordon Rooker.

– Ce dont nous avons parlé la semaine dernière, dit Thorne. Il y a eu de la surenchère.

Rooker prit, ou du moins afficha, un air grave.

– C'est une honte.

– Oui, en effet.

– Je vous ai dit l'autre fois...

– Je vais oublier les salades que vous m'avez dites la dernière fois et faire comme si on partait de zéro, d'accord ? Ça doit être le fait d'un débilos qui a partagé votre cellule ou de quelqu'un qui vous a écrit. Vous m'avez bien tout dit sur certaines des lettres que vous recevez, ouais ?

– Ouais.

– Alors, une idée lumineuse, Gordon ?

Rooker tira trois taffes rapides. Il garda la fumée dans la bouche et la souffla, très lentement, dans un soupir.

– Faudrait que j'aie droit à une protection sous une forme ou une autre, dit-il.

Thorne s'esclaffa.

– Hein ? !

– Des bruits ont circulé après votre première visite...

Thorne haussa les épaules. Manifestement, il avait opté pour la discrétion un peu tard.

– Ça fait déjà un bail que vous n'avez plus vraiment la cote, Gordon. Parler à un flic ne va pas faire beaucoup de différence.

– Vous seriez étonné...

Chamberlain parla d'une voix plus posée que la première fois, mais sur un ton encore plus tranchant :

– Si vous avez quelque chose à dire, Rooker, autant que vous le disiez.

Autre taffe.

– Je veux ma libération conditionnelle. J'en ai vraiment besoin pour suivre ma route, cette fois.

– Et ? dit Thorne en le fixant d'un œil inexpressif. On ne peut pas y faire grand-chose.

– Bidon. C'est l'Intérieur qui décide. Vous pouvez obtenir ça si vous voulez.

– Pourquoi on le voudrait ?

– Il me faut la garantie que je vais sortir...

– C'est qu'on est exigeant, en plus ?

– Ça en vaut la peine.

– À moins que vous ne nous révéliez qui était Jack l'Éventreur, je doute que nous soyons intéressés.

Rooker ne parut pas trouver ça drôle.

– Alors, ces lettres ? demanda Chamberlain. Les appels téléphoniques ? C'est pour parler de ça que nous sommes là.

Rooker baissa les yeux sur le cendrier.

– Celui qui a fait ça est venu à mon domicile...

– Je veux une protection. (Rooker regarda Thorne.) Après ma sortie.

– Pour vous protéger de qui ? demanda Chamberlain.

– Nouvelle identité, nouveau numéro d'assurance sociale, la totale...

– De Billy Ryan, dit Thorne.

– Possible...

– C'est Billy Ryan qui va vous rechercher ?

– Pas pour la raison à laquelle vous pensez.

– Alors, pourquoi devrait-on s'en soucier ?

– Je peux le faire tomber.

Thorne cilla. Voilà qui était intéressant. Voilà qui était loin d'être ténu. Il évita de croiser le regard de Chamberlain, se refusa à révéler quoi que ce soit à Rooker, se garda de changer de ton.

– Vous êtes prêt à balancer Billy Ryan ?

Rooker acquiesça.

– Balancez les Ryan, dit Chamberlain, et là, vous deviendrez vraiment une cible.

– C'est justement pour ça que je demande une protection.

C'était la formulation nette et précise de la logique mafieuse que Thorne comprenait parfaitement.

– Choper Ryan avant qu'il ne vous chope. C'est ça ?

– Ne faites pas comme si vous n'aimeriez pas le coffrer. C'est un salopard et vous le savez.

– Et vous, vous êtes un petit saint, hein, Gordon ?

– C'est lui ou moi, pas vrai ? Qu'est-ce que vous décidez ?

– Vu ce que vous avez fait dans cette école, ce que vous avez fait à cette gamine... je suis enclin à laisser Billy Ryan s'occuper de vous.

Rooker laissa tomber sa tête en avant et resta dans cette position en éteignant le restant de sa cigarette. Il écrasa le mégot dans le cendrier jusqu'à ce qu'il n'en reste rien. Un bref instant, Thorne se demanda s'il l'avait escamoté, comme un illusionniste. Quand Rooker finit par relever les yeux, son air suffisant avait disparu. Les rides de son visage s'étaient creusées. Il paraissait tendu tout à coup. On aurait dit un vieux monsieur apeuré.

– Je n'ai pas cramé cette gamine, dit-il. Ce n'était pas moi.

Thorne vit Chamberlain serrer les poings sur la table, ses phalanges blêmir.

– Ne vous foutez pas de moi. Ne vous avisez surtout pas de vous foutre de moi.

Rooker s'humecta les lèvres et répéta ce qu'il avait dit.

Et Thorne le crut. Ce fut vraiment aussi simple que cela. Mais il trouva bizarre que Rooker le fasse en hésitant, comme à contrecœur. Thorne revoyait cet homme, huit jours plus tôt, assis face à lui, affirmer avoir mis le feu à une gamine de quatorze ans aussi aisément que s'il admettait avoir chipé un peu de plomb sur une toiture. Et là, il se rétractait comme si c'était la chose la plus dure qui soit.

Comme s'il fallait lui arracher l'aveu de son innocence.

David Holland et Andy Stone s'entendaient bien, mais sans plus. Environ un an plus tôt, quand ils avaient commencé à bosser ensemble, Holland avait eu du mal à supporter le charme inné de Stone, et s'était braqué en sentant sa place de jeune prétendant – prétendant à quoi, il n'aurait su le dire – menacée. Depuis, ils formaient une assez bonne équipe, même s'il y avait encore des moments où l'aisance avec laquelle son collègue lançait une vanne ou portait le costume donnait à Holland envie de gerber.

– Je suis rincé comme une serpillière, dit Stone.

Holland leva les yeux de l'écran de son ordinateur et sourit.

– Encore une grosse éclate hier soir, c'est ça ?

– J'en transpire encore la Carlsberg et les Sea Breezes.

Holland arqua le sourcil.

– Des cocktails ?

– J'étais en compagnie d'une dame hyper classe, mon pote...

Holland avait au moins l'honnêteté intellectuelle de reconnaître que, depuis qu'il devait penser au bébé, son ressentiment s'était carrément mué en bonne vieille jalousie.

– Je te parie que j'ai quand même plus dormi que toi, dit Stone.

– C'est sûr...

Holland s'était plus ou moins habitué à la fatigue physique. Il pouvait allégrement s'assoupir à peu près n'importe quand, et, après une très mauvaise nuit, il lui arrivait même de piquer un petit somme dans les toilettes pour hommes. C'était mentalement que c'était toujours difficile. Il n'avait pas les idées très claires en ce moment, et répugnait à prendre une autre voie que celle de la confrontation minimale. À une époque, avant la naissance du bébé et la mauvaise passe qu'ils avaient traversée encore avant, Sophie n'avait eu de cesse de lui reprocher d'être le même genre de flic pur et dur, courbant l'échine et carriériste, que son père. Désormais, elle n'avait plus à s'en inquiéter, elle le savait. Holland n'avait plus l'énergie mentale d'en faire trop à l'extérieur.

Il y avait aussi ce que le bébé avait fait naître en lui : de l'amour et de la terreur dans toute leur incroyable démesure. Parfois, en regardant sa fille, il sentait son cœur se dilater et ses fesses se serrer en un seul mouvement.

Holland ferma les yeux pendant quelques secondes. Il se souvenait très précisément de la première fois qu'il était entré dans des locaux de la police criminelle. Il se remémorait chaque instant ou presque de la première affaire sur laquelle il avait travaillé avec Tom Thorne. Il revoyait dans les moindres détails les vêtements qu'il portait à telle ou telle occasion dans la voiture de Thorne, ou bien au bureau lors de tel ou tel moment clé d'une enquête. Il n'y avait que l'excitation du moment – intense, il le savait – qui lui paraissait soudain lointaine et difficile à concevoir...

– Au fait, où est l'autre neuneu de la SO7 ? demanda-t-il. Jamais là quand on a besoin de lui, hein ?

Ils examinaient les documents papier et les données informatiques concernant ce qui, très vite, s'était révélé être les activités commerciales les moins légales de la boutique vidéo de Muslum Izzigil. Lorsqu'un ou deux membres de l'équipe de Brigstocke avaient exprimé leur surprise devant le fait que le piratage vidéo soit toujours un commerce florissant, ils avaient eu droit à un numéro de Tughan au summum de sa condescendance. « Cinq mille copies à partir d'un master volé débitées à deux livres pièce. Ça nous mène à un million par an par film. Ça ne rapporte pas autant que l'héroïne, mais c'est vachement moins risqué et, en général, les peines de prison sont beaucoup moins lourdes. »

Certains, dont Thorne, étaient restés sceptiques. Il est vrai que Thorne demeurait sceptique devant tout ce qui sortait de la bouche de Tughan, et il y avait assurément des preuves indiquant un trafic bien rodé. En revanche, il n'en existait aucune les menant à ceux qui l'organisaient ; ceux à qui Muslum Izzigil – parmi tant d'autres, selon toute vraisemblance – servait de couverture ; ceux qui avaient réagi si agressivement quand Billy Ryan avait tenté de marcher sur leurs plates-bandes.

Ceux qui payaient Monsieur X...

Un constable de la SO7 devait, en théorie du moins, seconder Holland et Stone, mais, dès qu'il s'agissait de se coltiner une piste administrative, des réunions urgentes se matérialisaient à Barkingside, ou de mystérieuses sources devaient être explorées au plus vite à l'autre bout de Londres.

– Ils nous prennent pour des cons, hein ?

Holland aurait eu du mal à contredire Stone. Au moment où il s'apprêtait à y aller d'un commentaire de son cru, une chose sur l'écran retint son attention. Il la fixa quelques secondes, fit défiler le document en arrière pour vérifier, puis fit signe à Stone de venir le rejoindre.

– Viens voir ça, Andy.

– Quoi ?

– Un nom.

Il surligna deux mots sur l'écran à l'intention de Stone, passa à une autre page et surligna de nouveau les deux mêmes mots. Stone regardait l'écran par-dessus l'épaule de Holland.

– Juste un nom, dit Holland. Pour l'instant, rien qui le relierait à quoi que ce soit de louche.

– Ça ne risque pas. Ces enculés sont trop malins pour ça.

– Peut-être...

– C'est sûr. Ce n'est pas avec Windows 2000 qu'on les coincera, je te le garantis.

Holland marmonna dans sa barbe :

– En tout cas, qui que ce soit, leur nom n'arrête pas de surgir...

– J'étais un homme mort, dit Rooker.

Chamberlain s'appuya contre le dossier de sa chaise et attendit la suite. Thorne bougea dans la direction opposée.

– Épargnez-nous votre crise existentielle, Gordon. Restez simple et direct. D'accord ?

– J'étais foutu, « d'accord » ? C'est assez simple, ça ? Celui qui s'est chargé de la gamine a fait en sorte qu'on pense que c'était moi. J'étais connu pour faire ce genre de truc, pas vrai ? Pour utiliser de l'essence à briquet...

– « Celui qui s'est chargé de la gamine ». J'en conclus que vous ne pouvez pas nous dire qui c'est.

– Je peux vous dire qui l'a payé. Je peux vous dire qui a eu l'idée de tuer cette gosse.

– On le sait, tout ça. On sait que c'est une des autres organisations qui...

– Vous savez que dalle !

Chamberlain ne bronchait pas, mais Thorne sentait la tension irradier d'elle, à côté de lui. Il posa sa question suivante, lentement :

– Alors, qui c'est ?

Là, ce fut le grand moment de Rooker.

– C'est Billy Ryan. C'est pour ça que je peux le faire tomber. C'est Billy Ryan qui a mis un contrat sur la gosse de Kevin Kelly.

Un silence, mais rien de théâtral, avant que Thorne pose la question qui s'imposait :

– Pourquoi ?

– Ce n'est pas très compliqué. C'était un ambitieux. Il voulait prendre le contrôle des plus petites organisations, mais Kelly ne l'entendait pas de cette oreille. Pour lui, tout roulait. Pour Billy, Kevin se ramollissait.

– Alors, il a tenté de s'imposer ?

– Billy voulait ce que Kevin avait. Plus, même. Il avait déjà essayé de se débarrasser de lui, mais il s'était planté.

Thorne se remémora le cours de rattrapage en histoire de la mafia que Chamberlain lui avait fait : la tentative de meurtre ratée contre Kevin Kelly quelques mois avant l'agression à l'école.

– Étiez-vous impliqué de près ou de loin là-dedans, Gordon ?

– Je n'ai pas à m'embarquer dans ces détails. Le problème, c'est que la famille Kelly le pensait.

– Donc, Billy cible la fille de son patron, mais son tueur à gages se trompe de gamine.

– Ouais, là aussi, gros plantage, mais ça a quand même marché. Kevin Kelly craque, liquide tous ceux qui lui paraissent un tant soit peu bizarres, puis il confie toute son affaire à Billy Ryan et il se barre. Tout est bien qui finit bien.

Thorne vit Rooker tressaillir légèrement quand Chamberlain prit la parole.

– Je ne suis pas sûre que Jessica Clarke ou sa famille aient partagé ce point de vue.

– Comment se fait-il que vous soyez au courant ? demanda Thorne.

– Parce que Billy Ryan m'avait demandé de le faire, pardi ! J'étais la personne idéale pour ça. J'avais fait des petits trucs en free-lance pour un ou deux gus, quelques intimidations, tout ça...

– Vous voulez dire que Billy Ryan vous a proposé de l'argent pour tuer la fille de Kevin Kelly ?

– Et même beaucoup d'argent...

– Et vous avez repoussé son offre ?

– Que oui ! Je fais pas de mal aux gosses, moi.

– Oh, gémit Chamberlain, ça, ça me rend malade. On en revient toujours à ces conneries de « code de l'honneur du voyou ». « On ne s'en prend qu'aux nôtres », « risques du métier », et autres « pas de quartier pour ceux qui touchent aux gosses » ! Dans une seconde, il va nous dire à quel point il aime sa maman...

Rooker s'esclaffa et lui fit un clin d'œil.

Il ne faisait pas chaud dans la pièce et, jusqu'à présent, Thorne n'avait pas retiré son blouson en cuir. Là, il se leva et le pendit au dossier de sa chaise. Chamberlain ne bougea pas. Thorne supposait que son élégant tailleur gris était neuf. Il pensait aussi qu'elle avait dû se faire couper les cheveux un peu plus court, plus un balayage, mais il n'en dit rien.

– En espérant que ce ne soit pas évident comme question, dit Thorne. Pourquoi avoir avoué ?

– Billy Ryan s'est arrangé pour que tout Londres pense que c'est moi qui l'avais fait. J'étais cuit. Le briquet trouvé à côté du grillage y avait été laissé délibérément.

Il regarda Chamberlain.

– Vous avez vu ce que Kevin Kelly a fait à ceux qu'il pensait être responsables. Imaginez ce qu'il m'aurait fait à moi. J'avais Kelly sur le dos pour ce qu'il croyait que j'avais fait à son Alison, et Billy qui voulait ma peau parce que j'étais la seule personne à savoir qui avait monté le coup.

Il tourna la tête vers Thorne.

– J'étais une victime désignée.

– Donc, il valait mieux la prison, c'est ça ?

Rooker ôta le couvercle de sa boîte à tabac. Il se roula une cigarette sans baisser les yeux, et répondit, comme s'il essayait d'expliquer la théorie algébrique.

– J'ai bien pensé à fuir, à me casser en Espagne ou même plus loin, mais l'idée de passer des années à flipper chaque fois que je mettrais le nez dehors, à avoir la chiasse chaque fois qu'on sonnerait à ma porte...

Chamberlain secoua la tête. Elle lança un coup d'œil à Thorne, puis reporta le regard sur Rooker.

– Je ne marche pas, dit-elle. Vous étiez tout autant une victime désignée en prison.

Rooker posa sa cigarette à moitié roulée.

– Vous pensez que je ne le savais pas ?

Il tira sur le bas sa bavette et son sweat-shirt en dessous puis les retroussa au-dessus de tétons flasques et poilus, révélant une cicatrice boursouflée qui lui barrait les côtes.

– Vous voyez ? J'ai été une victime désignée dès que je suis entré à Gartree, Belmarsh, puis ici...

– Alors, pourquoi ne pas avoir tenté votre chance à l'extérieur ?

– Parce que ici, on sait à qui on a affaire. Ça ne me fait pas peur.

Il rabattit son sweat-shirt et sa bavette sur son ventre.

– Dehors, n'importe quel glandu qui veut toucher le paquet peut te liquider. Ça peut être le gars qui te demande l'heure. Le gars qui pisse à côté de toi, ou qui te demande du feu, n'importe qui. Ici, je sais qui ça va être. Je le vois venir et je peux me protéger. J'ai récolté quelques égratignures, mais je respire encore. C'est ce qui me confirme que j'ai fait le bon choix.

Thorne regarda la langue jaune de Rooker sortir de sa bouche comme les crochets d'un serpent, et humecter le bord de son papier Rizla. Il roula sa cigarette, la ficha entre ses lèvres et l'alluma.

– Vous avez aussi fait le bon choix à propos de Billy Ryan. Vous ne l'avez jamais donné.

– Je suis peut-être con, mais pas à ce point-là.

Chamberlain tambourina sur la table du bout des doigts.

– Encore ce code de l'honneur du voyou !

– Alors, pourquoi maintenant ? demanda Thorne.

– Hé, c'est vous qui êtes venu me voir, je vous rappelle. Qui m'avez obligé à repenser à tout ça. Qui avez fait qu'y a des bruits qui courent.

– Pourquoi maintenant, Rooker ?

Rooker ôta sa cigarette de sa bouche, la tint entre son pouce et son index tachés par la nicotine.

– J'en ai marre. Je respire, oui, mais l'air sent la transpiration et la merde des autres. Je me prends la tête avec des violeurs et des pervers pour décider qui sera le prochain qui va changer de chaîne ou jouer au putain de loto sportif. J'ai un petit-fils qui signe avec West Ham dans quelques semaines. J'aimerais le voir jouer.

Il cligna des yeux, inspira une taffe, fit tomber la cendre.

– Il serait temps, dit-il.

Chamberlain se leva et se dirigea vers la porte.

– Tout cela est très émouvant, et je suis sûre que c'est tout à fait le genre de choses que la commission des libérations conditionnelles aime entendre.

Rooker s'étira.

– Pas loin, en tout cas. C'est pour ça que j'ai besoin d'aide...

– Je ne comprends toujours pas pourquoi vous avez avoué la tentative de meurtre à l'encontre de Jessica Clarke. Vous auriez pu vous faire coffrer sans problème en vous dénonçant pour des tas d'autres choses. Ce directeur de la sécurité que vous avez ligoté à une chaise avant de lui mettre le feu, par exemple. Pourquoi prétendre avoir voulu tuer une jeune fille de quatorze ans ?

Thorne avait la réponse à cette question.

– Parce que vous courez moins de risques dans le quartier des Détenus Vulnérables. C'est ça, Gordon ? Il est plus difficile d'arriver jusqu'à vous.

Rooker le regarda, et tira une taffe.

On frappa à la porte, et le surveillant passa la tête par l'entrebâillement, proposant du thé. Thorne accepta de bonne grâce, et Chamberlain refusa. Le surveillant se hérissa un peu quand Rooker demanda à en avoir une tasse, mais, au signe d'assentiment de Thorne, il disparut sans faire de vagues.

– Alors, qui est-ce ?

Thorne devina que Chamberlain pensait aux lettres, aux coups de téléphone, à l'homme qu'elle croyait avoir vu la regarder en souriant depuis le bord de son jardin.

– Si ce n'est pas vous qui avez accepté l'argent que vous proposait Billy Ryan, vous devez avoir une idée de qui en a voulu.

Rooker secoua la tête.

– Écoutez, je ne sais pas du tout qui est ce taré qui vous pourrit la vie...

– Qui a brûlé vive Jessica Clarke ? demanda Chamberlain.

– J'en ai aucune idée, et c'est la vérité. Je ne connais personne qui aurait bien voulu le faire. Ou qui aurait pu. Avec les années, j'en suis arrivé à me demander si ce n'est pas Billy lui-même...

Ils restèrent dans la voiture à l'arrêt pendant une petite minute, sans rien se dire. Quand Thorne se pencha pour mettre le contact, Chamberlain prit soudain la parole.

– Que penses-tu de tout ça ?

Thorne lui lança un coup d'œil, soupira bruyamment.

– Tu veux qu'on commence par quoi ?

– Par le fait que Rooker se fasse incarcérer pour un crime qu'il n'a pas commis.

– J'ai déjà entendu ce genre d'histoires une ou deux fois. Je suppose que si on a un givré comme Billy Ryan sur le dos...

– Vingt ans, quand même !

– Ouais, mais bon, il ne comptait pas là-dessus, hein ?

Chamberlain tourna la tête, contempla le parking.

– Tu n'es pas convaincue ?

Elle répondit d'une voix calme, sans le regarder.

– Je n'en ai pas la moindre idée, bon sang ! Je n'en ai plus pour très longtemps avant d'avoir droit aux bus gratuits, et, pour être franche, je ne suis pas plus douée pour deviner ce qui se passe dans la tête de gens comme Gordon Rooker que je ne l'étais la première fois que j'ai enfilé un uniforme.

Thorne démarra la voiture. En sortant du parking, il repensa à la façon dont leur interrogatoire de Rooker s'était terminé. Thorne avait failli pousser un cri en se rappelant un autre point du petit cours d'histoire que lui avait donné Chamberlain. « Minute, Ryan n'a-t-il pas épousé Alison Kelly quelques années après que tout ça se fut passé ? » Chamberlain avait acquiescé. « Il essaie de la tuer, paie quelqu'un pour la brûler vive, voire le fait lui-même... puis il remonte la nef à son bras dès qu'elle en a l'âge ? »

« Putain, c'était la touche finale parfaite, avait dit Rooker. Du bon boulot, hein ? L'héritier épouse la fille, comme pour cimenter une alliance. » Il avait pouffé en voyant Thorne secouer la tête d'un air incrédule, puis fait un signe de tête en direction de Carol Chamberlain. « Elle vous parlera de Billy Ryan. Elle le connaît. Elle sait comment il est. »

Chamberlain avait gardé le silence.

Rooker avait fixé Thorne à travers un rideau de fumée bleutée.

« Billy Ryan, tout le laisse froid... »

6

Le lundi matin, peu après dix heures et demie, Tughan passa la tête par la porte entrebâillée, balaya du regard le groupe réuni dans la Salle des enquêteurs, et recula, l'air aussi réjoui que s'il venait de recevoir la fessée.

Holland vérifia l'heure à sa montre.

Samir Karim déplaça son gros derrière le long d'un bureau et se pencha vers le constable.

– J'en connais un qui a des ennuis, dit-il.

Holland acquiesça. Il savait de qui il parlait. Assise à un bureau voisin, l'inspecteur Yvonne Kitson était plongée dans la lecture d'un épais manuscrit relié.

– Qu'est-ce que vous lisez, chef ? demanda-t-il.

Kitson regarda par-dessus le haut d'une page et brandit la toute dernière édition du *Manuel d'enquête criminelle*. Une somme de stratégies, de modèles et de protocoles élaborée par la Faculté nationale de la criminalité. Sa lecture, en théorie du moins, était obligatoire pour tous les enquêteurs principaux. L'ouvrage couvrait tous les sujets, de l'analyse de scènes de crime à la gestion des rapports avec les médias, en passant par le profiling et la liaison avec les familles.

S'il existait une bible sur laquelle devaient s'appuyer les enquêteurs pour agir, c'était celle-ci.

– Vous avez du mal à vous endormir ? demanda Holland.

Kitson lui sourit.

– Ce n'est pas vraiment un roman de plage, mais c'est toujours utile de se tenir au courant des toutes dernières consignes, Dave.

– Le problème avec les consignes pour résoudre des affaires criminelles, c'est qu'elles ne servent pas à grand-chose si les assassins ne les suivent pas.

– Vous savez à qui vous commencez à me faire penser, là ?

Holland ne le savait que trop bien, et il se dit que tout espoir n'était peut-être pas perdu pour lui, après tout. Ça le frappa que, bizarrement, les gens aient pris l'habitude de parler de Thorne sans le nommer…

Comme par hasard, l'homme en question franchit la porte, aussi furieux que Tughan l'était quelques instants plus tôt… et l'était toujours, à en juger à son expression quand il surgit au côté de Thorne.

– Vous avez fait attendre beaucoup de monde, inspecteur Thorne.

Thorne s'adressa à la ronde, sans même lancer un coup d'œil vers Nick Tughan.

– Je suis désolé. La voiture refusait de démarrer…

Il vit un sourire narquois qui ne le surprit pas se dessiner sur un visage.

– Suis son exemple, Holland. Je ne suis pas d'humeur.

– Bon, nous avons suffisamment perdu de temps, dit Tughan. Briefing pour le noyau dur de l'équipe dans mon bureau. Dans cinq minutes…

Pendant que Tughan parlait, Thorne laissa dériver son attention. Il absorbait tout, mais pensait à autre chose…

À Yvonne Kitson, pour commencer. Il avait vu l'exemplaire du *Manuel* qu'elle serrait contre elle en entrant dans la Salle des enquêteurs. Ça lui ressemblait bien de vouloir tout maîtriser ; Thorne avait toujours admiré sa capacité à jongler avec ses responsabilités professionnelles et familiales. Ces dernières s'étaient un peu modifiées, l'été précédent, quand son mari avait découvert sa liaison avec un gradé et s'était tiré avec les trois gosses. Depuis, elle avait récupéré les enfants, mais elle n'était plus la même. Avant, elle grimpait les échelons sans effort. Maintenant, elle s'accrochait aux branches. Thorne voyait la différence sur ses traits. Elle donnait l'impression d'être suspendue aux lèvres de Tughan, mais Thorne était à peu près sûr de ne pas être le seul à penser à autre chose...

Son esprit se déporta sur son père. Il fallait qu'il lui parle, qu'il voie comment ça se passait. Ce serait peut-être plus facile s'il se contentait d'appeler Eileen.

Puis il commença à se demander pourquoi, bientôt trois jours après que Chamberlain et lui se furent rendus à la prison, il n'avait toujours pas dit à Tughan ce que Gordon Rooker leur avait raconté.

Pendant tout le week-end, Hendricks avait ramené ça sur le tapis, le regardant comme s'il était un idiot, l'asticotant à ce sujet pendant qu'ils s'avachissaient devant le *Premiership*[1]...

– Tu veux choper Billy Ryan toi-même, hein ? avait dit Hendricks. Tu veux arrêter celui qui a brûlé cette fille. Celui qui l'a, pour ainsi dire, tuée...

– Heskey est un âne bâté. Regarde-moi ce...

– Et toi, un idiot, Tom.

– Mais non, je ne veux pas le choper moi-même.

– Alors pourquoi n'as-tu parlé de Rooker à personne ?

Thorne savait seulement que c'était à cause de sa relation avec Chamberlain, et, oui, jusqu'à un certain point, de celle qu'il avait avec Tughan. Il en était aussi plus ou moins arrivé à se convaincre que les informations données par Rooker, son « offre », concernaient une affaire vieille de vingt ans. Qu'elles n'étaient pas liées, *stricto sensu*, à l'enquête en cours sur les assassinats de Mickey Clayton, des Izzigil et des autres. Il adorerait, bien sûr, coincer Billy Ryan à lui tout seul, mais il ne voyait pas du tout par où commencer...

Tughan parlait de David Holland et d'Andy Stone. Il les félicitait pour leur travail qui avait fait surgir le nom

1. Première division du championnat de football anglais.

de toute première importance. Thorne se concentra sur ce que disait Tughan, mais remarqua que Holland avait l'air furibard de devoir en partager le mérite avec Andy Stone.

– Le NCIS travaille là-dessus pour nous depuis plus de quarante-huit heures, dit Tughan, et nous avons maintenant pas mal d'infos sur la famille Zarif.

Il s'appuyait contre le bureau. Brigstocke était debout à sa gauche, bras croisés. Il y avait une dizaine de personnes face à eux, entassées dans le petit bureau : les enquêteurs principaux de l'Unité 3 de la Section des crimes graves (Ouest) et leurs homologues de la SO7.

– Les Zarif paraissent être des citoyens modèles, dit Tughan. Tous les biens qu'ils possèdent ou dans lesquels ils ont investi, tous leurs intérêts commerciaux que nous avons pu établir – minicabs, une chaîne de boutiques vidéo, transport routier, location de véhicules – sont complètement légaux. Pas un seul PV.

– Classique, non ? dit Brigstocke.

Tughan adressa un signe de tête à un de ses constables, un Gallois trapu et barbu nommé Richards. Le cœur de Thorne se serra tandis que Richards se lançait dans son exposé. Il s'était retrouvé coincé avec lui dans un pub un jour ou deux après le début de l'enquête, et n'en gardait pas un souvenir impérissable.

– Imaginez la chose comme trois cercles concentriques, dit Richards.

Sans se soucier de savoir si on le remarquerait, Thorne ferma les yeux. Ce petit enfoiré l'avait déjà barbé, au pub, avec son discours sur les « cercles concentriques ». L'ayant coincé à côté de la machine à sous, il lui avait expliqué – en dix minutes alors que deux lui auraient amplement suffi – le fonctionnement de base d'une organisation ou d'un clan mafieux. Il y avait les gangs de rue : les cambrioleurs, les voleurs de voitures, et ceux qui avaient mis un revolver sous le nez d'un môme pour le tout dernier modèle de téléphone portable ou un lecteur MP3. Ensuite, venaient les escrocs institutionnalisés : ceux qui contrôlaient les prêts usuraires, les jeux illégaux, les trafics d'armes, les fraudes par cartes de crédit. Et enfin, il y avait les magnats : ces hommes d'affaires en apparence honnêtes à la tête d'énormes trafics de drogue et de réseaux de blanchiment d'argent, et qui se donnaient des airs de capitaines d'industrie respectables.

– Imaginez trois cercles concentriques, lui avait dit Richards, serrant dans son poing une demi-pinte à laquelle il n'avait pas touché. Tous se rejoignent et se recoupent à certains endroits, mais leurs points d'intersection réels changent sans arrêt, impossibles à épingler.

Il avait souri en se penchant vers lui.

– Je les vois comme les cercles concentriques d'une cible, ça me plaît bien...

Thorne avait dodeliné de la tête, comme s'il trouvait cette idée géniale. Lui, il préférait visualiser ces cercles comme des ronds dans une eau sale. Comme un étron atteignant le fond d'une conduite d'égout.

Il fut arraché à ce morne souvenir et ramené à une réalité encore plus morne quand Richards parla de « mercenaires ». Il se frotta les yeux, laissa tomber sa main devant sa bouche pour murmurer discrètement à Sam Karim :

– Pfff, il se croit dans un épisode des *Soprano*...

– La boutique vidéo des Izzigil est un parfait exemple de ce type de fonctionnement, dit Richards. Le nom de Zarif apparaît sur les titres de propriété, et sur les documents administratifs déposés au tribunal de commerce ; et c'est leur société qui loue les véhicules qui, en théorie, servent à la livraison de cassettes vidéo parfaitement légales. Mais rien ne relie les Zarif à quoi que ce soit d'illégal qui se tramerait dans ces locaux, et ils ne peuvent être tenus pour responsables des intentions de ceux qui louent leurs camionnettes et leurs camions.

Tughan s'éclaircit la voix et prit le relais.

– Ils sont trois frères. Nous vous distribuerons des photos dès que nous en aurons.

Il parcourut ses notes.

– Une sœur aussi et, sans doute, une ribambelle de cousins et autres parents éloignés qui traînent dans le coin.

À ce stade, même le NCIS n'en sait pas beaucoup sur eux. Ce sont des Kurdes de Turquie, arrivés ici depuis deux trois ans, qui ne se sont pas fait remarquer.

Il leva les yeux de son porte-bloc.

– Ils prennent leur part du gâteau. Locaux commerciaux et habitations dans le quartier approprié, entre Manor House et Turnpike Lane.

Une voix s'éleva dans le fond de la salle :

– Istanbulville...

Thorne esquissa un sourire.

– Maintenant qu'ils se sont établis, il semblerait qu'ils cherchent à se développer, dit-il. Et notre pauvre vieux Billy Ryan se retrouve en première ligne.

– Mettons-leur un peu la pression, suggéra Brigstocke. Histoire de voir jusqu'à quel point ils sont implantés.

Tughan se redressa, tira les plis coupants de son pantalon de costume, posa son porte-bloc sur le bureau.

– D'accord. Sergent Karim, constable Richards. Actions, organisation, répartition des tâches...

À la fin du briefing, alors que le groupe se disloquait, Thorne eut la surprise de voir Tughan venir vers lui et lui parler presque comme s'ils s'entendaient à merveille.

– Ça te dit d'aller voir Billy Ryan avec moi ? demanda Tughan.

– Et les Zarif ?

– Pour ça, on attend un ou deux jours. Trouvons-nous d'abord un peu de munitions.

– D'accord.

– Pour le moment, les Ryan ont deux points de retard. Allons voir comment ils réagissent à la déculottée qu'ils viennent de se prendre.

Thorne acquiesça, en se disant que les surprises arrivaient décidément de toutes parts. *Deux points de retard.* C'était de mauvais goût, mais bon, une vanne sortant de la bouche de Nick Tughan, c'était digne de *X-Files*...

Dans la Rover de Tughan qui roulait en direction de Camden Town, ils ne parlèrent pratiquement pas, la musique diffusée par la stéréo étant opportunément trop forte pour permettre à une conversation de s'instaurer. Ils suivirent plus ou moins l'itinéraire habituel de Thorne pour rentrer chez lui, plein sud par Hampstead et Belsize Park, par l'un des quartiers les plus chers de la ville vers celui qui, à tort ou à raison, était toujours considéré comme le plus branché, même si les brigades médiatiques de choc pro-Hoxton ou pro-Shoreditch pouvaient prétendre à ce titre. Ils passèrent devant le Jack Straw's Castle, l'ancien relais de poste, à Hampstead, qui devait son nom à l'un des meneurs de la Révolte des paysans, au XIVe siècle, et dont, autrefois, Dickens et Thackeray avaient fait leur antre. À présent, le soir, certains week-ends, les gays adeptes d'une sexualité ludique, voire à risques, s'y réunissaient dans des recoins obscurs avant de disparaître avec des inconnus dans Hampstead Heath.

– De Dickens à Dick-in[1], comme disait Phil Hendricks.

Ils se garèrent devant un bar à billard derrière l'ancienne gare de Camden Road, à quelques rues du bureau de Billy Ryan. Ce fut avec un soulagement immense que Thorne s'échappa de la voiture de Tughan, en se disant que, même si ses propres goûts musicaux en irritaient plus d'un à l'occasion, il n'imposerait jamais Phil Collins à personne, pas même à son pire ennemi. Ce lascar devait arriver tout juste derrière Sting par sa suffisance et sa capacité à vous faire appeler la surdité de tous vos vœux. Tout en se dirigeant vers les locaux de Ryan, Thorne ne put s'empêcher de se demander si les hommes de main de la mafia avaient déjà pensé à passer en boucle un album de Phil Collins au lieu d'arracher des dents à vif et de faire des trous dans les rotules à la perceuse...

Demander à parler au directeur de la Société Immobilière Ryan, c'était comme demander à parler à n'importe quel autre homme d'affaires important, hormis le fait que l'hôtesse d'accueil avait des tatouages autour du cou.

1. Jeu de mots autour de « Dick », pénis en anglais.

– Attendez là, dit-il.

Puis :

– Pas encore.

Et, finalement :

– Allez-y.

Thorne se demanda s'il s'exprimait autrement que par des formules aussi concises. Lorsque Tughan et lui finirent par pénétrer dans le bureau de Billy Ryan, Thorne balança au réceptionniste une formule concise de son cru. Il regarda Billy Ryan qui se levait et accueillait Tughan comme s'il était un rival en affaires qu'il respectait. Tughan serra la main de Ryan, ce qui, pour Thorne, n'était absolument pas nécessaire, et lorsque lui-même lui fut présenté, il se fit un devoir de s'en abstenir, ce que Ryan parut trouver amusant.

Thorne reconnut les deux autres hommes présents pour les avoir vus en photo. Marcus Moloney avait très vite pris du galon et était connu pour être l'un des plus proches associés de Ryan. Le plus jeune des trois était le fils aîné de Ryan, Stephen.

– Bon, on se lance ? dit Ryan.

Tandis que les cinq hommes s'asseyaient – Tughan sur un petit canapé et les autres dans des fauteuils –, et que des boissons étaient offertes et refusées, Thorne prit la mesure des lieux et des gens. Ils se trouvaient dans une des deux pièces, situées au-dessus d'un show-room de mobilier de bureau, d'où Billy Ryan gérait son empire de plusieurs millions de livres. C'était assez grand, mais la déco et les meubles étaient miteux – ironique, quand on pensait à ce qui se vendait au rez-de-chaussée, et que, bien sûr, Ryan possédait aussi. Thorne se demanda si l'homme était tout bêtement un rat ou s'il se fichait véritablement du cuir haute qualité et du chrome.

En vingt-cinq ans de service, et n'ayant jamais habité à plus de deux ou trois kilomètres de l'endroit où il était assis, Thorne était tombé sur le nom de William John Ryan avec une régularité déprimante. Mais, jusqu'alors, il avait par miracle évité tout contact direct avec lui. Le voyant en chair et en os pour la première fois, de l'autre côté d'une table basse sur laquelle étaient éparpillés divers journaux et magazines – le *Daily Star, House & Garden*, le *Racing Post, World of Interiors* –, Thorne était, à son corps défendant, impressionné par la prestance de cet homme.

Ryan avait le teint rubicond, mais sa bouche était fine et expressive. Quand il parlait, on ne voyait jamais ses dents. Ses joues rouges étaient rasées de près ; on aurait dit qu'on venait de les ébouillanter. L'odeur d'un après-rasage onéreux flottait autour de lui, et autre chose aussi – de la laque, peut-être, vu la façon dont ses cheveux blond-roux, virant au blanc par endroits, bouclaient contre le col de son blazer. Thorne trouvait qu'il ressemblait à un Van Morrison bien conservé.

– Je suppose que votre enquête ne progresse pas vers l'arrestation de ce fou dangereux, dit Ryan.

Son accent de Dublin s'était un peu estompé avec le temps, mais il était encore assez marqué. En réaction, Tughan monta le sien d'un cran ou deux. Thorne n'aurait su dire si c'était intentionnel ou non.

– On suit un certain nombre de pistes prometteuses, dit-il.

– Je l'espère. Vous avez obligation de résultat sur ce coup, vous savez.

– Il y aura...

– Cet homme a massacré des amis à moi. Je considère que, tant qu'il n'est pas arrêté, les membres de ma propre famille sont peut-être bien en danger.

– Il n'est sans doute pas déraisonnable de le penser.

Moloney prit alors la parole.

– Eh bien, faites quelque chose.

Il avait la voix grave et posée, le visage inexpressif et bouffi sous des cheveux blond sale.

– C'est carrément scandaleux que vous n'offriez pas une protection rapprochée à la famille de M. Ryan.

Ryan surprit l'expression de Thorne.

– Vous trouvez ça drôle ? demanda-t-il.

Thorne haussa les épaules.

– Pas à hurler de rire, répondit-il en regardant Moloney. Plutôt ironique, quand on pense que c'est la famille de M. Ryan qui, d'habitude, offre sa protection. Quoique « offrir » ne soit pas vraiment le terme approprié...

Là, ce fut au tour de Stephen Ryan de donner de la voix :

– Pour qui il se prend, ce con ?

Beaucoup pensaient que le fiston était le Monsieur Muscle des activités des Ryan. S'il avait les traits de son père, mais pas encore adoucis, sa voix était très différente, et pas seulement en ton. Thorne n'ignorait pas que Stephen était allé dans une école privée très huppée. Son accent était du pur Mockney[1].

Thorne sourit à Ryan père.

– Heureux de voir qu'une éducation de luxe, ça donne des résultats.

Ryan lui répondit par ce qui, sous un certain éclairage, pouvait passer pour un sourire. Il regarda Tughan, désigna Thorne du menton.

– Vous l'avez trouvé où, celui-là ?

Tughan décocha un coup d'œil à Thorne comme si lui-même se le demandait.

– Faisons vite, monsieur Ryan, dit-il. Nous voulions juste savoir si quelque chose aurait surgi de votre côté depuis la dernière fois que nous nous sommes parlé.

– Surgi ?

– D'autres idées, vous savez ? Des théories sur qui aurait pu... s'en prendre à vos affaires ?

– Je vous ai dit la dernière fois, et toutes les fois auparavant...

– Vous auriez pu repenser à quelque chose depuis. Avoir vent d'une rumeur, peut-être.

Ryan se carra dans son siège, prenant ses aises en écartant bien les bras sur le dossier. Thorne remarqua que

1. Le « faux cockney » : pseudo accent populaire qu'on adopte pour paraître « cool », et acquérir une crédibilité auprès des « gens de la rue ».

ses épaules étaient puissantes sous le blazer en cachemire mais, baissant les yeux, il fut surpris par la finesse de ses pieds. On disait de Ryan qu'il avait été un boxeur amateur très doué dans sa jeunesse mais aussi, étonnamment, un danseur de salon hors pair. Thorne fixa les petits mocassins cirés un max, les chaussettes en soie, étrangement féminines...

– J'ignore qui fait ça. Et je le regrette...

Thorne devait reconnaître que Ryan mentait avec brio. Il parvenait même à plaquer un vernis d'émotion – une sorte de voile de tristesse – sur son visage, masquant ce qui, clairement, n'était rien de plus noble que de la colère et un désir de vengeance brutale. Thorne lança un coup d'œil à Moloney et à Stephen Ryan. Tous deux baissaient la tête.

– Je ne vois vraiment pas qui cela peut être, répéta Ryan. C'est vous qui êtes censés le découvrir.

Tughan tirailla le tissu de son pantalon, croisa les jambes.

– Quelqu'un d'autre s'est-il souvenu de quoi que ce soit ? Un de vos employés peut-être... ?

Cette fois, ce fut le mot « employés » qui fit sourire Thorne. Si Ryan le remarqua, il ne réagit pas. Il fit non de la tête et, pendant une quinzaine de secondes, ils ne dirent plus rien.

– Qu'en est-il des pistes dont vous avez parlé ? demanda Stephen Ryan.

Il regardait Thorne comme s'il était une traînée de merde sur un tapis longues mèches.

– Merci, dit Thorne. On a failli oublier. Est-ce que le nom d'Izzigil vous dit quelque chose ?

Mouvements de tête et paumes tournées vers le ciel en signe de dénégation. Stephen Ryan passa la main dans la brosse courte de ses cheveux bruns.

– Vous en êtes sûrs ?

– C'est un interrogatoire en règle, maintenant ? demanda Moloney. On devrait faire venir notre bavard, m'sieur Ryan ?

Ryan leva la main.

– Vous disiez que ce ne serait qu'une petite conversation, monsieur Tughan.

– Il n'y avait là rien de menaçant, dit Tughan.

Thorne acquiesça, attendit.

– Donc, c'est un « non » catégorique au sujet d'Izzigil, alors ?

Il fit un signe de tête à Tughan, qui plongea la main dans sa serviette et en sortit deux 24 × 36.

– Et eux ? demanda-t-il.

Thorne poussa les papiers et les magazines, prit les photos des mains de Tughan et les laissa tomber sur la table.

– L'un de vous reconnaît-il ces deux personnes ?

Soupirs de Stephen Ryan et de Marcus Moloney qui inclinèrent le buste. Billy Ryan prit une des photos, un plan filmé par une caméra de vidéosurveillance de Green Lanes environ trois semaines plus tôt : l'image floue de deux garçons qui couraient ; deux garçons qui, supposaient-ils, s'enfuyaient de la boutique de Muslum Izzigil juste après avoir lancé une grosse poubelle en métal à travers sa vitrine.

– Ça m'a tout l'air d'être deux glandus qui ne préparent rien de bon, dit Ryan. Dix contre un, bordel. Marcus ?

Moloney fit non de la tête.

Stephan Ryan regarda Thorne, les yeux écarquillés.

– C'est un nouveau concept de jeu télévisé ?

Il ricana à sa propre astuce, se tournant vers Moloney pour la partager avec lui.

Tughan reprit les photographies et s'extirpa du canapé.

– En ce cas, nous allons vous laisser...

Moloney et Stephen Ryan ne bougèrent pas d'un pouce tandis que Billy Ryan raccompagnait Tughan et Thorne. Le réceptionniste décocha un regard dur à Thorne quand il passa devant lui. Thorne lui fit un clin d'œil.

Ryan s'arrêta à la porte.

– À quoi il joue, ce malade, en tailladant de la sorte, hein ? Ça ne se fait pas, ça. Je suis dans le bizness depuis longtemps, alors des trucs choquants, j'en ai vu...

– Là, je veux bien vous croire, rétorqua Thorne.

Ryan n'entendit pas la pique, ou préféra l'ignorer. Il secoua la tête, l'air profondément dégoûté.

– « Monsieur X », mon cul..., dit-il.

Thorne ne fut pas étonné que Ryan sache précisément ce que le tueur faisait à ses victimes. Après tout, trois d'entre elles avaient été découvertes par les hommes de Ryan. Le surnom, ça, c'était autre chose – une chose qui, à ce qu'en savait Thorne, n'était pas sortie d'entre les murs de Becke House. Manifestement, Ryan était un homme qui ne manquait pas de contacts, et Thorne n'était pas naïf au point de croire que ceux-ci n'incluaient pas certains fonctionnaires de police désireux d'arrondir leurs fins de mois.

Thorne posa sa question comme s'il avait failli oublier de le faire.

– Que vous évoque le nom de Gordon Rooker, monsieur Ryan ?

Il y eut une réaction, incontestablement. Fugace et indéfinissable. Colère, peur, stupéfaction ? Ça aurait pu être l'une comme l'autre.

– Un autre malade, finit par dire Ryan. Et un à qui je n'avais plus pensé depuis très longtemps.

Les trois hommes restèrent un moment sans rien dire, dans l'odeur suffocante de l'après-rasage, jusqu'à ce que Ryan tourne les talons et reparte rapidement vers son bureau.

À leur arrivée, le jour baissait. Maintenant, le soir tombait. En tournant dans la rue latérale non éclairée, Thorne fut déçu de voir que la Rover n'avait même pas une vitre cassée.

– Qui est Gordon Rooker ? demanda Tughan.

– Oh, un nom qui m'est revenu. Je me suis mis le doigt dans l'œil...

Tughan le considéra longuement. Il appuya sur un bouton de son porte-clés pour déverrouiller la voiture, la contourna jusqu'à la portière côté chauffeur.

– Écoute, il est presque cinq heures et j'ai signé la feuille de présence pour nous deux. Je te dépose chez toi.

Thorne regarda par la vitre le compartiment cassettes vide entre les sièges. L'idée d'entendre, ne serait-ce qu'une seconde, un milliardaire à la calvitie naissante bêler à fendre l'âme au sujet des sans-abri lui fut tout bonnement insupportable.

– Je vais rentrer à pied, dit-il.

7

Thorne coupa par Royal College Street, où, sur une façade au briquetage effrité, une vieille plaque identifiait la maison où Verlaine et Rimbaud avaient vécu quelque temps. Quand il déboucha dans Kentish Town Road, il commençait à bruiner, mais il ne regretta pas pour autant d'avoir refusé la proposition de Tughan.

Comme il passait devant certains des commerces les plus miteux qui bordaient la rue, ses pensées se tournèrent vers Billy Ryan. Il se demanda combien parmi les tenanciers de ces pubs, de ces saunas et de ces cybercafés étaient, d'une façon ou d'une autre, liés à lui. Ils n'avaient sans doute jamais entendu son nom, et pourtant la vie professionnelle de beaucoup d'entre eux, honnêtes ou pas, serait sûrement, tôt ou tard, influencée par Ryan.

Il songea à ceux qui admiraient Ryan. Ceux des cercles éloignés devaient aspirer à évoluer vers le centre. Ces petits caïds en devenir, pressés d'échanger leurs Timberland et Tommy Hilfiger contre des Armani, se doutaient-ils de ce qu'on pourrait attendre d'eux en retour ? Avaient-ils la moindre idée de ce dont le danseur de salon beau parleur avait été – et était peut-être toujours – capable ?

Des trucs choquants, j'en ai vu...

Juste avant Prince of Wales Road, Thorne fit un crochet par un supermarché. Il lui fallait du lait et du vin, et il voulait un journal pour voir si le match du lundi soir serait diffusé sur Sky Sports. Comme il faisait la queue à la caisse, des éclats de voix lui parvinrent de l'entrée, et il s'approcha pour voir de quoi il retournait. Un vigile en uniforme conduisait une femme d'une quarantaine d'années vers la sortie du magasin. Il ne s'en laissait pas conter, mais il y avait tout de même une certaine chaleur dans sa voix.

– Combien de fois il va nous falloir nous amuser à ça, ma belle ?

– Je suis désolée, c'est plus fort que moi.

Le vigile vit Thorne s'approcher et ses yeux s'agrandirent. *C'est reparti pour un tour...*

– Besoin d'un coup de main ?

Tout en posant cette question, Thorne n'avait pas encore décidé à qui il proposait son aide.

La femme, qui tenait trois ou quatre gros sacs en plastique dans chaque main, était élégamment vêtue.

– C'est, pour moi, un besoin impérieux, dit-elle, révélant par la même occasion qu'elle s'exprimait bien.

– Quoi ? demanda Thorne.

Le vigile, la main plaquée dans le dos de la femme, continuait de la pousser vers la porte.

– Elle importune les clients, dit-il.

– Je leur parle de Notre Seigneur, dit la femme avec un sourire béat à l'intention de Thorne. Franchement, ils n'ont pas l'air de mal le prendre. Personne ne s'est plaint.

Thorne les suivit lentement, les regardant dériver vers le trottoir.

– Les gens veulent seulement faire leurs courses, dit le vigile. Vous leur faites perdre leur temps.

– Je dois leur parler de Lui. Je fais mon travail.

– Et moi, le mien.

– Je sais. Tout va bien, ne vous en faites pas. Je suis vraiment navrée pour le dérangement.

– Ne revenez pas de sitôt, cette fois, d'accord ?

Avec un haussement d'épaules et un sourire, la femme arrima ses sacs et se tourna vers la rue. Thorne, de la sortie, la regarda s'éloigner.

Le vigile surprit son regard.

– Je suppose qu'il y a pire, comme crime..., dit-il.
Thorne ne répondit pas.

En arrivant chez lui, il trouva un mot de Hendricks lui annonçant qu'il passait la nuit chez Brendan. Thorne glissa dans le four la pizza surgelée qu'il avait achetée au supermarché. Pendant qu'elle chauffait, il feuilleta le *Standard*, regarda Channel Four...

À présent, cinq minutes après le début de la deuxième mi-temps, Newcastle United et Southampton semblaient bien partis pour le nul. Il pleuvait des cordes sur Tyneside, et le terrain de St James' Park était glissant, et il y eut du moins le méchant tacle à retardement et deux ou trois échauffourées sans conséquence dans la surface, mais le suspense se limitait à ça.

Thorne s'empressa de décrocher le téléphone quand il sonna.

– Tom... ?

– Tu ne regardes pas le foot, P'pa ?

Il fut un temps où la diffusion télévisée d'un match était aussitôt suivie, entre eux, de dix minutes de discutailleries téléphoniques d'amateurs éclairés autour de chaque décision litigieuse, de chaque attaque clé. Tout ça semblait appartenir à une vie antérieure.

– Pas le temps, répondit son père. J'ai d'autres chats à fouetter pour le moment. Tu es en mode pensant ?

– Là, pas vraiment, non...

– Toutes les façons dont on peut se faire sortir au cricket, je te prie. J'ai fait une liste. Il y en a dix, allez, je t'écoute.

Thorne prit la télécommande et baissa le son du téléviseur.

– Tu ne voudrais pas te contenter de me les lire ?

– Hé, ne joue pas au plus fin, enfoiré.

Il prononça le dernier mot comme si c'était un terme affectueux.

– P'pa...

– *Stumped* et *hit wicket*[1], je te donne ces deux-là pour commencer...

Thorne soupira, puis commença à énumérer :

– *Bowled, LBW, caught, run out*[2]... Quoi d'autre... frapper deux fois la balle... ? La toucher avec la main... ?

– Non ! La toucher « volontairement » avec la main, rectifia son père.

– Ah ouais ! La toucher volontairement avec la main. Bon, les deux autres, je ne m'en souviens pas.

Son père s'esclaffa. Thorne entendit son souffle caverneux.

– *Timed out* et *Obstructing the field*[3]. C'est ces deux-là que tout le monde oublie chaque fois. Comme pour Horst Buchholz et Brad Dexter.

– Hein ? !

– Ce sont les deux des Sept Mercenaires que tout le monde oublie toujours. Allez, vas-y, je t'écoute. Yul Brynner, lui, je te le donne pour commencer...

Southampton marqua non sans mal le but de la victoire à cinq minutes du coup de sifflet final, juste au moment où le père de Thorne commençait à s'essouffler. Peu après, il posa le combiné pour aller chercher un livre afin de vérifier un fait crucial. Au bout d'une ou deux minutes de prolongation du silence, Thorne comprit que son père avait complètement oublié qu'il l'avait appelé et qu'il n'allait pas reprendre l'appareil. Si ça se trouve, il était monté se coucher.

Thorne envisagea de gueuler dans le combiné, puis il décida de raccrocher.

---

1. *Stumped* : si le gardien de guichet détruit le guichet du batteur avec la balle sans aucune intervention extérieure, alors que le batteur n'a pas commencé à courir pour marquer des points ; *Hit wicket* : le batteur actif détruit son propre guichet lors du lancer.

2. *Bowled* : le lanceur a réussi à détruire le guichet du batteur actif lors de son lancer ; *Leg before wicket* ou *LBW* : le lancer touche en premier impact le batteur actif ou son équipement, volontairement ou non, et n'a pas rebondi du côté intérieur, celui où se situent les jambes du batteur.

3. *Timed out* : si le nouveau batteur met plus de deux minutes à prendre sa position ; *Obstructing the field* : le batteur a volontairement gêné l'un des chasseurs.

8

Une jolie fille posa les menus sur leur table.

– Juste deux cafés, s'il vous plaît, dit Thorne.

Holland parut un peu déçu, à croire qu'il avait espéré se taper un petit déj en note de frais. Après le départ de la serveuse, Holland parcourut la carte.

– Il y a des choses qui font envie. Ah, les spécialités turques...

Thorne regarda autour de lui, croisa le regard d'un individu à l'air renfrogné et aux yeux sombres assis à une table voisine.

– Je ne nous vois pas venir manger ici régulièrement, si ?

Quand les cafés arrivèrent Thorne demanda :

– Le propriétaire est là ?

La serveuse parut déconcertée.

– Lequel ?

– Le patron. Nous aimerions lui parler...

Elle prit les cartes et se détourna sans un mot. Thorne la regarda les jeter sur le comptoir, puis descendre promptement les marches au fond de la salle.

– Elle peut dire adieu à son pourboire, fit Holland.

Le restaurant se trouvait du côté Manor House de Green Lanes, en face de Finsbury Park, pas très loin de là où Thorne s'était fait casser la gueule par deux supporteurs d'Arsenal. C'était très petit – cinq ou six tables et une poignée de box –, et les stores de la porte d'entrée et des vitres renforçaient l'ambiance lugubre. Le plafond était le seul endroit bien éclairé de la salle, le pin verni doré par la lueur des dizaines de lanternes ouvragées – en verre, en bronze et en céramique – qui pendaient de la frisette et oscillaient légèrement chaque fois que la porte s'ouvrait ou se refermait.

Holland but une gorgée de café.

– Il a peut-être un faible pour les lampes, dit-il.

Thorne remarqua le choix un peu incongru de la musique d'ambiance, et fit un signe de tête vers la stéréo sur une étagère derrière le comptoir.

– Et pour Madonna.

Tous deux levèrent la tête au son de pas lourds sur les marches. L'homme qui émergea à l'angle du mur et se dirigea vers leur box était très costaud – autant de muscle que de gras – et se tenait voûté. Un tablier à rayures bleues et blanches était tendu sur sa bedaine, et ses mains s'emmêlaient dans le torchon avec lequel il bataillait pour les essuyer.

– Je peux vous aider ?

Thorne sortit sa carte de police et fit les présentations.

– Nous souhaiterions dire un mot au propriétaire.

L'homme se glissa avec peine derrière la table, se coinçant à côté de Holland, et s'assit.

– Je suis Arkan Zarif.

Thorne se fit un plaisir de passer le relais à Holland et le laissa expliquer au taulier qu'ils enquêtaient sur un certain nombre de meurtres, dont celui de Muslum Izzigil, et qu'ils auraient besoin de lui poser quelques questions au sujet de ses divers intérêts commerciaux. Zarif écouta avec attention, en hochant la tête presque continuellement. Quand Holland en eut terminé, Zarif réfléchit quelques instants, puis se fendit soudain d'un large sourire et tendit les mains.

– Vous devez goûter du vrai café. Du café turc !

Holland leva la main pour refuser, mais Zarif criait déjà en turc à l'adresse de la serveuse.

– M. Izzigil a été tué juste à l'autre bout de la rue, dit Holland.

Zarif secoua la tête.

– C'est affreux. Beaucoup de meurtres par ici. Plein d'armes.

Il s'exprimait avec un fort accent méditerranéen, les traits crispés par la concentration. Il avait le teint olivâtre, mais Thorne remarqua d'autres traits plus inhabituels. Sous ses sourcils fournis, ses yeux étaient vert clair. Ses cheveux étaient foncés par de la brillantine, et sa barbe de deux jours était blanche, mais Thorne voyait, à son épaisse moustache et aux mèches autour de ses oreilles, que sa couleur naturelle était un châtain clair tirant sur le roux.

– Il faut que vous parliez avec mon fils, dit-il.

– Du meurtre de M. Izzigil ?

– Des intérêts commerciaux. Les hommes d'affaires, c'est mes fils. Ils sont très très bons en affaires. Deux ans tout juste qu'on était ici, et ils m'ont acheté ça. Pas mal, hein ?

Il écarta les bras avec un sourire presque aussi large que son geste.

– Alors, qui est le propriétaire des lieux ? demanda Holland. Et de tous les autres commerces ?

Zarif se pencha en avant.

– Bon, j'explique. J'ai trois fils, voyez.

Il brandit autant de doigts, comme si Thorne et Holland pouvaient trouver aussi difficile de comprendre certains mots que lui de les prononcer.

– Memet est le plus âgé. Puis il y a Hassan et Tan.

D'un signe de tête, il indiqua la serveuse qui les observait du comptoir, en fumant.

– Et aussi ma fille, Sema.

Thorne, percevant du mouvement vers la porte, se retourna et vit l'autre client se lever pour partir. Apparemment, il ne réglait pas d'addition. Zarif le salua de la main.

– C'est Memet qui s'occupe de tout ici, déclara Zarif. Des livraisons et de tout le reste.

Holland noircit son calepin. Une habitude dont il avait du mal à se débarrasser.

– Mais c'est à votre nom ?

– Le restaurant, c'était un cadeau de mes fils.

Il s'adossa au Skaï rouge du box tandis que sa fille disposait devant eux trois petites tasses de café fumant. Elle s'adressa en turc à Zarif, et il fit oui de la tête.

– J'aime faire à manger, je passe mon temps à la cuisine. Ma femme et Sema aident. Couper, éplucher. Mais c'est moi qui prépare tous les plats.

Avec l'index, il se frappa la poitrine.

– C'est moi qui choisis la viande...

– Memet est ici ? demanda Thorne.

Zarif fit non de la tête.

– Dehors, toute la journée.

Il prit sa tasse de café, tendit le bras et montra la rue.

– À côté, c'est l'agence de minicabs de Hassan, si vous voulez y passer. En général, mes deux autres fils sont là. Je suis sûr qu'ils jouent aux cartes toute la journée.

Il but bruyamment une gorgée et, avec un sourire, invita Thorne et Holland à faire de même.

– C'est bon ?

– C'est fort, dit Thorne. Les frères Zarif possèdent plusieurs boutiques vidéo, c'est bien ça ?

Autre sourire pas peu fier.

– Six ou sept, je crois. Plus, peut-être. Ils me trouvent les tout derniers films, le nouveau James Bond...

– Muslum Izzigil tenait une de ces boutiques à cinq cents mètres d'ici. Sa femme et lui ont été tués d'une balle dans la tête.

Zarif avala son café en écarquillant les yeux.

– Vos fils ne vous l'avaient pas dit, monsieur Zarif ?

Sa fille, de derrière le comptoir, lui cria quelque chose en turc. Zarif leva les mains, lui répondit d'un ton sec, puis tourna la tête au bruit de la porte qui s'ouvrait. Aussitôt, son irritation le quitta.

– Hassan...

La porte se referma. Plusieurs lanternes s'entrechoquèrent en cliquetant. Thorne se retourna et vit deux hommes jeunes entrer résolument dans la salle. Il soupçonnait fort le client qui venait de partir d'être allé à côté les alerter. L'un d'eux alla se planter au comptoir et parla à voix basse à Sema. L'autre s'avança à pas vifs jusqu'au box.

– Mon père ne parle pas bien l'anglais, dit-il.

Thorne le regarda.

– Il se débrouille.

Autre flot de paroles en turc, du fils au père, cette fois.

Thorne leva une main et posa l'autre sur l'avant-bras massif d'Arkan Zarif.

– Qu'est-ce qu'il dit ?

Zarif leva les yeux au ciel et commença à s'extraire du box.

– On me renvoie en cuisine, répondit-il.

Holland, anxieux de ne plus contrôler l'interrogatoire, croisa le regard de Thorne.

– Minute..., dit-il.

Zarif se tourna vers la table.

– Un autre café ?

– Ça ira, répondit Thorne à Zarif et Holland en même temps.

Tandis qu'Arkan disparaissait par l'escalier, Hassan prit sa place. D'un geste de la main, il signifia à sa sœur qu'il désirait un café. Il s'adossa à la banquette et redressa le menton.

Rooker, allongé sur sa couchette, l'œil scotché au téléviseur boulonné dans l'angle du mur, pestait en regardant *Trisha*[1]. Le milieu de la matinée était pratiquement gravé dans le marbre. Si un sujet était très bon, il lui arrivait de zapper sur le *Kilroy Show*, mais c'était toujours beaucoup plus civilisé, beaucoup plus BBC. Les participants au *Trisha Goddard Show* étaient généralement un peu plus cons et beaucoup plus enclins à s'insulter et à se bagarrer.

L'émission de ce matin-là était particulièrement bonne : « L'intimité ».

1. Talk-show sur Channel Five présenté par Trisha Goddard.

Il y avait une lopette qui rabâchait qu'il n'avait pas été foutu de dire à ses gosses qu'il les aimait, et une nana qui ne supportait pas que son mari l'enlace dans la rue. Rooker se dit que, la prochaine fois, ils devraient essayer de débiter ce genre de conneries à des agresseurs d'enfants ou de prendre leur douche avec des violeurs.

Il avait passé plus d'un tiers de sa vie en prison, sans jamais s'habituer pour autant à la promiscuité avec certains codétenus. Il se souvenait d'avoir lu que tous les animaux avaient besoin d'un minimum de territoire – même les rats, les lapins et autres, d'un peu d'espace rien qu'à eux, sinon ils commençaient à s'énerver et s'attaquaient entre eux. Des foutus lapins devenant fous ! Beaucoup pétaient les plombs en taule, évidemment, et dans les grandes largeurs, mais ce qui l'étonnait, c'est que ça n'arrivait pas plus souvent. Il n'en revenait pas qu'il n'y ait pas plus de morts que ça, chaque année, parmi le personnel pénitentiaire.

En y repensant – et il avait tout son temps –, il s'était gardé de se rapprocher des autres à l'école. Changer de salle de classe le mettait mal à l'aise. Il préférait rentrer sale chez lui après les matchs, plutôt que de se précipiter sous la douche avec toute la bande. Il se demandait souvent si cette distance par rapport aux autres enfants était la raison pour laquelle il s'était retrouvé à faire ce métier-là...

Sur le plateau, Trisha demanda à la femme si elle aimait son mari, même si elle détestait qu'il la touche en public.

– Ouais, des fois, je l'aime, dit-elle. Et d'autres fois, si je m'écoutais, je le tuerais.

Rooker joignit son rire à celui du public dans le studio. Il savait que ce qui le distinguait de la majorité des gens qui disaient des trucs comme « je le tuerais », c'était que, lui, il pourrait vraiment le faire. Il se souvenait de la sensation que lui procurait le fait de plaquer un revolver contre une tempe, de faire glisser un couteau sur une gorge, de verser de l'essence à briquet sur les cheveux d'un pauvre type...

L'émission se termina, et il sortit dans le couloir. Il sentit le déjeuner arriver alors qu'il descendait jusqu'à son étage. Les odeurs de bouffe dérivaient toujours dans une direction ou une autre.

– Le DLP[1] va marcher cette fois, à ton avis, Rooker ?

Alun Fisher avait purgé trois ans sur cinq d'emprisonnement pour avoir provoqué la mort par conduite dangereuse. Il avait un passé de toxicomane et de malade mental. Son refus de s'alimenter correctement faisait qu'il partageait son temps entre l'unité médicale de la prison et le quartier des D.V.

– Sûr qu'ils vont accepter, cette fois. Tu vas compter les jours, hein ?

Rooker grommela, regarda l'atelier cartes dans le coin. Oui, il était confiant cette fois. Ils allaient forcément marcher, vu ce qu'il offrait. Il pourrait sans doute se permettre de fracasser le crâne de Fisher avec une des queues de billard, qu'on enverrait tout de même une limo de la police pour le prendre à sa sortie.

– On va être aux petits soins pour toi dehors, dit Fisher. C'est ce que tout le monde raconte. On va te bichonner parce que t'as jamais balancé personne, toi.

Rooker le regarda dans les yeux.

Fisher hocha la tête et se marra, ses chicots pourris par des années de consommation de drogue.

– Jamais balancé personne...

– Ce commerce était géré par M. Izzigil. Notre société possède l'immeuble, et c'est une agence de location qui s'en occupe. En fait, je ne le connaissais pas.

Hassan Zarif avait le même accent que son père, mais sa grammaire et son vocabulaire étaient quasiment nickel. Deux années ici que, déjà, leur langue maternelle était devenue leur deuxième langue. Il était clair que, à tous les niveaux, les fils Zarif apprenaient vite.

– Mon frère y passait de temps en temps, je crois, et M. Izzigil lui faisait peut-être cadeau d'un ou deux films. Des Walt Disney pour ses enfants...

1. Discretionary Lifer Panel : Comité des Peines Perpétuelles.

– Bien sûr, dit Thorne.

– Les frères Zarif sont propriétaires des murs, mais la boutique vidéo était gérée par M. Izzigil.

– Vous nous l'avez déjà dit, fit Holland sans pouvoir s'empêcher de prendre un ton sarcastique.

Zarif pencha la tête sur le côté, planta un doigt dans le cendrier métallique vide et commença de le faire tournoyer sur la table. Il avait une vingtaine d'années, était grand avec une épaisse tignasse noire. Un menton volontaire gâchait son petit air mélancolique et était souligné par le col roulé qu'il portait sous un épais blouson de cuir marron au col de fourrure. D'avoir à répéter une évidence lui arracha un léger soupir.

– Il louait des films.

– Ce n'est pas ça qui a payé l'école de son fils, dit Thorne. Ni la jolie Audi neuve qu'il y a dans son garage.

Zarif secoua la tête, fit tournoyer le cendrier.

– Il avait confié plus de trente mille livres à un service « Gestion de fortune » d'une société d'investissement et de crédit immobilier.

– Il y a des gens qui n'ont pas de vices...

Thorne se pencha en avant et poussa tout doucement le cendrier sur le côté.

– Donc, vous ne voyez pas pourquoi quelqu'un a pu avoir envie de lui tirer une balle dans la tête ? Et d'en tirer une autre dans celle de sa femme pour ne pas faire de jaloux ?

Zarif fit claquer sa langue contre son palais, comme s'il réfléchissait pour savoir comment répondre exactement.

Thorne savait que cette rencontre était aussi importante pour ce jeune homme que pour eux. Hassan Zarif avait conscience de ne rien risquer, du moins pour le moment. L'enjeu, c'était de faire bonne impression. Il ne voulait pas avoir l'air de ne pas coopérer, mais il avait un aplomb naturel et occupait une place dans le monde qu'il s'imaginait avoir eu du mal à décrocher. C'était un numéro d'équilibriste périlleux, car, tout en jouant le rôle de l'homme d'affaires de quartier, il voulait aussi communiquer un message. Leur faire comprendre, en y mettant les formes, bien entendu, que ni lui ni les autres ne comptaient se laisser emmerder.

– Peut-être qu'il a sauté la nana du mec qu'il ne fallait pas.

Derrière le comptoir, sa sœur éclata de rire. Thorne, qui ne trouvait pas ça drôle, la foudroya du regard, mais vit qu'elle riait, en fait, à cause de quelque chose que l'ami de Zarif lui disait. Il reporta son attention sur ce dernier.

– Comme nous le disions à votre père, nous enquêtons sur plusieurs meurtres récents.

– Londres est une ville dangereuse.

– Uniquement pour certaines personnes, dit Thorne.

Zarif sourit, écarta les mains.

– Écoutez, j'ai des trucs à faire, alors...

Thorne posa ses questions, joua le jeu. Lui aussi avait un message à communiquer, mais il n'était guère d'humeur à prendre des gants.

– Avez-vous des informations qui pourraient nous être utiles pour notre enquête sur le meurtre de Mickey Clayton ?

Zarif fit non de la tête.

– Ou celui de Sean Anderson ?

– Non.

Il passa aux victimes de Monsieur X.

– D'Anthony Wright ? De John Gildea ?

– Non et non.

Thorne plongea la main dans une poche de son blouson, sortit de la monnaie. Il laissa tomber deux pièces d'une livre sur la table.

– Pour le café, dit-il.

Dehors, il pleuvait. Ils marchèrent rapidement vers la BMW de Thorne.

– J'ai l'impression, dit Holland, qu'on perd beaucoup de temps à aller voir ces enfoirés, à les interroger, à les écouter nous dire qu'ils ne sont au courant de rien, et à repartir.

Thorne regarda le parc qu'ils longeaient. Les arbres luisaient, squelettiques.

– Comme d'habitude...

– Il nous a pris pour des cons, ou quoi ? Des films de Walt Disney pour les gosses ? Ils doivent être impliqués d'une façon ou d'une autre, en tant que fournisseurs, livreurs, à tous les niveaux. Ils devaient prélever un énorme pourcentage des bénéfices d'Izzigil, et par-dessus le marché, ils gagnaient sur le piratage, sur le trafic...

Finsbury Park n'était pas l'espace vert préféré de Thorne. Il y avait assisté à quelques concerts au fil des années, pourtant : The Fleadh Cowboys pour voir Emmylou Harris, Madstock, une fois, avec une constable sur qui il avait flashé. Quand les Sex Pistols s'y produisirent après leur reformation, à l'époque où il vivait encore avec sa femme, il avait entendu toutes les paroles depuis le jardin derrière leur maison de Highbury, qui se trouvait à plus d'un kilomètre de là...

Holland grimaçait.

– Avec leur café aussi, ils nous ont pris pour des cons, dit-il. Il avait le goût d'un truc trouvé dans un sac de couchage Grobag.

Thorne s'esclaffa.

– On finit par s'y faire.

– Bon, ça te dirait, une bière, tout à l'heure ? The Oak, si tu veux, ou alors on pourrait aller en ville...

– Sophie t'a donné la permission de minuit, alors ?

– Moins elle me voit, mieux elle se porte. Je l'agace un peu, je crois. Putain, je m'agace moi-même, c'est dire...

Ils étaient arrivés à la voiture. Thorne déverrouilla sa portière, s'installa au volant, puis se pencha pour ouvrir à Holland.

– On peut remettre ça à un autre soir ? Je suis occupé tout à l'heure.

Holland se laissa tomber sur le siège passager. La pluie avait laissé des traînées sombres sur les épaules de sa veste grise et sur le haut de son pantalon. Le costume commençait à fatiguer, et Thorne devina que Holland irait bientôt chez M&S pour s'en acheter un autre exactement identique.

– Rencard amoureux ? demanda Holland.

Thorne sourit quand le moteur démarra du premier coup.

– Si seulement...

9

En termes d'endroits que Thorne jugeait préférable d'éviter, Leicester Square après la tombée de la nuit n'avait rien à envier ni à la M25 à l'heure de pointe, ni au stade de Millwall.

Les musiciens de rue et, à l'occasion, la première d'un film de série B n'y changeaient pas grand-chose. Pour chaque poignée de touristes souriants, on trouvait quelqu'un d'avachi contre la façade d'un des cinémas, ou traînant dans un coin de la place, avec une raison bien plus sombre de se trouver là. Pour chaque famille d'Américains ou duo de routards scandinaves, il y avait un agresseur, un pickpocket, ou simplement un crétin ivre mort cherchant des ennuis, et la fête foraine merdique semblait attirer toujours plus de vautours.

– Je plains les gars en tenue qui travaillent ce soir dans ce secteur, dit Carol Chamberlain.

Il y avait en ville beaucoup d'endroits qui regorgeaient de promesses. Là, il n'y avait que menaces. Sans la puanteur de la pisse et des burgers bon marché, on aurait sans doute pu les sentir.

– Le seul avantage de ce fichu quartier, dit Thorne, c'est le loyer qu'il nous permet de gagner au Monopoly...

Sept heures moins le quart un mardi soir, et les rues tanguaient comme sous l'effet de la houle. En plus de ceux qui grouillaient, prenant des photos ou des appareils photo, il y avait ceux qui traversaient la place pour se rendre dans un coin plus agréable. À l'ouest, vers Piccadilly et Regent Street au-delà. Au sud, vers les théâtres du Strand. À l'est, vers Covent Garden, où la fréquentation était un peu plus bohème, et où le burger basique était loin d'être bon marché.

Thorne et Chamberlain traversèrent la place en direction d'une arcade de jeux vidéo hyper éclairée et très fréquentée, tout juste entre Chinatown et Soho. Ils passèrent devant des vitrines partiellement embuées présentant des alignements de poulets au miel et de calmars caoutchouteux peints à la Day-Glo et pendus, tels des viscères, à des crochets en métal.

– Qu'est-ce qui te fait dire qu'il sera là ? demanda Chamberlain.

Thorne la guida gentiment vers la gauche afin d'éviter la file d'attente devant le Capital Club.

– On enquêtait déjà sur Billy Ryan bien avant que les choses s'enveniment. On sait quasiment tout de ce qu'il traficote. On connaît ses habitudes.

Chamberlain accéléra l'allure juste assez pour ne pas se laisser distancer.

– Si Ryan est un tant soit peu à la hauteur de la réputation qu'il se donne, je ne serais pas étonnée qu'il en sache assez long sur ton compte aussi.

Thorne frémit imperceptiblement, mais lui adressa un sourire.

– Quel plaisir que tu sois venue pour me remonter le moral...

Ils quittèrent la place et se dirigèrent vers un Starbucks en face de l'arcade de jeux vidéo. Ils n'eurent pas à attendre longtemps avant de voir Ryan apparaître. Ils n'avaient pas fini de boire leur café que l'une des épaisses portes vitrées s'ouvrait devant lui, et qu'il descendait lentement les quelques marches vers la rue. Marcus Moloney était à son côté. Dans leur sillage suivaient une paire de voyous Casting.com qui avaient une gueule à aimer les objets qui luisent et le bruit de petits os qui se brisent.

Au moment où Thorne traversa la rue dans leur direction – d'une démarche assurée et les mains enfoncées dans les poches de son blouson en cuir –, Ryan fit un petit pas en arrière et tendit le bras vers un de ses gorilles. Il se ressaisit quand il reconnut Thorne.

– Qu'est-ce que vous me voulez ?

Thorne montra d'un signe de tête l'arcade derrière eux. Elle était pleine d'adolescents qui faisaient la queue pour enfoncer leurs pièces d'une livre dans les machines.

– Rien, je m'ennuyais un peu et je suis un grand fan des *shoot-'em up*.

Moloney regarda de part et d'autre de la rue.

– Vous voudriez bénéficier d'un tarif réduit, Thorne ?

– C'est donc comme ça que vous essayez de soudoyer les flics maintenant ? Avec quelques parties de *Streetfighter* gratuites ?

Ryan avait reconnu Thorne, mais pas la femme qui l'accompagnait.

– On joue le Tombeur de ces Vieilles, ce soir ?

Il jaugea Chamberlain de la tête aux pieds.

– Ne me dites pas qu'elle aussi est de la maison. Je croyais que les flics étaient censés paraître de plus en plus jeunes de nos jours...

– Vous êtes bien insolent, Ryan, dit Chamberlain.

Là, il la reconnut. Thorne le vit serrer les dents au souvenir des circonstances exactes de leur dernière rencontre.

– Vous aviez l'air préoccupé tout à l'heure, dit Thorne.

D'un signe de tête, il montra les gardes du corps.

– Ces deux-là aussi m'ont l'air un peu nerveux. Inquiets que ceux qui ont buté Mickey Clayton et les autres puissent s'en prendre à vous, c'est ça, monsieur Ryan ?

L'autre garda le silence.

Un groupe de jeunes déboula de l'arcade dont le bruit ambiant se déversa momentanément dans la rue avec eux : les crépitements, la plainte des pistolets et des lasers, le vrombissement des moteurs, le tempo hypnotique de la techno...

– Qu'ils essaient un peu pour voir, dit Moloney, répondant à la question de Thorne.

– Je me demande ce que je pourrais trouver si je vous plaquais contre le mur pour vous fouiller, dit Thorne.

Moloney ne parut pas concerné.

– Rien qui en vaudrait la peine.

– La peine ?

Moloney poussa un gros soupir et dépassa Thorne qui le regarda s'éloigner de quelques mètres dans la rue. Moloney sortit un téléphone portable et se mit à enfoncer rageusement les touches. Thorne se retourna et vit les deux baraques serrer les rangs autour de leur employeur qui, lui, regardait dans le vide. Ryan se donnait un mal de chien pour ne pas croiser le regard de Carol Chamberlain.

– Vous connaissez Carol ? demanda Thorne. Inspecteur Manley, la dernière fois que vous l'avez vue.

– Il vous a fallu un moment, tout de même, hein ? dit-elle en faisant un pas sur la gauche pour se placer dans le champ visuel de Ryan.

– Ce devait être pour l'affaire Jessica Clarke, c'est bien ça, monsieur Ryan ?

– J'ai l'impression que ça ne lui revient pas tout à fait, insista Chamberlain. La fille brûlée vive ? Ces choses-là s'oublient facilement, je comprends.

– C'est Gordon Rooker qui a plongé pour ça, non ? On parlait de lui pas plus tard que l'autre jour, n'est-ce pas, monsieur Ryan ?

Le vent s'engouffrait dans la ruelle. Il ébouriffa la fourrure du col du pardessus de Ryan quand celui-ci fit volte-face.

– Je vais vous redire ce que je vous ai déjà dit à ce moment-là, au cas où ce serait à vous que la mémoire jouerait des tours. Je n'ai pas eu le déplaisir de penser à cette vermine depuis très longtemps.

– C'est marrant, dit Thorne. Parce que lui, il pense à vous. Il m'a expressément demandé de vous transmettre son bonjour...

Ryan pinça les lèvres et plissa les paupières. Thorne perçut que ce n'était pas seulement à cause des gifles du vent.

– Alors... bonjour, dit Thorne.

Il vit le soulagement affluer soudain au visage de Ryan. Il le suivit des yeux tandis qu'il s'empressait de le dépasser dès l'instant où il entendit le bruit du moteur. Thorne se retourna et vit un monospace noir se déporter, pneus crissant, vers le trottoir et stopper. La portière était déjà ouverte et Stephen Ryan en descendit d'un bond.

Thorne agita la main à l'intention du fils de Ryan qui lui retourna un regard froid.

Stephen haussa les épaules quand son père passa devant lui en le bousculant.

– Pardon...

– Tu étais où, putain ?

Billy Ryan grimpa dans la voiture sans se retourner. Son fils l'imita sans attendre, suivi par les deux Messieurs Muscle qui poussèrent Thorne et Chamberlain sans ménagement. Tandis que Moloney traçait, la vitre côté chauffeur descendit. Thorne reconnut le réceptionniste avec qui il avait échangé quelques civilités au bureau de Ryan.

– Désolé, Marcus. Le trafic est merdique dans tout le West End.

Moloney l'ignora et se dirigea vers la portière arrière. Un pied déjà à l'intérieur de la voiture, il regarda Thorne.

– Faites gaffe à ne pas prendre une balle...

Thorne s'apprêta à répondre, fit un pas vers la voiture.

Moloney, pointant le doigt par-dessus l'épaule de Thorne en direction de l'arcade, précisa :

– Aux *shoot-'em up*...

Il fit coulisser la portière et le monospace s'éloigna rapidement du trottoir.

– C'était quoi toute cette histoire de bonjour ? demanda Carol Chamberlain.

Thorne regarda la voiture de Ryan tourner à l'angle de la rue et disparaître.

– La politesse, ça ne coûte rien. À quelle heure, ton train ?

– Le dernier part un peu avant onze heures.

– Allons manger un morceau...

Marcus Moloney but d'un trait presque la moitié de sa Guinness. Il reposa le verre sur le bar et se redressa sur son tabouret.

– Rude journée, mon gars ? dit l'homme à côté de lui.

Moloney grommela et reprit son verre. Ce n'était pas tant la journée que les toutes dernières heures. D'abord, le hic devant l'arcade de jeux, puis les retombées : pendant tout le trajet de retour jusque chez Ryan, à Finchley, Moloney s'était fait remonter les bretelles. Il ne savait pas de quoi Thorne et la femme avaient tchatché, mais ça avait mis son boss à fleur de peau. Comme si la situation n'était pas déjà assez tendue, avec tout ce qui se passait. En tout cas, Ryan était peinard chez lui et faisait le point avec sa femme. Elle ferait ce qui devait être fait. Elle pousserait les cris appropriés, lui masserait son ego – et tout ce qu'il voudrait –, et remercierait le Ciel qu'il n'ait pas encore découvert que le jardinier paysagiste la tringlait trois fois par semaine.

Moloney descendit une autre lampée de bière. Son pager était allumé, comme toujours, mais son temps lui appartenait pendant quelques précieuses heures, il n'était pas fâché de se détendre un peu.

Des flics comme Thorne, il en avait connu à la pelle... Avec les ripous, c'était facile. On savait ce qui les faisait vibrer, ce qui leur faisait franchir la ligne jaune. Mais Thorne n'était pas forcément incorruptible ; tout le monde avait un prix... que Moloney voyait proposé et accepté tous les jours. Le problème, c'était que Thorne était de ceux qui empocheraient l'argent sale, ferait ce qu'on attendrait de lui pendant quelque temps, puis vous claquerait entre les doigts. Ferait une connerie parce qu'il se détestait. Peu importait que ce soit un ripou ou pas – et ça, c'était assez facile à découvrir. Il fallait faire gaffe à ce Thorne. Il allait leur attirer des emmerdes, c'était sûr.

Moloney vida son verre, l'agita pour capter l'attention du barman, et, d'un signe, lui fit comprendre qu'il en voulait un autre. L'homme assis à côté de lui se leva et demanda où se trouvaient les toilettes. Moloney pointa le doigt et lui demanda s'il voulait boire un verre. L'offre fut acceptée de bonne grâce. Pendant qu'il attendait les bières, Moloney regarda autour de lui le bar bondé : plein de visages. Il venait souvent là boire un pot, et deux ou trois habitués qui le connaissaient lui avaient déjà dit bonsoir, ou proposé une pinte, ou l'avaient salué en levant leur verre ou en agitant la main depuis l'autre bout de la salle.

Beaucoup de gens avaient envie de le connaître.

Qu'aucun d'entre eux ne le connaisse, que si peu de gens le connaissent véritablement devenait plus difficile à gérer ces derniers temps. Il buvait plus, c'était sûr, il se mettait en pétard à la moindre contrariété, au boulot comme à la maison. Et ça ne faisait que s'aggraver depuis le premier meurtre. Ce que faisaient les Zarif, comment Ryan allait réagir, ce serait le vrai test...

L'homme revint des toilettes et reprit sa place au bar. Moloney lui tendit sa pinte. Une fois sa Guinness reposée et recouverte de son col blanc, il leva son verre.

– Santé, dit Moloney.

Chamberlain et Thorne avaient bu à eux deux une bouteille et demie de vin rouge au dîner, et son hébétude n'était peut-être pas étrangère à sa réaction, plutôt violente, quand il entra dans le salon. L'odeur l'avait frappé dès qu'il avait ouvert la porte du vestibule.

– Putain de merde, Phil. Pas dans mon appart...

– Ce n'est qu'un petit joint. Je ne suis pas en train de me shooter, mon Dieu !

– Va faire ça chez Brendan.

Hendricks dut faire un gros effort pour ne pas rire, et pas seulement parce qu'il était stone.

– Et si tu prenais un jour de repos ?

Thorne se barra vers la cuisine.

– Si seulement, putain...

Pendant qu'il attendait que l'eau boue, Thorne s'était calmé et il se demandait maintenant s'il devait s'excuser ou juste faire comme si l'incident n'avait jamais eu lieu. Il avait récemment découvert que, à l'intérieur de la City, une femme enceinte pouvait toujours, en toute légalité, faire pipi dans le casque d'un policier si besoin était. Que la drogue douce tombe encore sous le coup de la loi était, il s'en rendait compte, à peine plus stupide.

– Prépare-nous un toast pendant que tu y es, avait crié Hendricks.

– Quoi ? !

– Je déconne.

Là, Hendricks n'avait plus pu se retenir de rire.

À vrai dire, c'était tout ce qui était lié à la fumette qui gonflait Thorne. Il avait essayé deux ou trois fois, au bahut, et, même alors, se passer un joint de plus en plus baveux en disant que le shit était super et que tous avaient une dalle d'enfer lui paraissait ridicule. De nos jours, les drogues prises dans les coins des cours de récréation étaient plus dangereuses, mais, au moins, il n'y avait plus tout ce cirque. Les gamins gobaient leur amphète et basta.

Il y avait aussi le fait que son ex-femme aimait bien fumer un pétard, à l'occasion, fourni, s'avéra-t-il, par son animateur d'atelier d'écriture pour qui elle l'avait quitté par la suite. Thorne en avait senti l'odeur sur ce petit con le jour où il était rentré chez lui à l'improviste et avait sorti cette mauviette du lit conjugal. Pourquoi ne lui avait-il pas foutu son poing sur la gueule ou n'avait-il pas passé un coup de fil anonyme à la Brigade des Stup, c'étaient des questions qu'il se posait encore, parfois, au réveil.

Thorne marmonna de vagues excuses en regagnant le salon avec son thé. Hendricks sourit et secoua la tête.

Ils écoutèrent le premier album de Gram Parsons. Thorne, pleinement éveillé, regardait Hendricks s'assoupir de plus en plus, puis reprendre du poil de la bête, puis mollir de nouveau...

– La merde dans laquelle on est, c'est le prix qu'on paie pour être humain, proclama Hendricks à brûle-pourpoint.

Thorne but une gorgée de thé.

– Ouais...

– La différence entre nous et les chiens, ou les dauphins, ou tout ce que tu veux...

Hendricks tira une taffe de son joint. Il commençait à ressembler un peu à un mec stone dans un sketch de one-man-show.

– Nous sommes les seuls animaux qui aient de l'imagination...

– C'est ce qu'on dit...

– Ce qu'on dit, ouais... Et toutes les sombres, les sombres merdes qu'on fait subir aux gens, les morts et les tortures, commencent en images dans la tête d'un barje. Tout ça, il faut d'abord l'imaginer.

Thorne réfléchit à ce que Hendricks venait de dire. Ça se tenait, même s'il ne pouvait pas concevoir comment certaines des horreurs qu'ils avaient tous deux rencontrées au cours des années avaient pu naître dans l'imagination de quelqu'un.

– Alors ?

– Alors... c'est l'envers de toute cette merveille. On a des gens qui créent de belles œuvres d'art, des livres, des jardins, de la musique, mais l'imagination même qui crée tout ça peut aussi créer l'Holocauste, ou mettre le feu à des gamines, ou tout ce que tu veux...

– D'accord, Phil...

– Si on veut les uns, il nous faut vivre avec les autres.

Ils demeurèrent silencieux un moment.

Finalement, Hendricks se pencha en avant pour écraser le mégot de son joint et pour résumer son propos :

– En gros... si on veut Shakespeare, on a aussi Shipman[1].

Aussi sinistre que soit devenue leur conversation, Thorne trouva soudain ce concept étrangement drôle.

– Ouais.

Il montra la stéréo d'un signe de tête.

– Les tueurs en série sont le prix qu'on paie pour la musique country.

Un large sourire s'étala lentement sur le visage de Hendricks.

– Alors là... cruel dilemme...

Moloney avait décidé de profiter pleinement de sa soirée. Il émergea dans l'air glacial du parking à l'heure de la fermeture, bouffi de Guinness et d'orgueil.

– T'inquiète, dit-il, je connais quelques endroits où on peut encore boire un pot.

Moloney ricana et passa le bras autour des épaules de son nouveau meilleur pote.

– En fait, dit-il, j'en connais plein, des endroits, putain...

Son compagnon de beuverie fut surpris que Moloney envisage de conduire. Il lui demanda s'il ne craignait pas de se faire contrôler.

Moloney déverrouilla la Jag.

– C'est déjà arrivé.

Il fit un clin d'œil.

– Normalement, ce n'est pas un problème...

– Après avoir bu ?

– Ils ont tendance à détourner la tête...

– Sympa d'être influent, dit son ami.

– Plus que sympa. Monte...

1. Le docteur Harold Shipman, condamné en 2000 pour l'assassinat de quinze de ses patients, et soupçonné de plus de deux cents meurtres.

Ils roulèrent dans Islington vers le sud, traversant la Essex Road et se dirigeant vers la City. La circulation était fluide, et Moloney mettait le pied au plancher dès qu'il le pouvait.

– Là où nous allons, derrière la Barbican Gallery, on en trouve toujours deux ou trois qui traînent. On sort quelques livres, et on a droit à une bonne nuit. Ça te branche ?

Ce fut au moment où la Jag arrivait bien trop vite au rond-point que l'homme dans le siège passager appuya le canon du Glock contre le flanc de Moloney.

– Prends à gauche, direction Bethnal Green...

– Hein ? Putain...

Le pistolet fut planté assez profondément dans Moloney pour lui casser une côte, et le pousser contre la portière. Il cria et batailla pour garder son pied à hauteur des pédales.

Moloney roula en obéissant aux instructions, la rigidité chevillée au corps et les idées se bousculant dans sa tête. Il savait que personne ne se doutait de qui il était. Et il savait, à présent, qu'il n'était pas un homme courageux. Chaque respiration lui coûtait. Toute tentative pour parler entraînait un nouvel élancement de douleur dû au pistolet qu'on lui enfonçait plus fort dans la côte brisée.

Le trafic et les lumières s'estompèrent peu à peu derrière eux tandis que Moloney engageait la Jag dans un chemin étroit et plein d'ornières. Ils franchirent au pas un cours d'eau noir et immobile, comme de l'huile de vidange, s'étendant de part et d'autre d'un pont couvert de graffitis.

– Arrête-toi là.

Dès que la voiture fut immobile, l'homme leva le pistolet et l'appuya contre l'oreille de Moloney. Il se pencha sur le côté et coupa les phares.

Moloney ferma les yeux.

– Déconne pas...

Il sentit la main de l'homme se glisser à l'intérieur de sa veste, tâtonner lentement jusqu'à localiser, et retirer, son arme. Il ouvrit les yeux quand il entendit le bruit de la portière et tendit le cou pour regarder l'homme contourner la voiture par l'arrière.

Le tueur à gages tapota avec le pistolet contre la vitre côté chauffeur. Il recula d'un pas quand Moloney poussa la portière.

– Glisse-toi de l'autre côté, dit-il.

Moloney obtempéra, le souffle coupé par la douleur quand il se souleva du siège pour passer par-dessus le levier de vitesses.

– Pourquoi ?

L'homme s'installa à la place du conducteur.

– Parce que je suis droitier, répondit-il.

Là, Moloney sentit ses tripes le lâcher, et, alors, tout se passa très vite.

Le pistolet fut de nouveau contre son oreille et une main le força à tourner le buste et à plaquer la tête de profil sur le dossier du siège. La main se tendit vers le bas, cherchant à l'aveuglette, puis le siège bascula soudain en arrière jusqu'à se retrouver pratiquement à l'horizontale. La main se mit à tirer sur la veste et la chemise de Moloney et à les retrousser dans son dos.

– Tu fais une grosse connerie, là..., dit Moloney.

Alors, en un éclair, il eut le souffle coupé : l'homme au pistolet avait commencé à le taillader.

Thorne se réveilla en sursaut, désorienté. Il entendait de la musique, et Hendricks, en caleçon, penché au-dessus du lit, lui tendait quelque chose en articulant en silence et avec exagération comme s'il criait.

En tentant de se redresser, Thorne se rendit compte qu'il s'était endormi avec ses oreillettes. Il éteignit son Walkman, cligna des yeux plusieurs fois et marmonna :

– Quelle heure il est ?

– Un peu plus de trois heures. C'est Holland, pour toi...

Thorne tendit le bras vers son mobile, dont il n'avait pas, et pour cause, entendu la sonnerie, qui, manifestement, avait réveillé Hendricks.

– Merci, dit-il.

Hendricks grommela et se tira de la chambre.

– Dave ?

Holland commença à parler, et Thorne sut, avant même qu'il ne le lui dise, qu'il y avait un autre corps. Holland avait juste besoin de lui indiquer à quel camp il appartenait.

Thorne n'avait aucun moyen de le savoir, mais, tandis qu'il roulait en BMW dans les rues désertes vers la scène de crime, il empruntait pratiquement le même itinéraire que le mort quelques heures plus tôt. Jusqu'à King's Cross, puis vers l'est. Par City Road et au-delà, via Shoreditch et dans ce qui, quarante ans plus tôt, avait été le territoire des frères Kray. À en croire certains, les rues de l'est de Londres étaient devenues beaucoup plus sûres.

Marcus Moloney avait peut-être partagé leur opinion.

La voiture était garée dans le coin d'un terrain vague, à une centaine de mètres de la voie romaine. Là, le Grand Union Canal passait devant un petit espace vert miteux du nom de Meath Gardens, et la ligne de chemin de fer séparait Globe Town de Mile End.

Un homme, qui dormait dans sa péniche arrimée plus loin sur le canal, avait entendu les coups de feu. Il s'était rendu sur les lieux cinq minutes plus tard avec son chien, pour mener sa petite enquête.

Thorne se gara, et s'approcha pour mener la sienne.

La Jag gris métallisé scintillait sous l'éclairage de deux lampes à arc hyper puissantes placées de part et d'autre du véhicule. Les portières étaient ouvertes. Thorne ignorait si tel était le cas au moment de sa découverte.

– Chef...

Thorne salua un constable de la SO7 qui marchait rapidement dans la direction opposée. En arrivant près de la voiture, il distingua la forme d'un corps, plié en deux sur le siège passager, comme un porte-costume. De temps à autre, il apercevait la capuche blanche d'un technicien de scène de crime qui dodelinait de l'autre côté du pare-brise arrière. Se déplaçant sur le côté, Thorne vit Holland et Stone côte à côte contre l'aile avant. Holland leva la tête, lui lança un regard qu'il ne put déchiffrer, mais qui ne présageait rien de bon. D'autres techniciens examinaient les tapis de sol devant les sièges et la banquette arrière. Il y avait des photographes et des opérateurs vidéo. Trois ou quatre policiers, dos à lui, discutaient au bord du canal.

L'éclairage révélait la moindre égratignure, la moindre trace sur les vitres de la voiture, le moindre grain de poussière et la moindre giclée de matière cervicale collée au verre par le sang.

Thorne prit une combinaison des mains d'un policier en tenue qui les distribuait comme des cadeaux.

– Dave...

Holland esquissa un pas vers lui, puis se figea et fit un signe de tête en direction du groupe de policiers qui, à présent, revenait en direction de la voiture. Il y avait trois hommes en costume de plus ou moins bonne facture : Brigstocke, Tughan et Munteen, un contact presse senior. Ce fut l'homme en uniforme que Thorne fut le plus surpris, et le plus horrifié, de voir là. Il ne se souvenait pas d'avoir jamais rencontré le superintendant Trevor Jesmond sur une scène de crime.

Jesmond resserra la ceinture de son imper bleu.

– Tom.

– Chef.

Thorne brisa le silence bref, mais gêné, qui s'ensuivit. Il fit un signe de tête vers la voiture.

– Les Zarif font vraiment monter la mise. Marcus Moloney ne jouait pas dans la même cour que Mickey Clayton et les autres. Ça va faire du vilain...

Il regarda Russell Brigstocke, et reçut le même regard que celui que lui avait adressé Holland.

– La mise a monté, en effet, dit Jesmond, mais pas pour les raisons que vous supposez...

– Ah bon ?

Thorne lança un coup d'œil à Tughan, qui scrutait le gravier.

Jesmond paraissait plus las, plus abattu, que Thorne ne l'avait jamais vu.

– Marcus Moloney était un policier infiltré, dit-il.

10

Thorne quitta la scène de crime au lever du jour et roula dans des rues d'où montaient les premiers frémissements de vie. Il passa deux ou trois heures chez lui – se doucha, se changea et prit son petit déjeuner. Il tenait toujours sur le peu de temps qu'il avait dormi avant d'être réveillé par Hendricks.

En roulant vers Hendon, il ne parvenait pas à déterminer si son engourdissement était lié au manque de sommeil, au vin de la soirée de la veille ou au souvenir de l'atmosphère sur la berge de ce canal. Le changement d'attitude chez ceux qui n'étaient pas au courant pour Moloney avait été évident dès que la vérité s'était sue. Le bruit ambiant était retombé ; les mouvements à l'intérieur et à l'extérieur de la Jag étaient devenus légèrement plus délicats. Les cadavres bénéficiaient toujours de marques de respect, mais celles-ci avaient tendance à varier. Mort ou non, un truand mafieux n'était pas traité par les policiers tout à fait de la même façon qu'un collègue.

Thorne détestait le concept absurde du « un des nôtres », mais il le comprenait. La vie d'un policier n'avait évidemment pas plus de valeur que celle d'un médecin, d'un enseignant ou d'un commerçant. Mais ce n'étaient ni les médecins, ni les enseignants, ni les commerçants qui devaient récupérer les corps, prévenir le parent le plus proche et tout faire pour arrêter le responsable. Oui, parfois, les réactions de colère outragée lors de la mort d'un policier hérissaient Thorne, et les discours prononcés par les autorités sonnaient atrocement faux, mais il se disait qu'il les prenait pour ce qu'ils étaient. Il n'y avait rien de fallacieux dans le soulagement ou la peur, ni dans la colère à ressentir les deux.

Rien de fallacieux dans le « c'est là que je serais, sans la grâce de Dieu[1] ».

Il était tôt, mais Thorne savait que Carol Chamberlain serait déjà levée. Il devait lui dire que la donne avait changé. Quand il atteignit la North Circular Road, il l'appela et la briefa au sujet de Marcus Moloney.

– Alors, là, il m'a bien eue, dit-elle.

– Et moi donc, admit Thorne.

Et ni l'un ni l'autre n'était stupide.

Moloney était, à l'évidence, un policier zélé et brillant qui enquêtait en sous-marin ; il n'empêche que ça taraudait Thorne de n'avoir rien flairé. N'importe quoi. On disait des tas de conneries sur l'instinct, mais s'il y avait un truc dont Thorne était sûr, c'était qu'on ne pouvait pas s'y fier. Lui-même n'en était pas dépourvu, assurément, mais ça s'en allait et ça revenait, lui faisant toujours faux bond au mauvais moment, aussi inexplicable que les périodes sans buts marqués d'un attaquant ou que la page blanche d'un écrivain. Ça l'avait foutu dans la merde des tas de fois au fil du temps...

Parfois, Thorne avait la certitude qu'il pourrait regarder un tueur dans les yeux et savoir exactement ce qui se passait dans sa tête. Appréhender toutes les noirceurs de son imagination dont Hendricks avait parlé la veille au soir. À certains moments, il croyait pouvoir repérer un criminel à sa façon de tenir une clope. À d'autres moments, il ne verrait pas l'ennemi même s'il portait une cagoule de ski et un fusil à canon scié.

---

1. Phrase attribuée au martyr protestant John Bradford (1510-1555) qui, enfermé à la Tour de Londres, l'aurait prononcée en voyant un criminel mené au gibet.

– Comment se fait-il que tu n'aies pas été averti ? demanda Chamberlain. Pour Moloney ?

Thorne n'avait pas de réponse, et le temps qu'il raccroche et s'engage dans la cour de Becke House, il avait vraiment les boules. Pourquoi Tughan ne lui avait-il donc rien dit ? Voilà une question qu'elle était bonne...

Une question dont la réponse ne fut pas particulièrement satisfaisante.

– Nous avons estimé que ce n'était ni nécessaire, ni prudent...

– Traduction ? demanda Thorne.

Il se tourna vers Brigstocke. Tughan et lui s'étaient levés quand Thorne avait fait irruption dans le bureau sans frapper.

– Russell, tu savais ?

Brigstocke acquiesça.

– Ça ne devait pas descendre plus bas que le niveau inspecteur-chef, dit-il. C'est ce qui avait été décidé.

Tughan se rassit. Thorne avisa un exemplaire du *Manuel d'enquête criminelle* sur le bureau devant lui.

– La mission de Moloney en tant qu'agent infiltré devait se faire « sur une base de divulgation strictement limitée à ceux qui doivent nécessairement être informés », dit-il comme s'il venait de lire la règle dans le livre.

Il soupira, s'adossa à la porte.

– Il avait une femme ? Des gamins ?

Brigstocke fit oui de la tête, juste une fois.

– Quelqu'un leur a dit qu'il avait été tailladé et abattu d'une balle dans le crâne ? Ou bien est-ce qu'eux non plus ne doivent pas « nécessairement être informés » ?

– Tu fermeras la porte derrière toi en sortant, dit Tughan sans le regarder.

– Certaines choses deviennent logiques, tout d'un coup, dit Thorne. Je me demandais comment vous pouviez être sûrs que le meurtre des Izzigil était imputable à Ryan. Comment vous saviez d'où venait la lettre de menaces. Évidemment, vous aviez une « hotline »...

Tughan abattit violemment une feuille de papier sur le bureau.

– Tu peux me dire pourquoi tu ramènes toujours tout à toi, bordel ? Un policier a été tué. Tu viens de le dire : « tailladé et abattu d'une balle dans le crâne ». Le fait qu'on ne t'ait pas dit qu'il était policier n'a vraiment aucune importance, putain, tu ne crois pas ?

Brigstocke n'était pas, lui non plus, un inconditionnel de Tughan, mais son expression indiquait clairement qu'il estimait que l'inspecteur-chef avait marqué un point...

Tout en reprenant son calme, Thorne aussi s'en rendait compte. Il avait un peu honte de son mouvement d'humeur, de son sarcasme. Il traversa la pièce, tira une chaise vers le bureau et s'y laissa tomber. Il fut soulagé de voir que Tughan n'y trouvait rien à redire.

– Ça fait combien de temps que Moloney les avait infiltrés ?

– Deux ans, à peu près, répondit Tughan.

Thorne en fut stupéfait.

– Il a grimpé vachement vite dans l'organisation, dit-il.

Tughan approuva.

– Il n'était pas bête, et Billy Ryan l'aimait bien. Stephen Ryan le considérait comme son grand frère...

– Il faisait du bon boulot, dit Brigstocke.

– Il faisait du très bon boulot, rectifia Tughan. Avec sa mort, tout ça n'a servi à rien.

– Minute, dit Thorne. En deux ans, il a dû réunir pas mal de preuves contre Ryan.

– Plus que « pas mal », mais Moloney était le témoin clé. Il aurait dû être le témoin à charge au procès. Toutes les preuves s'appuyaient sur des discussions auxquelles il avait participé, des choses qu'il avait vues ou qu'on lui avait dites. Sans lui, on n'a rien de solide, que dalle.

– Et le meurtre des Izzigil ? Il était au courant, non ? Il doit bien y avoir des éléments...

Tughan tirailla quelque chose sur son menton. Il était rasé de frais, sa peau était encore un peu irritée, mais

Thorne vit un petit carré de poils blond-roux oubliés à gauche de sa pomme d'Adam.

– Il l'a appris après, dit-il. Il a su qu'un coup se préparait quelques jours avant, mais il n'a pas réussi à découvrir qui serait exécuté ni à qui serait confié ce contrat.

– Ryan s'entendait bien avec Moloney, dit Brigstocke, mais c'était à d'autres qu'il faisait confiance pour se charger des sales besognes.

– Stephen ? suggéra Thorne.

– Ouais, Stephen, dit Tughan. Entre autres.

Thorne songea aux difficultés que l'enquêteur Marcus Moloney avait affrontées. Après les premiers meurtres, il s'était retrouvé le cul entre deux chaises. Il avait sans doute voulu fureter, essayer de trouver les noms de ceux que Ryan projetait de tuer afin d'alerter ses collègues de la SO7. Il devait aussi savoir que s'il traquait des infos qu'il n'était pas censé détenir, il courait le risque de s'exposer et de tout faire capoter.

Et plus tard – après que Muslum et Hanya Izzigil eurent été tués –, s'était-il senti, d'une certaine façon, responsable de leur mort ?

– On peut encore coincer Ryan, dit Thorne.

Les deux autres hommes le regardèrent avec un intérêt grandissant. Thorne avait différé ce moment, mais là, l'occasion était trop belle. En venant, il avait dit à Chamberlain qu'il allait devoir cracher le morceau sur ce qu'ils avaient fait. Il ne se rendait pas compte de l'importance que cela revêtirait.

– Comment ? demanda Tughan.

– J'ai un témoin.

Tughan sourit. Pour lui aussi, l'occasion était trop belle.

– C'est maintenant que tu me parles de Gordon Rooker ?

Thorne faillit empêcher sa mâchoire de lui en tomber.

– Quoi ? !

– Tu dois me prendre pour un imbécile, Thorne. Tout ton cirque, quand on est allés voir Billy Ryan : « Je me suis mis le doigt dans l'œil. » Ça, c'est sûr, mais en me prenant pour un cave.

– Minute...

– J'ai fait un petit travail de recherche, et je ne me suis pas foulé. Je sais tout de tes visites à Royal Park, aussi bien seul qu'avec l'ex-inspecteur-chef Chamberlain.

Thorne lança un coup d'œil à Brigtsocke qui lui en retourna un signifiant que lui aussi était au courant.

– C'était sans lien avec cette affaire, dit Thorne. Aucun rapport.

– Et maintenant, il y en a un, c'est ça ?

– Ce que j'essaie de vous dire, c'est...

– Raison pour laquelle tu es allé emmerder Billy Ryan devant une de ses arcades vidéo hier soir ?

Tughan paraissait s'amuser de voir l'ahurissement que Thorne sentait s'étaler sur son visage.

– Je l'ai appris en direct, dit-il.

Thorne repassa dans sa tête la scène de la veille. Il revit Moloney s'éloigner et s'énerver au téléphone portable. Il avait cru qu'il appelait la voiture...

– Bon, on t'écoute...

Alors, Thorne leur déballa toute l'histoire, le passé et le présent. Il leur parla des appels téléphoniques reçus par Carol Chamberlain et des visites qu'il avait faites à Gordon Rooker. Il leur parla de Jessica Clarke et des révélations de Rooker au sujet de son agresseur. Il leur parla de l'offre de Rooker...

– Pourquoi a-t-il attendu vingt ans ? demanda Brigstocke.

Ce fut la première de nombreuses questions – toutes les évidences sur lesquelles Thorne s'était lui-même interrogé et avait interrogé Gordon Rooker. Il fournit les réponses qu'il avait obtenues : il s'efforça d'expliquer pourquoi Rooker avait avoué un crime aussi abject ; pourquoi un type tel que lui était plus à même de survivre en prison qu'en liberté ; pourquoi il avait décidé qu'il devait s'assurer que Billy Ryan ne l'attendrait pas à sa sortie.

– Donc, on le libère, on le protège comme témoin, et il donnera Billy Ryan pour la tentative de meurtre à l'encontre de Jessica Clarke ?

– Rooker sait beaucoup de choses, dit Thorne. Il nous dira tout, et il dira tout au juge.

Dehors, il commençait à pleuvoir. De grosses gouttes pas encore très denses. Pendant quelques instants, leur discret numéro de claquettes fut le seul bruit audible dans la pièce.

– Qui passe ces coups de fil à l'ex-inspecteur-chef Chamberlain et donne libre cours à sa créativité devant son jardin ? demanda Tughan d'un air sceptique. Il s'agirait de l'homme qui a effectivement voulu brûler vive la fillette, c'est ça ?

– Je l'ignore, admit Thorne.

– La coïncidence est un peu grosse, vous ne trouvez pas ?

– Rooker affirme ne rien savoir.

– Sans blague, dit Tughan. (Puis, se tournant vers Brigstocke, il ajouta :) Russel ?

– Un pote de Rooker ? Un ex-taulard, peut-être ? Quelqu'un avec qui il serait resté en contact... ?

Thorne s'efforça de dissimuler au mieux son impatience.

– On aura le temps de vérifier tout ça, dit-il. Écoutez, Billy Ryan a failli tuer cette gamine, et voilà qu'on a une chance de le coincer pour ça. Dieu sait qu'il a fait des tas d'autres choses, mais on peut l'arrêter pour celle-là. Ça vaut la peine d'y réfléchir.

Thorne se retint d'ajouter : *On doit bien ça à Marcus Moloney* – mais de justesse...

La pluie, qui tombait plus fort à présent, martelait un tatouage sur la vitre.

– Il est évident que ce sont des gens un peu plus haut placés que moi qui vont se charger d'y réfléchir, dit Tughan. Et même un peu plus haut placés que Jesmond...

Il inspira à fond et tendit le bras vers le téléphone.

Tandis que, imité par Brigstocke, Thorne se levait et gagnait la porte, il songea à ce que ce dernier savait et avait choisi de garder pour lui. Il se demanda s'il ne devrait pas avoir une petite conversation avec lui sur le camp dans lequel ils étaient censés être. Il décida que ce n'était sans doute pas le meilleur moment.

À l'heure du déjeuner, au Royal Oak, l'équipe avait un peu meilleur moral, mais peut-être ne fallait-il voir là que l'effet de la bière.

Le Oak était la cantine de l'équipe, mais pour aucune autre raison que sa proximité. De mémoire d'homme, personne ne se rappelait avoir vu un jour la salle autrement que pleine de policiers, alors personne ne pouvait jurer qu'ils soient la cause de l'ambiance du lieu – ou du manque d'ambiance. Pourtant, Trevor, le patron cadavérique, ne ménageait pas ses efforts. Il avait orné la façade du bar en pin laqué de Polaroid de diverses clientes régulières qui, toutes, soulevaient leur T-shirt pour exhiber leur soutif ou leur poitrine. À part ça, il avait opté pour une décoration générale hispanisante, avec beaucoup de faux fer forgé, quelques sombreros qui ramassaient la poussière sur une étagère au-dessus du bar, et, deux fois par semaine, des pâtés en croûte au porc et des œufs durs panés qu'il coupait en petits morceaux et appelait « Menu Tapas ».

Il n'y avait ni Tughan, ni Kitson, ni Brigstocke au pub, mais la plupart des autres s'y trouvaient. Ils levèrent leur verre à la mémoire de Marcus Moloney. Sa mort avait un peu apaisé les tensions entre ceux de la Section des crimes graves et leurs homologues de la SO7. Ils étaient, en toute logique, unis par une détermination commune à amener devant la justice les responsables de sa mort. De toutes les dernières morts en date.

Thorne se réjouissait de ce sentiment, même si ce n'était rien de plus que cela. Il espérait que les fractures ne réapparaîtraient pas trop vite. Il repoussa l'assiette de poulet-frites dont il n'avait mangé que la moitié tandis que Holland se glissait à côté de lui avec un plateau de boissons. Tout le monde s'était mis au Coca, à l'eau minérale et au jus d'orange. Thorne, qui se sentait un peu dépérir, se servit sa Red Bull. Il lança un coup d'œil à Holland et se souvint de l'invitation qu'il avait refusée.

– Finalement, tu es sorti boire une bière hier soir ? Tu donnais l'impression d'être parti pour faire la tournée des grands ducs.

– Juste une ou deux, ici, avec Andy.

D'un signe de tête, il montra l'autre bout de la salle où Andy Stone, Sam Karim et une constable de la SO7 étaient en pleine discussion.

– Tant mieux, remarque. Étant donné l'heure à laquelle on a été appelés.

– Moi non plus, je n'étais pas parfaitement sobre à quatre heures du matin, dit Thorne. Compte tenu de ce qui nous attendait au bord du canal, ça valait sans doute mieux...

– J'en ai appris une bien bonne, ici, hier soir, dit Holland tout sourires en rapprochant sa chaise de celle de Thorne. Tu sais qu'Andy Stone se targue d'avoir beaucoup de succès auprès des femmes... ?

Thorne suivit le regard de Holland : Stone et la constable semblaient s'entendre à merveille.

– Ou-i-i... ? fit Thorne.

– Il m'a raconté un de ses trucs. Il avait bu un peu plus que moi...

– Je t'écoute.

– Il a toujours un livre de philo dans sa voiture.

Holland s'esclaffa devant l'air ahuri de Thorne.

– Sans blague. Sur le siège passager, ou à côté des cassettes, ou quelque part. La nana monte... « *Oh, qu'est-ce que c'est que ça ?* »... elle le prend, le regarde, est persuadée que Stone est un gros intello.

Sur le coup, Thorne faillit sniffer de la Red Bull.

– Le pire, ajouta Holland, c'est que ça marche.

Thorne rit de plus belle, essuya la bière sur son blouson. Il leva la tête en entendant un accent mancunien qui ne lui était pas inconnu.

Hendricks montrait la cannette de Red Bull.

– Ce truc ne risque pas de te réveiller si tu l'utilises en application externe, dit-il.

– Qu'est-ce que tu viens faire ici ? Je croyais que tu devais autopsier Moloney ?

Hendricks consulta sa montre.

– Je m'y colle dans deux heures. Les macchabées se bousculent aux portes de la morgue de Westminster.

Holland céda sa place à Hendricks et s'éloigna vers les toilettes.

– Tughan veut me voir, dit Hendricks en se laissant tomber sur la chaise libérée par Holland. Il m'a demandé un rapport préliminaire.

– Ah bon ? Et aurai-je l'honneur de l'entendre ?

Hendricks parut consterné.

– Pourquoi crois-tu que je suis là ?

– Je t'écoute, alors...

– Moloney est mort des suites de blessures par balles dans la tête. Très certainement un 9 mm. Aucune balle retrouvée dans la voiture, donc, je vais devoir les extraire pour en être certain.

– Même mode opératoire pour les plaies à l'arme blanche ?

– Ouais...

Thorne avait vu Hendricks paraître plus convaincu.

– Tu n'en es pas certain ?

– Je ne suis toujours pas sûr du genre de lame qu'il utilise. Ça pourrait être un couteau à fileter. De plus, les entailles ne sont pas aussi nettes que celles trouvées sur Clayton et les autres.

– Il a peut-être manqué de temps.

– Exact. Et il est possible que Moloney se soit plus débattu que ses autres victimes.

– C'est la première fois qu'il opère dans une voiture, n'oublie pas. Il avait moins de place pour bouger que les autres fois...

Hendricks acquiesça. Tout ça se tenait.

– Tu dirais que c'est le même tueur tout de même, dit Thorne. « Monsieur X. »

Hendricks s'accorda quelques secondes avant d'opiner de la tête, pas entièrement convaincu. Assez de temps pour que Thorne en vienne à se demander si les choses ne partaient pas en couille. Ils supposaient que les Zarif avaient de nouveau pris les Ryan pour cible et tué Marcus Moloney sans se douter que c'était un flic. Mais il existait une autre possibilité tout aussi plausible...

– Et si le tueur savait pertinemment qui était Moloney ?

– Chef ?

C'était Holland, de retour des toilettes.

Plus Thorne réfléchissait, plus il en était sûr. Il repensa à la veille au soir, dans la rue devant l'arcade de jeux vidéo : Moloney au téléphone, pas avec le chauffeur de Billy Ryan, comme il l'avait cru, mais avec Nick Tughan. Passant ce qui serait son dernier coup de fil. Ignorant que sa couverture avait été percée à jour...

– Je pense qu'ils ont découvert qu'il était flic, dit Thorne. Compte tenu de ce qui se passait, de ce qui était arrivé aux autres, ils avaient le moyen idéal de se débarrasser de lui, hein ? Je pense que c'est Billy Ryan qui a commandité le meurtre de Moloney.

Thorne prit son portable pour appeler Tughan. Avant qu'il n'ait eu le temps de composer le numéro, le téléphone se mit à sonner.

C'était Russel Brigstocke.

– Tom ? On vient de recevoir un appel de l'hôpital de Central Middlesex...

Thorne ne percuta pas tout de suite. Il entendit seulement le mot clé et pensa aussitôt : *P'pa*.

– Pas loin de Royal Park.

Le soulagement premier céda la place à une légère panique.

– Que s'est-il passé ?

Thorne devina la réponse avant que Brigstocke ne la lui donne.

– Quelqu'un a essayé de descendre Gordon Rooker.

11

Thorne se disait qu'il y avait mieux comme endroit pour passer une matinée ensoleillée. Il détestait les hôpitaux pour les raisons que tout le monde connaît, et aussi pour quelques autres plus spécifiques à son travail – à certaines affaires sur lesquelles il avait travaillé...

Il rapprocha un peu sa chaise du matelas. Holland était assis non loin de lui. De l'autre côté du lit, un surveillant de prison se relaxait dans un fauteuil marron défraîchi.

– Vous êtes un sacré veinard, Gordon, dit Thorne.

Rooker s'était fait agresser l'avant-veille, environ une heure après que Thorne et Chamberlain se furent retrouvés face à Ryan dans la rue, et quatre heures avant que Marcus Moloney ne soit assassiné. Thorne avait supposé que c'était l'altercation avec Ryan qui avait incité ce dernier à passer à l'action contre Rooker, mais à présent, il se rendait compte que cela n'aurait pas pu être organisé en si peu de temps. Ce devait être sa rencontre initiale avec Ryan, à son bureau, quand il avait mentionné pour la première fois le nom de Rooker, qui avait servi de détonateur.

Il avait sûrement touché un point sensible...

Thorne essaya de visualiser Ryan tel qu'il l'avait vu devant sa salle de jeux vidéo, le visage fouetté par le vent. Ryan n'avait fait qu'esquisser un sourire quand Thorne lui avait transmis le bonjour de Rooker, certain qu'un bonjour spécial de sa part à lui ne tarderait pas à être transmis. À

Rooker, le soir même ; à Moloney, plus tard dans la soirée. Deux problèmes résolus à quelques heures d'intervalle.

Qu'avait dit Rooker, déjà ? *Billy Ryan, tout le laisse froid...*

Rooker essaya de se redresser dans le lit. Il grimaça de douleur.

– Tout dépend ce qu'on entend par veinard, dit-il.

La lame de fortune – en fait, un couteau de peintre affûté – qu'Alun Fisher lui avait plantée dans le ventre pendant un cours de dessin avait eu l'élégance de ne toucher aucun organe vital. Il avait perdu beaucoup de sang, mais la chirurgie avait plus consisté à le rapiécer qu'à lui sauver la vie.

Rooker se laissa retomber en arrière.

– Veinard d'être en vie, mais quand même pas de chance que certains individus aient eu vent de certaines choses, pas vrai ?

Thorne jugea superflu d'apprendre à Rooker qui avait cru bon de citer son nom à Billy Ryan.

– Quand je vous disais qu'on en voulait à ma vie, reprit Rooker. Maintenant, j'ai une raison de plus de tout faire pour que cet enculé aille en taule.

Rooker avait le cheveu filasse et la peau couleur de vieil hématome. Sa dent en or luisait toujours dans sa bouche, mais la moitié de la couronne du haut manquait, le bridge était posé dans un verre sur la table de nuit. L'aiguille d'un goutte-à-goutte était plantée dans son bras gauche, et le capteur d'un oxymètre de pouls fixé à son index. Son poignet droit était relié, avec nettement moins de délicatesse, à celui d'un des deux surveillants de prison qui se relayaient à son chevet pour le garder. Le maton, crâne et menton rasés de près, était plongé dans la lecture d'un livre de poche.

Rooker brandit les menottes, levant son bras et celui du surveillant.

– Putain, c'est ridicule, hein ?

Le surveillant ne daigna même pas lever les yeux.

– Comme si j'allais me faire la belle. Comme si quelqu'un allait venir me libérer. Vous pensez à qui ?

Holland sourit.

– Pas d'amis, Gordon ?

– Vous voyez des fleurs ?

– Des amis, des relations... on va devoir vérifier tout ça, dit Thorne. Une ou deux personnes sont encore préoccupées par ce type surgi de nulle part qui prétend être responsable de ce qui est arrivé à Jessica Clarke.

– Vérifiez ce que vous voulez, rétorqua Rooker. Je ne peux pas vous aider. Je vais vous dire : si c'est vraiment le gars qui l'a fait, qui l'a bel et bien fait, on sait vous et moi qui peut vous donner son nom.

La petite pièce était plongée dans un étrange clair-obscur. Les rideaux étaient tirés contre le soleil éblouissant qui filtrait entre les deux pans de fin nylon marron et orange. Une lumière ambre sale ondoyait sur les murs pâles, adoucissant les éclats métalliques du portant pour vêtements et de la perche à perfusion.

– Parlez-moi d'Alun Fisher, dit Thorne.

Avec le peu de dents qui lui restaient dans la mâchoire supérieure, Rooker se mordilla la lèvre inférieure.

– C'est un moins que rien. Un petit poivrot de merde...

Thorne entendit le surveillant ricaner doucement et le regarda du coin de l'œil. Il ne put déterminer si c'était Rooker ou son livre qu'il trouvait si drôle.

– Un petit poivrot avec un gros penchant pour l'héro...

Thorne comprit où il voulait en venir.

– Et une dette de drogue, c'est ça ?

– Une méga-dette. Et devinez à qui il doit du fric. Je vous le donne en mille...

– Donc, Fisher vous tombe dessus au beau milieu d'un cours ? dit Holland. Vous plante, comme ça, pendant que vous vous prenez pour Rolf Harris ?

– Je pensais que vous le verriez venir, dit Thorne. C'est ce que vous m'avez dit la dernière fois. Que si on voulait s'en prendre à vous, vous le sauriez...

Rooker renifla, coula un regard vers la droite.

– Ben, quelqu'un a dû détourner sa putain de tête, hein ? Quitter le ballon des yeux. Tous ces profs du ministère de l'Éducation, ils gagnent pas beaucoup, hein ? Ou peut-être qu'un maton a eu envie d'une bagnole neuve, de vacances pour bobonne et les mouflets...

Si le surveillant de prison était agacé, il ne le montrait pas. Park Royal diligentait déjà une enquête pour établir les dysfonctionnements, pendant qu'Alun Fisher était à l'isolement en attendant de savoir ce que l'administration pénitentiaire allait faire de lui. Ayant foiré et laissé Gordon Rooker en vie, il était sûrement plus inquiet encore de savoir ce que Billy Ryan allait faire de lui. Il découvrirait peut-être tout à coup que sa dette avait augmenté en bien des façons.

– Alors, vous allez porter plainte ? demanda Holland.

– À quoi bon ? On va transférer Fisher dans une autre prison. Autant essayer de passer le restant de la peine sans embrouilles.

– Comme vous voudrez, dit Thorne.

Rooker bougea la main et se mit à se gratter le haut de la cuisse. Le surveillant leva la tête, attendit quelques secondes, puis tira brutalement sa main vers le bas.

– Ce que vous disiez au sujet de vérifier mes amis, dit Rooker. Ça va prendre combien de temps, tout ça ? Plus tôt ils auront tout réglé, voyez, et arrangé, plus vite on pourra commencer à discuter. Pas vrai ? Ça fait déjà trop longtemps que ça dure...

Thorne comprit à quoi Rooker faisait allusion, et se rendit compte que, en présence du surveillant, il répugnait à parler ouvertement de protection, de preuves, et surtout de Ryan.

– Ce ne sera pas une décision rapide, dit-il. On n'envisage sérieusement cette situation que depuis deux ou trois jours.

Rooker hocha la tête.

– Ouais. Typique. Peut-être que, si on l'avait envisagée un peu plus tôt, je n'aurais pas eu droit à un putain de couteau de peintre enfoncé dans le bide...

Thorne n'ignorait pas que c'était sans doute de sa faute. Il considéra l'air indigné que Rooker avait plaqué sur sa tronche au teint cireux. Il s'était déjà senti plus coupable. Du coin de l'œil, il vit le surveillant lever la tête quand le mobile de Holland se mit à sonner. Le constable lut le numéro d'appel, se leva et sortit pour ne pas être à portée d'oreille.

– Faut les couper ici, lui cria Rooker. Ils interfèrent avec le matériel médical, vous savez. Plantent les bécanes...

Le surveillant de prison prit la parole pour la première fois :

– Dommage que tu ne sois pas raccordé à deux ou trois machines. Ça nous aurait rendu service à tous.

Thorne ne put réprimer un sourire.

– Combien de temps va-t-il rester ici ?

– Avec un peu de chance, on le ramène à l'unité de soins demain, répondit le surveillant. C'est une unité de niveau trois. Il y a toute l'infrastructure médicale, tous les médicaments pour n'importe quelle infection ou autre...

Rooker ne paraissait pas très jouasse, mais c'était logique. La prison tenait à le récupérer le plus rapidement possible. La présence des surveillants était souhaitée là où elle pourrait être plus utile, et l'hôpital serait ravi d'être débarrassé d'un patient qui devait être gardé.

Thorne entendit le petit bip quand Holland mit fin à sa conversation téléphonique et se tourna vers lui.

– Alors ?

– C'était l'inspecteur-chef Tughan. Il me demande de te transmettre un message. Ça ne va pas te plaire...

– Merde...

Thorne devina la teneur dudit message. Ils avaient dû repousser l'offre de Rooker. Elle n'avait pas eu le temps de grimper aussi haut qu'il l'aurait fallu. Elle avait dû rester bloquée à un niveau inférieur. Il ne serait pas inintéressant de savoir exactement où...

Thorne se leva et enfila son blouson.

– Ça ne paraît pas très prometteur, Gordon.

Il vit le surveillant de prison sourire en coin et replonger le nez dans son livre.

Thorne parvint à passer la journée sans s'expliquer avec Nick Tughan. Il se perdit dans une pile de mémos à lire, de prospectus de la Fédération de la police et de mises à jour d'enquêtes sur lesquelles il avait travaillé avant celle-ci.

Ensuite, il passa la soirée devant la télé sans appeler Tughan chez lui.

Le vendredi, à l'heure du déjeuner, alors qu'il pensait en avoir abandonné l'idée, il se surprit à coincer Tughan dans la Salle des enquêteurs, prêt à en découdre. Sam Karim, qui discutait avec Tughan au moment où Thorne s'était dirigé droit sur eux, se tira sans demander son reste. Tughan se pencha par-dessus un bureau et se mit à feuilleter le *Manuel d'enquête criminelle* qui, apparemment, était devenu sa bible.

– La réponse est là, hein ? dit Thorne.

Tughan leva les yeux.

– Qu'est-ce que tu veux, Tom ?

Thorne n'en était pas sûr à cent pour cent.

– Pourquoi n'ont-ils pas marché ?

– Pour toutes les raisons évidentes.

– Comme ?

– Oh, je t'en prie. Russell et moi t'avions déjà fait part d'un certain nombre d'inquiétudes quand tu nous en as parlé. Pardon : quand tu as fini par te décider à nous en parler...

Il était clair pour Thorne que Tughan était toujours aussi remonté.

– C'était une vraie occasion de coincer Ryan pour quelque chose de précis et qui se tienne.

– En effet. En faisant confiance à la parole d'un homme qui a avoué les faits vingt ans plus tôt et qui, soudain, décide de changer de version...

– Ryan panique. Il est vraiment à cran. Sinon pourquoi essaierait-il de se débarrasser de Gordon Rooker après tant de temps ?

Tughan reporta son attention sur le manuel. Il humecta son index et tourna quelques pages. Il essayait de ralentir le jeu, de garder la balle.

– Sécuriser la remise en liberté d'un détenu potentiellement dangereux, on ne se lance pas dans cette procédure s'il y a le moindre doute.

– Il serait relâché sous notre garde, putain de merde.

– Il ne manquerait plus qu'on ait sur le dos une affaire d'indemnisation pour erreur judicaire.

– Comment veux-tu que Rooker prétende à une indemnisation ? Il a avoué !

Tughan le regarda comme s'il était le dernier des abrutis.

– Si un avocat digne de ce nom a vent de ce qui se passe, ces aveux pourraient tout à coup sembler lui avoir été extorqués...

– Tout ça, c'est de fausses excuses.

Tughan tourna une autre page.

– Ce qui vous fait tous chier, c'est que ce soit moi qui aie trouvé un moyen de coincer Billy Ryan.

– Je pense que tu ferais mieux de retourner travailler...

– Idem pour l'idée que c'est Ryan qui a fait tuer Moloney. Est-ce que quelqu'un explore cette piste, par hasard ?

Le rouge commença à sourdre au-dessus du col à pointes boutonnées de Tughan.

– C'est censé vouloir dire quoi ?

– Ryan avait la couverture parfaite. Il savait exactement ce que Monsieur X avait fait à ses victimes. Ce sont des hommes à lui qui ont trouvé deux des corps, putain de merde !

– Je sais tout ça...

– Tout ce qu'il devait faire, c'était s'assurer que celui qui tuerait Moloney ait le même calibre que X. C'était un jeu d'enfants...

– On investigue.

Thorne ricana.

– Ouais, mais pas trop. Parce que c'est venu de moi.

Tughan rabattit la couverture du manuel qui se referma en claquant. On aurait dit qu'il faisait de gros efforts pour ne pas crier.

– « Moi » encore. Il y a plus de cinquante policiers qui sont sur cette affaire...

– Épargne-moi ce putain de discours, « on la joue en équipe ».

Thorne pencha le buste en avant, agrippa le rebord du bureau.

– Tout baigne tant que c'est toi le capitaine de l'équipe, dit-il. C'est ça, la vérité.

– Ne compte pas sur moi pour rester ici et écouter ça.

Tughan prit le manuel et l'agita avec colère au visage de Thorne.

– Tu crois parler à qui ?

Thorne recula du bureau, riant malgré sa fureur.

– Quoi ? Tu vas me balancer ton bouquin à la figure ?

Tughan le foudroya du regard pendant quelques secondes. Puis il baissa les yeux, fit de la place à un sourire sur son visage. Il rouvrit le manuel et le feuilleta jusqu'à la page qu'il cherchait.

– Juste un passage peut-être, dit-il.

Il prit un stylo et le fit glisser avec force à travers la page qu'il arracha. Il hésita juste une fraction de seconde avant de s'avancer et de la plaquer contre la poitrine de Thorne.

– Matière à réflexion, dit-il.

Thorne serra la page déchirée dans sa main tandis que Tughan filait hors de la pièce. Il avait souligné une section avec suffisamment de force pour traverser le papier...

« L'approche moderne de la criminalité admet le fait qu'il n'y a plus de place pour l'enquêteur "faisant cavalier seul". »

Hendricks travaillait tard. Pour le deuxième soir de suite, Thorne s'assit seul devant la télé, s'efforçant de retrouver un semblant de sérénité. Ça lui restait en travers de la gorge que Tughan choisisse d'ignorer complètement de bonnes pistes, mais, surtout, il ne supportait pas l'idée que Ryan s'en sorte. Oui, Tughan l'arrêterait peut-être un jour pour une affaire de drogue, ou de contrefaçon, ou une fichue fraude fiscale. Qui sait, peut-être même que les Zarif le coinceraient ?

Mais il n'aurait pas payé pour Jessica Clarke...

Thorne broya du noir la plus grande partie de la soirée, puis invectiva un grand chef de la cuisine télévisuelle jusqu'à ce que son amertume commence à se dissiper et qu'il se sente un peu mieux. Putain, février touchait déjà à sa fin et le printemps approchait. Au moment où il se disait qu'il pourrait peut-être passer chercher son père, puis aller chez Eileen, à Brighton, pour le week-end, le téléphone sonna.

– Tu regardes ITV ? lui demanda Carol Chamberlain.

– J'allais t'appeler. Le plan Rooker, on oublie.

– Allume-la, exigea-t-elle.

Thorne prit la télécommande, changea de chaîne et augmenta le volume.

Une journaliste s'adressait directement à la caméra. Thorne regarda, ne sachant trop ce qu'il y avait à voir, jusqu'à ce que l'image bascule sur l'histoire racontée en une succession de plans...

Une cour de récréation déserte. Un groupe d'écolières rassemblées à un arrêt de bus. Une recharge d'essence à briquet.

Thorne eut une crampe d'estomac.

– Il a remis ça, dit Carol Chamberlain. Il a tenté de cramer une autre gamine.

MARS

LE POIDS DE L'ÂME

12

Thorne se gara devant la maison et attendit cinq bonnes minutes. Il avait l'impression que ça faisait un bail qu'il ne s'était pas arrêté aussi longtemps pour décompresser. Le temps avait passé dans un tourbillon d'activités, machinales et autres : sept jours entre la tentative de meurtre d'une jeune fille, et maintenant une visite au père d'une autre, morte depuis vingt ans.

Sept jours au cours desquels les Hautes Instances changèrent vite d'avis au sujet de l'offre de Gordon Rooker...

Thorne attendit que le moteur eut fini de cliqueter et commencé à refroidir avant de descendre et de se diriger vers la maison. Elle se trouvait, non loin de la prison, au centre d'un alignement victorien au sud de Wandsworth Common. Thorne sonna et recula de deux ou trois pas dans l'allée. De la lumière brillait dans la plupart des foyers : des gens s'apprêtaient à dîner, ou se préparaient pour leur sortie du vendredi soir. L'endroit devait valoir le demi-million – sans doute bien plus que quinze ans auparavant, lorsque les Clarke y avaient emménagé en venant d'Amersham. De là où Jessica allait à l'école.

L'homme qui lui ouvrit fit un signe de tête d'un air entendu pendant que Thorne en était encore à plonger la main dans une poche pour sortir sa carte de police.

– Pas la peine, dit l'homme en s'effaçant.

Il avait une voix nasillarde.

– Qui d'autre seriez-vous ?

Ian Clarke avait sauté sur son téléphone dans l'heure qui avait suivi le premier reportage aux infos. Il paraissait furieux et perplexe. Il avait insisté pour connaître tous les détails, pour savoir exactement ce qui était fait. Thorne sentit qu'il s'était un peu calmé en une semaine.

– Merci d'être passé. Il devrait y avoir du thé en route, avec un peu de chance...

– Ce ne serait pas de refus...

– Nous avons de l'Earl Grey, je crois...

– Ce que vous avez, pas de problème.

Après avoir servi le thé, Mme Clarke annonça qu'elle avait du travail. Elle eut un petit sourire crispé et quitta la pièce. Elle arborait cet air qui, pour Thorne, correspondait à celui que les gens affichent face aux patients gravement malades avant de refermer les portes derrière eux dans les hôpitaux.

– Emma gère son service de livraison de plateaux-repas, dit Clarke.

Il pointa le doigt vers le plafond.

– Elle a un petit bureau en haut.

– Bien. Et votre fille ?

Il y eut un très court silence gêné avant que Clarke ne réagisse.

– Isobel ?

Thorne acquiesça. La deuxième fille.

– Oh, elle est par là, quelque part.

Clarke s'était séparé de sa première femme en 1989, trois ans après la mort de Jessica et peu après qu'ils eurent quitté le Buckinghamshire pour Londres.

Thorne avait observé cela maintes fois chez des couples endeuillés. Il leur était souvent impossible de dépasser le sentiment de culpabilité, la colère et le ressentiment. Impossible de regarder son mari ou sa femme dans les yeux sans y voir le visage de l'enfant perdu.

– Rien de nouveau, alors ? demanda Clarke.

Il passa la main sur son crâne. Le peu de cheveux qu'il lui restait, il se les faisait couper cruellement court. Ça accentuait ses traits taillés à la serpe, et ses yeux bleus dont l'éclat démentait son âge. Thorne savait qu'il avait une cinquantaine d'années, mais il en paraissait peut-être dix de moins.

Thorne secoua la tête.

– Seulement les mêmes choses recyclées pour faire vendre quelques journaux de plus. Rien qui vienne de nous, je le crains.

– Des témoins ? Des signalements ? C'était une rue très passante, bon Dieu !

– Rien n'a changé depuis notre dernière conversation au téléphone. Je suis navré.

– Je sais que je n'ai aucun droit d'exiger de savoir quoi que ce soit. Je vous suis reconnaissant...

D'un geste de la main, Thorne balaya les remerciements et les excuses implicites. Durant quelques secondes, ils burent leur thé, le regard fixé sur le chauffage à gaz avec effet de flammes. Sur la tablette de la cheminée, Thorne voyait des cartes postales, des cigarettes, une invitation à une fête rédigée d'une écriture enfantine. Au-dessus, le grand miroir au cadre en bois reflétait une aquarelle accrochée au mur derrière lui.

Clarke surprit le regard de Thorne qui la détaillait.

– Elle est de la mère de Jessica, dit-il. Une des rares choses que j'ai pu conserver.

Clarke était assis dans un fauteuil en cuir joliment usé, et Thorne à côté, dans le canapé assorti. Tous deux inclinaient le buste vers l'avant, leurs tasses de thé sur les genoux.

– C'est comme dit la vieille blague, alors ? lança Clarke tout à trac, changeant de tactique. Sur la police qui s'est fait voler ses toilettes.

Thorne sourit.

– Exactement.

Que Thorne ait saisi l'allusion n'empêcha pas Clarke de servir la chute.

– Vous manquez de matière...

– On a besoin d'un petit coup de chance, dit Thorne. On a toujours besoin d'un petit coup de chance.

Clarke posa sa tasse et se leva.

– S'il s'en prend à une autre gamine, vous considérerez ça comme un petit coup de chance ?

Il sourit et passa devant Thorne pour aller tirer les rideaux.

Thorne fut à nouveau frappé de voir à quel point Clarke était bien conservé pour son âge, même si le haut de survêtement molletonné bleu aidait peut-être à faire illusion. Il ne fut pas mécontent de trouver comment briser le silence un peu gêné.

– Vous tenez la forme, dit-il.

Il tapota son ventre.

– Je me passerais volontiers de ça.

Clarke contourna le canapé, se laissa retomber dans le fauteuil.

– Je dirige une salle de sport, expliqua-t-il.

Thorne hocha la tête, en se disant que ça n'expliquait rien. La plupart des coiffeurs avaient des cheveux à chier, et il avait connu bon nombre de flics véreux.

– Écoutez, nous avons une nouvelle hypothèse, dit-il. L'incident récent serait lié, d'une certaine façon, à l'agression de votre fille.

Clarke tirailla sa lèvre inférieure entre le pouce et l'index.

– Ça me semble évident. C'est le même... genre d'agression. Ce fou, qui que ce soit, doit savoir ce qui est arrivé à Jess. Il a dû le lire dans la presse... non ?

– Oui. Ou il se pourrait qu'il y ait d'autres liens.

– Ah bon ?

– J'ai dit que nous avancions une hypothèse.

– D'autres liens, oui, dit Clarke. (Puis, très vite :) Comme quoi ?

Clarke avait raison quand il disait n'avoir aucun droit d'exiger de savoir quoi que ce soit, mais Thorne savait pertinemment qu'il n'y avait pas trente-six mille raisons à sa présence dans le salon de cet homme. S'il était venu, c'était pour le lui exposer.

– Il est possible que l'homme jugé coupable de la tentative de meurtre contre votre fille en 1984 ne soit pas, en fait, le vrai responsable.

Clarke aboya un rire bref.

– Quoi ? Tout ça parce qu'un cinglé est allé s'acheter une recharge d'essence pour briquet ?

– Non...

– C'est complètement ridicule.

– Minute, monsieur Clarke.

– Et si une prostituée se fait taillader à Leeds demain soir, cela signifiera que Peter Sutcliffe est innocent, c'est ça ?

– Nous avions déjà de bonnes raisons de penser que Gordon Rooker était innocent avant l'agression de la semaine dernière.

La peau se tendit sur les mâchoires de Clarke à la mention du nom de Rooker.

– Je suppose que « bonnes raisons » est un doux euphémisme policier, oui ? Comme « l'état stationnaire » des médecins alors que le patient est sur son lit de mort. Oui ? J'ai raison ? Parce que, ne l'oubliez pas, nous parlons de l'homme qui a avoué avoir brûlé ma fille.

– Oui, je sais.

– L'homme qui a a-vou-é.

– Il est revenu sur ses aveux.

– Ah, il lui en a fallu du temps !

Clarke se frappa les deux cuisses du plat de la main, et sourit comme s'il plaisantait à moitié, mais son ton venimeux ne laissait pas place au doute. Il passa le bras derrière le fauteuil.

– Attendez ! dit-il.

Il trouva un interrupteur, et alluma une lampe d'appoint.

– Autant dissiper un peu ces ténèbres.

Thorne leva les yeux vers le doux cercle de lumière au plafond.

– Vous avez raison. Oui, bien sûr. Il a fallu beaucoup trop de temps...

– Donc, vous pensez que l'homme qui a agressé cette fille, la semaine dernière, est vraiment celui qui s'en est pris à Jessie ?

– Nous devons envisager cette éventualité.

– Où était-il passé depuis vingt ans, alors ?

C'était, bien entendu, la question qui s'imposait, et Thorne ne pouvait fournir que des réponses qui s'imposaient.

– À l'étranger, peut-être. En prison pour un autre motif...

– Et il fait ça maintenant, parce que...

– Parce que ça l'inquiète que Rooker soit bientôt libéré. Il essaie de nous faire passer pour des imbéciles, de nous dire qu'on s'est plantés. Ou bien il essaie de s'approprier ce qui lui revient de droit. Franchement, je ne sais pas...

– De nouveau la blague des toilettes...

– Grosso modo, oui.

Faute de mieux, Thorne porta sa tasse de thé à ses lèvres et l'inclina alors qu'il savait pertinemment qu'elle était vide.

– Écoutez, nous ne connaissons rien de cet homme, nous ne savons pas si c'est lui qui a tenté d'assassiner votre fille, tout comme l'ignore, et c'est ce qu'il prétend, Gordon Rooker.

– Donc, vous ne croyez pas tout ce qu'il dit ?

– Ce qu'il affirme, en tout cas, c'est qu'il connaît le responsable de ce qui est arrivé à Jessica. Il sait qui a payé, et il va nous le dire.

– Un truand.

Clarke prononça le mot comme s'il était entre guillemets.

– Je me suis laissé dire, officieusement, que personne ne pouvait être à cent pour cent sûr de qui il s'agissait, mais qu'il avait été probablement tué peu après ce qu'il avait fait à Jess. C'est exact ?

Thorne vit le visage de Clarke commencer à s'assombrir comme il ne répondait pas tout de suite. Il sut qu'il s'avançait en terrain miné et qu'il devait faire machine arrière.

– Je suis navré, mais je ne peux vraiment pas entrer dans...

Clarke leva les mains. Il comprenait.

– Je voulais juste clarifier un point, poursuivit Thorne. Si Rooker sort de prison, c'est uniquement pour que celui qui est derrière ce qui est arrivé à votre fille puisse y aller.

Clarke réfléchit à cela quelques instants. Il tourna son fauteuil vers le chauffage, tendit les mains vers le feu. Thorne songea qu'il faisait soudain beaucoup plus froid. Et aussi : comment peut-il supporter de regarder un feu ? Que voit-il quand il fixe des flammes ?

– Vous devriez avoir une photo de Jess, dit Clarke tout à coup.

Un petit frisson parcourut la nuque de Thorne. Il eut la sensation que l'homme face à lui avait deviné ses pensées. Il suivit des yeux Clarke qui se leva et gagna une commode en sapin dans l'angle de la pièce. Des photos dans des sous-verre étaient diposées dessus.

– Oui...

– En souvenir.

Clarke prit un petit cadre et entreprit d'extraire les clips qui maintenaient le cliché en place.

– Celle-ci est belle...

Il ôta le verre et sortit la photographie. Il l'agita à l'intention de Thorne, qui se leva et traversa la pièce pour la prendre. Clarke la lâcha et se dirigea vers la porte.

– Ça, c'est le « avant ». Il faut aussi que vous ayez le « après ». Je n'en garde aucune ici, en bas, parce qu'elles indisposent Isobel. C'est bien la seule raison.

Il quitta la pièce. Thorne l'entendit monter l'escalier quatre à quatre, entendit une porte s'ouvrir et se refermer.

Vous devriez avoir une photo de Jess...

Thorne repensa à la façon dont Clarke l'avait dit. Comme si ce n'était qu'un bon conseil qui contribuerait à son bien-être. *Vous devriez surveiller votre cholestérol. Vous devriez vous renseigner sur votre pension de retraite. Vous devriez avoir une photo de ma fille morte.*

Thorne savait que Clarke avait parfaitement compris que cette visite n'entrait pas dans le cadre d'une procédure. Elle n'était liée à aucune enquête en cours, pas plus que l'offre de la photographie. Clarke voulait que Thorne l'ait. Pensait qu'il devait l'avoir...

Quand il entendit une porte se fermer à l'étage, Thorne sortit dans le vestibule et attendit près de la porte de la maison. Le moment n'était pas plus mal choisi qu'un autre pour prendre congé.

Clarke descendit l'escalier au petit trot et fourra un petit cahier noir dans les mains de Thorne.

– J'ai pensé que vous auriez peut-être envie de jeter un coup d'œil à son journal intime. Faites comme vous voudrez. Dans un cas comme dans l'autre, rendez-le-moi quand vous n'en aurez plus besoin.

– Oui, bien sûr...

Clarke tendit la photo en faisant un petit signe de tête. Thorne la prit en la regardant à peine, craignant de trop s'y attarder. D'être surpris à la fixer. Quand il releva les yeux, l'expression de Clarke lui indiqua clairement que c'était une réaction qu'il avait déjà vue des dizaines de fois.

– Des truands sont venus à ses obsèques, dit Clarke. Des assassins, des barons de la drogue et des hommes qui se font payer pour nuire aux gens. Ils sont venus présenter leurs respects après son suicide.

Il parlait calmement, même si sa colère ne faisait aucun doute, comme une ombre qui bougerait derrière un rideau de mousseline.

– C'était une journée splendide quand on l'a enterrée, une journée vraiment magnifique. Nous disions tous que c'était Jessie qui le voulait, parce qu'elle aimait tant qu'il fasse beau, et c'est alors que ces gens-là se sont pointés en costume foncé et lunettes noires comme tout droit sortis de *Reservoir Dogs* et qu'ils ont tout gâché. Kevin Kelly et sa femme qui fait pute, et l'autre qui a pris la suite... Ryan. Quelle équipe ! Tous là, côte à côte, en sueur et portant de gigantesques couronnes. L'un d'eux allant même jusqu'à prononcer le prénom de ma petite fille ! Traînant leurs guêtres avec leurs sales couronnes de mauvais goût pour ma petite fille morte parce qu'il se trouvait que son amie était la fille d'un truand...

Thorne avait du mal à le regarder. Faisait glisser ses pouces sur le papier glacé de la photo entre ses mains. Hochait la tête aux moments qu'il jugeait opportuns.

– On avait trimé dur pour envoyer Jessie dans cette école, pour trouver l'argent des droits d'inscription. Qu'est-ce que Kelly avait dû faire, lui ? Combien de gens avait-il dû faire assassiner ou voler pour envoyer cette petite... pour envoyer sa gamine dans cette école ?

Thorne vit une silhouette apparaître sur le palier en haut des marches : une adolescente aux longs cheveux blond cendré.

Clarke se retourna en voyant Thorne lever les yeux.

– Isobel...

Thorne n'aurait su dire si Clarke s'adressait à la jeune fille ou la lui présentait. Il ne put s'empêcher de se demander à quel point elle ressemblait à sa demi-sœur. Il avait envie de regarder la photo pour vérifier, mais celle du dessus était celle de Jessica après son agression, et Thorne se sentait incapable de lui substituer l'autre, sans cicatrices...

– Bonjour, dit-il

La jeune fille, qui tiraillait un coin de son pull, marmonna sa réponse d'un air maussade. Clarke haussa les épaules à l'intention de Thorne, d'un air paternel empreint de lassitude.

– Elle a treize ans, dit-il en guise d'explication, puis son expression changea, et il précisa : Elle en aura quatorze dans quinze jours...

Il tendit le bras devant Thorne pour ouvrir la porte d'entrée.

Thorne essaya de trouver un poncif à lui répondre, comme quoi les enfants grandissaient trop vite, mais, avant qu'il en ait eu le temps, Clarke s'approcha de lui et lui dit à voix basse :

– Cet homme, peu importe qui, a tenté d'assassiner Jessie. Vous l'avez dit. Vous l'avez dit deux ou trois fois, en fait.

– Navré, je ne...

– Il n'a pas « tenté » de l'assassiner, monsieur Thorne. Il l'a assassinée.

Clarke regardait Thorne dans les yeux en parlant.

Instinctivement, Thorne détourna la tête, puis, honteux, s'obligea à soutenir le regard de Clarke.

– Elle a attendu deux ans avant de mourir, mais il l'a assassinée.

Il n'y avait rien à ajouter, à part au revoir ; alors tous deux se le dirent et laissèrent la porte se refermer entre eux.

Thorne lança un coup d'œil derrière lui. À travers les carreaux rouge, bleu et vert couverts de givre de la porte d'entrée, il distingua la silhouette de Ian Clarke qui gravissait lentement les marches vers sa fille.

À l'arrêt de bus, les gens ne sont rien de plus que ça au début : des gens ; massés, indiscernables, et pas seulement à cause de la qualité du film. Un groupe compact sur le trottoir, emmitouflé contre le froid ou, pour ce qui est des filles, serrées les unes contre les autres, en bande, pour mieux parler de mille choses en attendant.

Il n'y a pas de son, mais il n'est pas très difficile d'imaginer les hurlements, les cris de colère et d'incompréhension.

Le groupe se disloque en un rien de temps, les gens s'écartant brusquement, révélant l'homme pour la première fois. Une vieille dame le montre du doigt, tire par la manche la femme à la poussette qui se trouve à côté d'elle. Les filles s'agrippent les unes aux autres, aux blazers et aux sacs, tandis que l'homme, le visage dissimulé par la capuche d'un anorak foncé, se retourne et s'éloigne dans la rue en joggant, comme si de rien n'était...

Hendricks émergea de la cuisine.

– La bouffe est prête dans deux minutes, annonça-t-il.

Thorne s'extirpa du canapé et éjecta la cassette du magnétoscope. Puis il attrapa la bouteille de vin sur la tablette de la cheminée et resservit Carol Chamberlain.

– Rien par ailleurs ? demanda-t-elle.

Thorne secoua la tête en buvant.

– Ce sont là les meilleures images que nous ayons.

Les films de vidéosurveillance semblaient jouer un rôle de plus en plus important dans la majorité des enquêtes. Souvent, les caméras n'étaient rien de plus qu'un moyen de dissuasion – assez inefficace, d'ailleurs. Les dealers de crack de Coldharbour Lane et les mules bourrées d'héroïne autour de Manor House savaient très exactement où elles se trouvaient et les traitaient avec le même mépris dans lequel ils tenaient les contractuelles. La plupart du temps, ils faisaient joyeusement leurs petites affaires sous l'œil des caméras, sachant à quel moment précis tourner la tête ou pencher une épaule pour éviter le plan compromettant, puis adressaient un clin d'œil à l'objectif une fois le deal conclu. Parfois, tout de même, Thorne se retrouvait à regarder des plans plus significatifs : les images granuleuses, noir et blanc, de voleurs à main armée, de tueurs, ou, plus dérangeantes, celles des personnes sur le point de devenir leurs victimes.

En l'occurrence, celles d'une victime potentielle qui avait eu de la chance.

– Ça n'a pas de sens, dit Chamberlain. Comment s'est-il imaginé qu'il pourrait s'en tirer ? Si, par malheur, on ne l'avait pas découvert. Si cette fille n'avait pas vu ce qu'il trafiquait avec le briquet et la recharge d'essence et qu'il ait réussi à lui faire prendre feu...

– Même dans ce cas, il aurait pu s'en tirer, dit Thorne. Les gens se seraient surtout souciés de venir en aide à la fille. Tu sais aussi bien que moi que, dans l'ensemble, les gens ont peur d'intervenir. Ils n'ont pas envie d'être le héros intrépide qui se prend une balle ou un coup de couteau.

Chamberlain fixa le fond de son verre.

– Mais pourquoi à un arrêt de bus ? Pourquoi un autre mode opératoire ?

– Les écoles sont beaucoup mieux surveillées de nos jours, dit Hendricks. Il aurait eu de la chance d'en trouver une comme celle de Jessica Clarke, où il aurait pu se pointer dans la cour.

Elle hocha la tête.

– En plein Swiss Cottage à quatre heures de l'après-midi ? C'est idiot. Ça grouillait de monde.

Hendricks jeta un coup d'œil dans la cuisine pour vérifier un truc.

– Apparemment, il voulait faire sensation, dit-il.

Thorne regardait intensément Chamberlain.

– Tu crois que c'est le même type ?

– Oui, j'en suis à peu près sûre. On dirait bien le même anorak...

Thorne secoua la tête.

– Non, je ne parle pas de ça. Tu crois que c'est l'homme qui a brûlé Jessica Clarke il y a vingt ans ?

La réponse se fit attendre.

– Il ne fait pas... vieux, dit-elle. Je sais qu'on n'a pas pu voir son visage. C'est plus sa façon de se tenir qui me fait dire ça.

– Tu penses à Rooker, à quelqu'un comme lui.

– Je sais...

– Suppose que cet homme ait eu une vingtaine d'années à l'époque. Il n'en aurait que quarante aujourd'hui.

– C'était en le voyant s'enfuir en courant. Ça faisait bizarre, d'une certaine façon, pour l'homme que j'imaginais.

– Il est parti en joggant, dit Thorne. Même s'il avait cinquante ou soixante ans, ce n'est pas hors de question, si ?

Hendricks traversa la pièce avec son verre et le remplit.

– Partir comme si on faisait du footing, l'air de rien, comme il l'a fait, c'est plutôt malin. C'est le bon réflexe pour qui ne veut pas attirer l'attention, pour qui ne veut pas montrer qu'il prend ses jambes à son cou...

Dans la cuisine, le minuteur de la gazinière retentit brusquement. Hendricks posa son verre de vin et alla parer au plus pressé.

– Si c'est bien lui, dit Chamberlain, est-ce que Billy Ryan est derrière ce qu'il fait maintenant ?

– Va savoir, mais si c'est lui, je ne vois pas du tout pourquoi.

Hendricks jura avec force. Soit le plat était raté, soit il s'était brûlé.

– Tout va bien, Delia ? cria Thorne.

Il y eut un autre chapelet de jurons un peu plus assourdis.

Chamberlain éclata de rire.

– Ça sent bon, en tout cas.

Elle vida son verre, en profitant pour lancer un coup d'œil à sa montre.

– Et si tu restais dormir ici cette nuit ? proposa Thorne. On peut te trouver un lit...

– Non, je prendrai le dernier train. Si tu as un numéro de taxi...

– Ce n'est pas un problème, vraiment. Je suis sûr que Jack peut préparer son petit déjeuner tout seul.

Elle fit non de la tête et un pas vers la cuisine.

Thorne posa une main sur son épaule.

– Quand on aura arrêté Ryan, il va nous dire qui a accepté son argent il y a vingt ans et a brûlé Jessica. Il va me donner un nom.

Il pointa le doigt vers le magnétoscope.

– Si c'est ce mec-là, je le choperai. Si ce n'est pas ce mec-là, et s'il est toujours vivant, je le choperai. Puis je choperai ce mec-là aussi. C'est une promesse, Carol...

Quand Chamberlain le regarda, d'un air où se mêlaient la gratitude et l'amusement, Thorne se rendit compte que sa main n'était plus sur son épaule. Désireux de la rassurer, il lui caressait doucement le dos en petits cercles. Elle arqua comiquement les sourcils.

– Et... ta proposition que je dorme ici ? dit-elle. Qu'avais-tu en tête, au juste ?

Ian Clarke était assis sur le canapé, le bras passé autour de sa femme. Il fixait l'autre bout de la pièce en direction de l'écran.

Il pleurait une fois par an, le jour de l'anniversaire de sa première fille. Jour qui était aussi l'anniversaire de sa mort. Le reste du temps, il gardait tout en lui, écrasé, comprimé, ses côtes comme les barreaux d'une cage renfermant ses pensées, ses sentiments et ses sombres désirs.

Immobile, il repassait dans son esprit les détails de la visite de Thorne, tout ce qui avait été dit, ayant l'impression que ses côtes risquaient de se briser et de se réduire en miettes à tout moment.

Sa femme rit tout bas à quelque chose qui passait à la télévision, et posa la tête sur sa poitrine. Il porta machinalement la main à ses cheveux. Il fixa un petit carré de mur blanc à une cinquantaine de centimètres au-dessus de l'écran. De temps en temps, il entendait un bruit sourd et léger au plafond quand sa deuxième fille se déplaçait à l'étage.

Thorne, allongé dans son lit, ne trouvait pas le sommeil, et se demandait s'il souffrait seulement d'indigestion ou d'une chose dont il lui serait un peu plus difficile de se débarrasser.

Bien que la soirée ait été agréable, il n'avait pas été mécontent de voir Carol appeler un taxi. Et soulagé, peu après, lorsque Hendricks avait décidé de débarrasser le lendemain et d'aller se coucher tôt.

L'incertitude qui nimbait tous les aspects de l'affaire Billy Ryan/Jessica Clarke ne l'avait pas lâché de toute la soirée, comme une invitée indésirable. À présent, il la sentait peser sur lui et l'enfoncer dans le matelas tandis qu'il fixait le plafonnier Ikea qu'il détestait tant.

Ne sachant pas quel était le pire des deux.

Au cours de certaines affaires sur lesquelles il avait enquêté au fil des années, il avait appris des choses, vu des choses, compris des choses qu'il aurait, s'il avait eu le choix, préféré éviter. Pourtant, malgré toutes les horribles vérités qu'il avait dû regarder en face, il préférait la connaissance à l'ignorance, même si l'horreur de leur poids respectif était très différente.

Sous sa couette, sa main glissa jusqu'à son sexe. Il le tripota sans conviction quelques minutes, puis renonça, incapable de se concentrer.

Il se mit à penser aux photos de Jessica Clarke, dans l'entrée, à l'intérieur de son blouson en cuir. Il visualisa l'image de son visage dévasté et boursouflé pressé contre la doublure en soie de la poche. Il pensa au journal intime dans son sac, qui l'attendait.

Une lecture qu'il remettrait à un autre soir...

Tendant la main vers son Walkman, il coiffa les oreillettes et appuya sur le bouton PLAY : *The Mountain*, un titre né de la collaboration en 1999 de Steve Earle avec le Del McCoury Band. Il massa la crispation dans sa cage thoracique, décrétant que c'était presque à coup sûr une indigestion.

C'était impossible de déprimer trop longtemps en écoutant de la *bluegrass*.

13

– Vous m'avez l'air de reprendre du poil de la bête, Gordon, dit Holland.

Rooker grommela.

– Tout est relatif, non ?

– Bon, d'accord, dit Stone. Vous êtes plus attirant qu'une bouse de vache, mais pas autant que Tom Cruise. Ça vous va ?

Le surveillant de prison, resté derrière eux, s'avança d'un pas et se pencha.

– On pourrait faire vite ?

Ils étaient réunis autour d'une table dans le petit bureau multifonctions situé dans un coin de la salle des parloirs. Un téléviseur et un magnétoscope y avaient été installés. Holland s'acharnait sur un bouton, essayant de caler la cassette.

Sans le regarder, Stone agita une feuille de papier à l'intention du surveillant.

– Ne vous en faites pas, la liste n'est pas longue.

La feuille fut agitée en direction de Rooker.

– On ne peut pas dire qu'il soit votre pensionnaire le plus populaire, si ?

Ça faisait partie des vérifications dont Thorne avait parlé à Tughan quand les premiers doutes au sujet de Rooker avaient été exprimés. Pendant que Stone et Holland se dirigeaient vers la prison, d'autres membres de l'équipe regardaient dans la direction opposée : ceux qui avaient été assez proches de Gordon Rooker pour lui rendre un service à l'extérieur...

La liste que Stone brandissait contenait les noms de tous ceux qui avaient rendu visite à Rooker ces six derniers mois. Si l'homme qui avait passé les coups de fil anonymes à Carol Chamberlain, et qui était peut-être responsable de l'agression dans Swiss Cottage, avait manigancé tout ça avec Rooker, il y avait de fortes probabilités que les plans aient été élaborés au parloir. L'organisation avait pu se faire par téléphone, mais c'était peu probable. En tant que détenu de Catégorie B[1], les appels téléphoniques passés par Gordon Rooker faisaient, à tout le moins, l'objet de contrôles aléatoires. Si Rooker avait un complice, Thorne était convaincu que son nom figurait sur la liste des visiteurs.

– Il est facile de vérifier les noms et les adresses, avait dit Thorne à Holland, mais je veux que vous les passiez en revue directement avec Rooker, que vous obteniez de lui toutes les informations que vous pourrez. Observez comment il réagira quand vous lui montrerez les images. Assurons-nous formellement qu'il ne nous roule pas dans la farine...

Des copies des cassettes de vidéosurveillance des visites avaient été demandées à la prison, passées au crible et montées jusqu'à ce que l'équipe soit en possession d'une séquence ne durant pas plus que quelques minutes. C'était la cassette que Holland, Stone et Rooker s'apprêtaient à visionner...

– Allons-y, dit Holland en s'écartant du magnétoscope.

Stone tapota Rooker sur l'épaule.

– C'est vraiment une exclu, Gordon. Et on veut que vous vous chargiez des commentaires, d'accord ?

---

1. Les détenus sont classés en trois catégories allant de A à C. L'accessibilité aux programmes de réadaptation et le potentiel de mise en liberté d'un délinquant sont tributaires de sa catégorie.

Rooker prit une paire de lunettes sur la table et approcha sa chaise de l'écran.

De la neige statique émergea une série de plans montés maladroitement, les images se succédant d'une manière déconcertante : une demi-douzaine d'individus entrant dans la salle des parloirs, déposant sacs et manteaux sur ou sous des chaises et s'asseyant. Tous de corpulence différente, se glissant ou se laissant tomber d'un côté des tables étroites – aucun d'entre eux ne paraissant particulièrement ravi d'être là...

– Cath, ma fille aînée.

Rooker pointait le doigt en parlant, Holland prenait des notes. Sur l'écran, une femme brune d'à peine quarante ans s'assit. Elle portait un jean et un sweat-shirt. Si ce n'était l'absence d'un numéro de matricule, elle aurait très bien pu passer pour une détenue.

– Son fils a été sélectionné par West Ham United...

Un raccord remplaça la femme à l'écran par une autre. Dans les soixante-dix ans. Manteau vert boutonné jusqu'au col. Sac à main serré devant elle sur la table.

– Iris, la plus jeune sœur de ma mère. Elle passe de temps en temps pour m'annoncer qui est mort...

Un homme, environ du même âge que Rooker. Parlant avec les mains. Costume gris sale et cheveux assortis.

– Tony Sollinger, un vieux pote avec qui je faisais la bringue. Il a contacté Lizzie un beau jour, lui a dit qu'il voulait venir me voir. Pour je ne sais quelle foutue raison, il a insisté pour m'informer qu'il avait un cancer...

Une femme, qui pouvait avoir cinquante comme soixante-dix ans. Cheveux cachés sous un foulard imprimé. Parlant peu.

– Quand on parle du loup... Ma femme... Mon ex-femme, autant dire presque plus rien, lors de sa visite annuelle...

Quelque part dans l'aile derrière eux, résonna soudain un hurlement de rage ou de douleur, ou de ni l'une ni l'autre. Holland et Stone se retournèrent à l'unisson. Le surveillant ne leva même pas la tête.

– On comprend pourquoi ça ne se bouscule pas au portillon, dit Stone. Ce n'est pas vraiment le parc d'attractions d'Alton Towers, putain !

Le surveillant donna l'impression de se marrer, mais sans émettre aucun son.

– Wayne Brookehouse, poursuivit Rooker. Il sortait avec ma benjamine.

Un homme d'une vingtaine d'années. Cheveux bruns et frisés, lunettes. Fumant à la chaîne.

– Ma fille ne se dérange pas, alors il vient, il me donne des nouvelles. Il paraît qu'il est garagiste, sans doute juste un vendeur de voitures trafiquées. Système D, mais c'est un bon petit gars...

Un Noir, la quarantaine. Très grand et très chic. Chemisette blanche et cravate foncée.

– Simons, ou Simmonds, ou quelque chose dans ce goût-là. Un putain de visiteur de prison. Je pense que dans le fond d'eux-mêmes, ils cherchent tous la sensation forte, mais il est pas méchant. C'est toujours mieux que de parler avec certains gros bœufs ici...

Et, pour finir, le dernier visiteur en date. Un homme aux épaules carrées, un peu plus petit que la moyenne. Tempes grisonnantes. Assis très droit et fixant le haut de la tête inclinée de Gordon Rooker.

Stone rit, se détourna de l'image de Tom Thorne et regarda Holland.

– Pfff, celui-là m'a l'air d'être un sacré lascar.

Puis silence jusqu'à la fin de la bande avant qu'elle ne commence à se rembobiner.

Holland poussa son calepin. Stone se carra dans sa chaise et se tourna vers Rooker.

– Cinq vrais visiteurs en six mois. J'ai comme l'impression qu'on vous a presque oublié, mon gars.

Rooker se leva.

– J'espère bien...

Il se retourna et franchit la porte. Le surveillant se leva calmement et lui emboîta le pas, se curant les ongles avec la pointe de son badge plastifié.

– C'est devenu très calme par ici, dit Kitson.

Thorne abonda dans son sens. Il avait compris qu'elle ne parlait pas seulement du fait qu'une grande partie de l'équipe était allée déjeuner tôt à l'Oak.

– Je pense que, tant que l'histoire de Swiss Cottage ne sera pas réglée, ça va devenir encore beaucoup plus calme, dit-il. Il se pourrait que les choses s'accélèrent si quelqu'un prenait une décision au sujet de Billy Ryan...

Depuis qu'ils avaient changé d'avis à propos de Gordon Rooker, l'opération commune s'était divisée, pas vraiment idéalement, en deux directions distinctes. L'accent, c'était compréhensible, était mis sur l'arrestation de l'homme qui avait essayé de cramer la fille à Swiss Cottage, mais cette enquête n'avait rien donné au bout des premières vingt-quatre heures qui sont généralement décisives. Malgré l'heure et le lieu de l'agression, ils ne disposaient d'aucun signalement utile. Le visage de l'homme était caché par la capuche de son anorak, et les témoignages sur sa taille et sa corpulence variaient à l'envi étant donné les vêtements épais contre le froid et la posture voûtée de l'agresseur.

La fille, quant à elle, était déjà retournée à l'école pendant que la mère remplissait le tiroir-caisse en racontant dans toutes les émissions de télé ou de radio qui voulaient l'avoir comment sa gamine l'avait échappé belle, et en s'indignant de l'incompétence de la police. Sa fille avait été choisie, pour autant qu'on avait pu l'établir, complètement au hasard. Autre impasse. Ce n'était pas que les pistes ne menaient nulle part. Il n'y en avait tout simplement pas.

En attendant, qu'il soit ou non mêlé à ce qui s'était passé à Swiss Cottage, restait toujours Billy Ryan. Pendant qu'une enquête sur lui se préparait derrière les murs d'une prison, des incertitudes demeuraient quant aux méthodes que devaient suivre les gars sur le terrain.

Nick Tughan était à fond pour l'approche en douceur. Il fallait encore s'occuper du contentieux avec les frères

Zarif, et Tughan pensait qu'il n'y aurait rien à gagner à attaquer Ryan bille en tête au sujet de Rooker ou de Jessica Clarke. Pour une fois, Thorne avait été largement spectateur quand l'abcès avait crevé en milieu de semaine précédente.

– On travaille avec Rooker, avait dit Tughan. On réunit les preuves contre Ryan, mais pendant ce temps-là, il nous reste le petit problème d'une guerre des gangs en cours. Ma responsabilité première est de faire en sorte qu'il n'y ait pas d'autre tuerie.

Brigstocke lui était rentré dans le lard.

– Voyons, Nick. Il ne s'agit pas de sauver des vies innocentes, si ?

Tughan réagit au quart de tour.

– Et Hanya Izzigil, elle n'était pas innocente ? Et Marcus Moloney, il n'était pas innocent ?

Brigstocke avait regardé la pointe de ses chaussures, puis de biais vers Thorne. Ça démarrait mal...

– Nous ignorons ce que Ryan va faire, avait dit Tughan en gagnant la fenêtre pour regarder dehors la North Circular. Il a essayé de régler son compte à Rooker, et il s'est planté. Il devra réagir au meurtre de Moloney tôt ou tard. Ça va bientôt faire quinze jours...

Il s'était retourné et avait levé la main avant que Thorne ait eu le temps d'en placer une.

– Et même si c'est lui qui a fait tuer Moloney, ça fait super bizarre s'il ne bouge pas, non ?

– Pourquoi on ne lui fout pas la pression avec Moloney, alors ? avait demandé Brigstocke. Pourquoi on ne lui fout pas la pression avec pas mal de trucs, à cet enculé ?

– Il n'y a pas que Ryan, d'ailleurs. Quoi qu'il arrive, je veux aussi les Zarif.

– Évidemment, mais on parlait de Billy Ryan, et pour l'instant on ne se bouge pas le cul. On devrait essayer de désorganiser ses activités.

La vue imprenable sur les voitures et le béton exerçait apparemment une attraction irrésistible sur Tughan. Au bout de quelques instants de réflexion, ou de pseudo-réflexion, il se tourna de nouveau vers la fenêtre.

– Attendons encore...

Brigstocke avait soupiré avec lassitude.

– Rooker ne suffira peut-être pas, Nick. Je pense qu'on devrait jouer sur tous les tableaux.

Thorne ne pourrait jamais être que d'un côté, et il ne put se retenir plus longtemps de mettre son grain de sel.

– C'était toi qui disais qu'on ne pouvait pas se fier à Rooker.

Il s'était poussé sur la gauche de façon à pouvoir voir au moins le profil de Tughan.

– Tu ne penses pas que des jurés pourraient être d'accord avec toi ? Même si les preuves sont imparables, Rooker ne sera peut-être pas un témoin crédible. Le bataillon d'avocats de Ryan va tout faire pour le décrédibiliser. Ça ne peut pas faire de mal de chercher dans une autre direction pour le soutenir, si ?

Brigstocke avait levé ses deux mains.

– Je ne vois pas en quoi.

– Rappelons seulement à Ryan que nous ne l'avons pas oublié, avait suggéré Thorne. Remuons-le un peu...

À présent, quelques jours plus tard, assis dans son bureau avec Yvonne Kitson, Thorne souriait encore en repensant à ce que Tughan lui avait répondu.

– C'est à ça que tu es bon, hein, Tom ? Remuer. Tu es une cuiller incarnée.

Kitson fit pivoter son fauteuil pour lui faire face.

– Brigstocke va emporter le morceau, à votre avis ?

– Russell rend coup pour coup, mais il a besoin qu'on l'aiguillonne de temps en temps. Je lui ai rappelé que lui aussi était inspecteur-chef, et il l'a un peu mal pris.

Kitson rit.

– Je pense qu'il devrait tout bonnement s'adresser au-dessus de Tughan..., ajouta-t-il.

Il regarda Kitson et, soudain, se souvint d'un autre moment où ils s'étaient retrouvés assis tous les deux dans ce même bureau l'année précédente. Il l'avait regardée manger son déjeuner, sortir ses sandwichs du Tupperware et déplier le papier aluminium. Il avait pensé que, chez elle, tout était très maîtrisé...

Son ventre gargouilla. Il avait demandé à Karim de lui ramener du pub un sandwich au fromage. Même le sorcier gastronomique de l'Oak devait bien être foutu d'en faire un.

– Vous avez prévu quoi pour déjeuner, Yvonne... ?

Avant qu'elle n'ait eu le temps de répondre, on frappa à la porte, et Holland passa la tête par l'entrebâillement. Il entra, suivi d'Andy Stone, et ensemble, ils informèrent Thorne de la teneur de la séance du matin à la prison de Park Royal.

Thorne regarda les photos – extraites de la vidéo qu'ils avaient montrée à Rooker – étalées devant lui sur son bureau.

– Bon, je pense qu'on peut, sans risque de se tromper, éliminer la femme, la fille et la tantine.

Holland fit la moue.

– Sans rire, l'une d'entre elles n'aurait-elle pas pu transmettre des messages de Rooker à quelqu'un ?

Thorne n'avait pas la réputation de penser que deux précautions valent mieux qu'une. Pourtant, en l'occurrence, il préféra ne prendre aucun risque.

– Oh, et puis merde, d'accord, dit-il. À l'exception de la vieille dame, allez interroger les autres.

Au moment où Holland et lui s'apprêtaient à partir, Stone se retourna avec un grand sourire.

– Vous êtes sûr que vous ne voulez pas qu'on vérifie du côté de la vieille ? Elle me paraît louche, moi.

Thorne acquiesça.

– Absolument. Décalage entre perception et réalité.

Il regarda Stone d'un air innocent.

– Je suis sûr que certains grands philosophes ont écrit des tas de choses sur le sujet, Andy.

Holland se retint de rire et sortit précipitamment de la pièce. Stone ne broncha pas et lui emboîta le pas, laissant Thorne se demander s'il avait pigé l'allusion.

– C'est quoi, cette histoire ? demanda Kitson.

Thorne se marrait toujours, très content de lui.

– Juste un truc que Holland m'a raconté sur Andy Stone et ses techniques pour charmer le sexe opposé.

– Ah. C'est un tombeur ?

– Il semblerait. Moi, ça ne m'arrive jamais, mais à en croire certains, toutes les femmes se bousculent pour sauter dans le lit d'un flic...

Il fallut à Thorne quelques secondes pour se rendre compte de ce qu'il venait de dire et à qui. Quand il regarda Kitson, il vit que le rouge lui était déjà monté aux joues.

– Excusez-moi, Yvonne...

– Ne soyez pas bête.

Il hocha la tête. Bête, c'était exactement ce qu'il se sentait.

– Comment ça se passe sinon ?

– Oh, vous savez. C'est la merde...

Elle sourit et fit pivoter son fauteuil vers son bureau.

– Comment vont les gamins ?

Le fauteuil pivota de nouveau lentement dans l'autre sens. Apparemment, elle avait envie de parler.

– L'aîné fait un peu des siennes à l'école. Difficile de savoir si c'est lié à ce qui se passe, mais j'arrive encore à m'en persuader. Je me répète d'être moins stupide, et d'arrêter de me sentir coupable tout le temps. Et puis l'un d'eux se cogne la tête ou se foule une cheville en jouant au foot, et j'ai l'impression que c'est ma faute...

Le téléphone sur le bureau de Thorne sonna, et Kitson se tut.

C'était le policier posté dans la guérite de l'entrée. Il informa Thorne qu'une voiture venait de s'arrêter à la barrière et qu'on demandait à le voir.

En fait, la femme – ainsi que le lui avait expliqué le policier de service – ne venait pas le voir personnellement. Il se trouvait juste qu'il était le plus haut gradé de l'Unité 3 présent dans les locaux à cette heure. Un coup de chance

– et de malchance – auquel Thorne repenserait longtemps par la suite.

Il descendit l'escalier et trouva la femme dans le petit hall d'accueil. Thorne adressa un signe de tête au policier de garde et s'avança jusqu'à elle. Elle avait environ trente-cinq ans et était plutôt grande, en tout cas aussi grande que lui. Ses cheveux avaient la couleur du panneau d'affichage en liège fixé au mur derrière son bureau, son teint était aussi pâle que le mur lui-même. Elle portait un pantalon gris très élégant et une veste assortie, et, sans raison particulière, Thorne se demanda si elle ne serait pas un inspecteur des impôts.

– Vous avez pu vous garer au parking ? demanda-t-il.

À la réflexion, il n'imaginait pas que des fonctionnaires puissent être aussi séduisantes...

Elle acquiesça et tendit la main, que Thorne serra.

– Je suis Alison Kelly, dit-elle.

Peut-être que l'air abasourdi de Thorne passa à ses yeux pour de l'ignorance. Elle répéta son nom, puis précisa qui elle était.

– Jessica Clarke était ma meilleure amie. C'est avec moi qu'on l'a confondue.

Thorne lâcha sa main, légèrement embarrassé de l'avoir tenue si longtemps. Cela ne semblait pas spécialement l'avoir dérangée.

– Excusez-moi, je sais qui vous êtes. C'est juste que je ne m'attendais pas à votre venue, ni que... C'est juste que je ne vous attendais pas.

– J'aurais sans doute dû appeler.

Ils se regardèrent une ou deux secondes. Thorne sentait le regard du policier de garde fixé sur eux.

– Bien...

Qu'est-ce que vous voulez ? La formule aurait peut-être été un peu brutale, mais c'était tout ce qui venait à l'esprit de Thorne. Toutefois, au lieu de poser la question, il regarda autour de lui comme s'il cherchait un endroit où ils pourraient discuter en privé.

– Je suis sûr que je devrais pouvoir trouver un coin où nous puissions bavarder, ou...

Il montra la sortie.

– À moins que vous ne préfériez qu'on aille faire un tour, ou...

Elle secoua la tête.

– Il fait un froid de canard dehors.

– Le printemps approche...

– Tant mieux.

Becke House était un QG opérationnel, contrairement à un poste de police fonctionnant à plein, et, en tant que tel, il ne disposait pas de salle d'interrogatoire proprement dite. Il y avait une petite pièce à droite du bureau d'accueil qui servait, à l'occasion, pour les urgences, ou pour stocker l'alcool quand un pot était organisé. Une table et des chaises, deux placards branlants. Thorne ouvrit la porte, vérifia que la pièce était inoccupée et, d'un geste, invita Alison Kelly à entrer.

– Je vais voir si on peut nous trouver du thé, dit-il.

Elle passa devant lui et s'assit, puis parla avant qu'il n'ait refermé la porte :

– Voilà ce que je sais.

Sa voix était grave et monocorde. Distinguée juste ce qu'il fallait.

– Ça ne vous mènera nulle part d'essayer de retrouver l'homme qui a aspergé d'essence à briquet la fille, à Swiss Cottage, il y a dix jours.

Elle se tut.

Thorne avança jusqu'à la table et s'assit.

– Je ne vois pas trop ce que vous espérez que je réponde à cela...

– Trois jours avant que « cela » n'arrive, quelqu'un a tenté de tuer l'homme qui est en prison pour avoir brûlé Jess, en lui enfonçant dans le ventre un couteau de peintre. Il est plus qu'évident qu'il y a un lien. Il se trame quelque chose.

– Vous permettez que je vous demande comment vous savez ces choses-là ?

Elle secoua imperceptiblement la tête. Plus pour signifier qu'elle ne voulait pas se donner la peine de répondre, et non qu'elle s'y refusait. Puis elle reprit la parole pour préciser ce qu'elle savait exactement :

– Même si vous ignoriez que l'homme qui a commis cette agression doit un paquet de fric à Billy Ryan, vous n'êtes pas idiot au point de ne pas avoir deviné qui se cache derrière tout ça.

Elle coinça quelques mèches folles derrière son oreille.

– Ryan est le responsable, forcément.

– Forcément, répéta Thorne.

– Il souhaitait la mort de Rooker pour des raisons évidentes.

Les raisons évidentes. Thorne fut soulagé de découvrir qu'elle ne savait pas absolument tout...

– Mais pourquoi choisir de se venger maintenant de ce que Rooker a fait il y a vingt ans, ça, Dieu seul le sait !

Thorne était troublé et excité par cette conversation bizarre et brutale. Cette femme éveillait en lui une peur étrange. Son attitude le fascinait, et le gonflait un max.

– « L'homme qui est en prison pour avoir brûlé Jess », avez-vous dit. C'est un peu curieux, vous ne croyez pas ? Vous n'avez pas dit « l'homme qui a brûlé Jess ». C'est juste que la formulation paraît étrange.

Elle le regarda d'un air inexpressif.

– Avez-vous des raisons de penser que Gordon Rooker n'est pas le coupable ?

Elle ne put réprimer un demi-sourire.

– Donc, il se trame bien quelque chose, hein ?

Thorne eut la forte sensation d'être tombé dans un piège verbal. Manifestement, les yeux verts d'Alison Kelly cachaient bien plus qu'il ne l'avait soupçonné au début.

À présent, elle ne cherchait même plus à dissimuler son sourire.

– Ça, c'est l'autre chose que je sais, dit-elle. Que vous ne me direz pas tout.

Le temps des politesses était révolu depuis longtemps.

– Que voulez-vous, mademoiselle Kelly ?

Thorne vit aussitôt que son maintien n'était qu'une façade, mais seulement parce qu'il se fissura un peu : un relâchement dans la mâchoire et dans les épaules.

– Vous n'êtes pas le seul à être surpris de ma présence ici, dit-elle. J'ai eu besoin de m'enfiler un grand verre de vin avant de me présenter à l'entrée. J'étais assise dans le pub, en face, entourée de flics, puisant mon courage dans l'alcool.

Soudain, le sourire parut se crisper. La voix avait perdu tout faux-semblant d'assurance et d'autorité.

– J'aimerais savoir ce que cette fille a fait, dit-elle. Ce que ses amies ont fait, à cet arrêt de bus, et qui l'a sauvée. J'aimerais savoir ce qui les a alertées. Ce que nous, nous n'avons pas vu, pas fait.

– Je ne pense vraiment pas que ça serve à grand-chose de...

– Tout ce que je sais, c'est que j'ai vu Jess courir jusqu'à moi et que je me suis écartée. Vous comprenez ça ? Tout ce que j'ai pu faire, sur le moment, c'est regarder.

Sa voix était à peine plus qu'un murmure, mais elle semblait se répercuter sur les murs blancs laqués.

– J'ai entendu les craquements quand ça a atteint ses cheveux. Puis j'ai senti l'odeur. Vous avez déjà senti cette odeur-là, une odeur comme celle-là ? Je n'ai pas vraiment eu la nausée. J'ai cru que j'allais vomir, comme si j'allais avoir un haut-le-cœur, mais non. Pas sur le moment. Aujourd'hui, rien que d'y repenser... rien que l'odeur d'une allumette qu'on craque...

À son air, à sa voix, elle paraissait désorientée. C'était une adulte dans une cour de récréation. Une enfant au poste de police.

– Ça aurait pu être mes cheveux. Ça aurait dû être mes cheveux...

Thorne voulut dire quelque chose, mais les sons ne sortirent pas assez vite de sa bouche.

– J'aimerais savoir pourquoi Jess ne s'en est pas sortie, comme cette fille. Pourquoi pas elle ? J'aimerais que vous me disiez ce que nous aurions pu faire pour la sauver.

Thorne augmenta le volume de *Eastenders*[1] juste assez pour noyer le bruit que faisait Hendricks qui chantait dans la salle de bains. Il prit Elvis sur ses genoux, feuilleta la rubrique Sport du *Standard* ouvert sur l'accoudoir du fauteuil. Il ne pouvait s'empêcher de penser à ce que Alison Kelly lui avait dit. Il n'était pas le seul à ne pas pouvoir supporter de ne pas savoir...

Toutefois, le besoin de certitude qui tenaillait Alison Kelly s'ancrait en elle un peu plus profondément que le sien en lui. Il aurait fait beaucoup de choses différemment, s'il l'avait pu, mais il n'y avait pas trop de mauvaises actions dont il se sentait responsable. Elle avait derrière elle vingt ans d'auto-accusation et de culpabilité. Chacune s'était nourrie – et, par effet pervers, engraissée – de l'autre, jusqu'à devenir les deux parasites qui la définissaient.

Thorne se demanda dans quelle mesure Alison Kelly était réellement mieux lotie que la fille qu'on avait confondue avec elle.

Elvis sauta par terre, mécontente, quand Thorne se leva pour se diriger vers la porte d'entrée. Il ouvrit son sac et prit le petit carnet noir qu'il n'avait pas encore ouvert depuis que Ian Clarke le lui avait donné.

La complainte en provenance de la salle de bains semblait, Dieu merci, prendre fin. Thorne emporta le journal intime jusqu'au canapé. Il saisit la télécommande et, en se rasseyant, coupa le son de la télévision.

Quand elle commença à avoir des fourmis, Carol Chamberlain se déporta du rebord de la baignoire à la cuvette des toilettes. Elle tourna la tête pour ne pas se voir dans le miroir. Ça faisait une demi-heure qu'elle était montée à l'étage, et elle se demanda combien de temps encore elle devrait rester assise là avant de ne plus avoir l'impression d'être une vieille crétine.

---

1. Série télé culte en Grande-Bretagne qui raconte la vie quotidienne d'une petite communauté des quartiers est de Londres.

Elle avait passé le week-end à potasser l'affaire classée que lui avait confiée l'Antenne locale de Réexamen de Rapport d'enquête : un bookmaker tué d'un coup de couteau dans le parking d'un pub en 1993. Un mort et une famille qui méritaient comme tout le monde que justice leur soit rendue, mais Chamberlain n'était pas en état de les aider à l'obtenir.

Elle avait du mal à s'intéresser à quoi que ce soit... à quoi que ce soit d'autre...

L'affaire Jessica Clarke avait été l'une de celles dans lesquelles elle s'était impliquée. Plus impliquée que dans n'importe quelle autre affaire.

Et elle s'était plantée.

Trois jours plus tôt, en rentrant par le dernier train après la soirée passée chez Tom Thorne, elle avait presque réussi à se convaincre qu'elle était idiote. Aurait-elle pu agir autrement ? Rooker avait avoué, bon Dieu ! Ils n'avaient absolument aucune raison de rechercher quelqu'un d'autre...

Dans ce train pour ainsi dire désert, elle avait – presque – réussi à s'en convaincre, mais se planter, c'est se planter, et ça faisait toujours mal. Elle ressentait la douleur de l'échec professionnel, et une autre douleur, bien pire, qui venait du fait de savoir qu'on avait déçu quelqu'un de très important pour soi.

Un autre train était arrivé en sens inverse à toute allure, et elle avait tourné la tête pour le regarder passer à la vitesse de l'éclair. Son reflet avait dansé sur les vitres. Ensuite, elle avait fixé son visage flottant dans l'obscurité de l'autre côté de la vitre, et remarqué qu'elle pleurait.

Le plus douloureux, bien sûr, c'était de se sentir inutile. De trop. De savoir qu'elle s'était trompée, et qu'elle ne jouerait aucun rôle pour réparer ce tort.

Elle avait entendu se refermer la porte de séparation des wagons, et regardé dans la vitre le reflet de l'homme qui avançait vers elle. Qui regagnait lentement sa place en vacillant, avec un sachet ramené du bar. Qui s'arrêtait à leur table...

– Ça va, chérie ?

Dans la salle de bains, Chamberlain leva la tête en entendant des bruits de pas dans l'escalier. Ils cessèrent, et Jack cria son prénom.

Pendant quelques jours, deux ou trois semaines plus tôt, elle s'était sentie redevenir flic : quand elle avait accompagné Thorne voir Gordon Rooker ; quand tous deux s'étaient trouvés face à Billy Ryan devant son arcade de jeux vidéo. Puis, dès qu'ils avaient commencé à négocier avec Rooker, on l'avait gentiment écartée, et elle l'avait aussi mal vécu que lorsqu'elle avait rendu sa carte de police sept ans auparavant. Elle aurait dû s'y attendre, évidemment. La soirée de vendredi, à l'appartement de Kentish Town – Thorne lui montrant les images de vidéosurveillance –, avait été une faveur, rien de plus. Elle savait que cela ne risquait pas de se reproduire...

Elle s'agenouilla lentement et prit dans le placard sous le lavabo le détergent et un chiffon.

S'il fallait que quelqu'un d'autre qu'elle tire les choses au clair concernant Jessica Clarke, elle serait ravie que ce soit Tom Thorne, personne d'autre...

Dans l'escalier, les bruits de pas recommencèrent et se rapprochèrent. Elle tint le chiffon sec sous le robinet pendant quelques secondes, s'enjoignit de commencer à penser aux bookmakers morts et d'arrêter de faire l'andouille.

Les coups furent frappés, doucement, tandis que, d'une pression, elle traçait une ligne épaisse de détergent jaune pâle le long du rebord de la baignoire.

– Ça va, chérie ?

14 mars 1986

Ne pas être allée à l'école pendant plus d'un an commence à poser de sérieux problèmes. Maintenant qu'Ali, Manda et les autres ont changé de classe, je me retrouve coincée avec des élèves plus jeunes que moi et que je ne connaissais pas vraiment avant. Avec la plupart des filles de <u>*mon*</u> *année, je peux parler de tout. Des opérations, des greffes, et du reste. Seulement, je ne les vois que dans la cour à l'heure de la cantine, mais certaines d'entre elles sont déjà un peu distantes parce qu'elles sont dans la classe supérieure et elles se comportent comme si elles avaient un an de plus ou je ne sais quoi.*

Les filles de ma classe en font trop. Je pense que c'est surtout ça le problème. Je sais bien qu'on leur a expliqué en long en large en travers ce qu'elles devaient dire et ne pas dire. Il se trouve que je sais aussi que quelqu'un de l'hôpital est venu voir les profs la semaine précédant mon retour, et certains sont plus doués que d'autres pour paraître naturels.

Mon nouveau prof principal est plutôt cool, cela dit.

Il y a deux ou trois filles que je trouve sympas dans ma nouvelle classe, mais le plus souvent je ne supporte pas la plupart d'entre elles. Je suis peut-être injuste parce que je me doute que ça doit être un peu compliqué. Je me souviens que je ne me sentais pas très à l'aise, en primaire, avec une fille qui avait un bec-de-lièvre. Je me rappelle encore que je me forçais à ne pas l'ignorer, puis que je bredouillais quand je lui parlais et que je rougissais. En fait, avec certaines filles, c'est très difficile de faire la différence entre la crainte et la timidité. Mais il y en a quelques-unes qui en font carrément des tonnes pour essayer d'être ma nouvelle meilleure amie, et deux ou trois qui, tout simplement, m'ignorent en bonnes peaux de vache qu'elles sont.

Peut-être que ça se calmera un peu avec le temps.

Moment Merdique de la Journée.

Le silence qui se fait quand je retire mon chemisier avant le cours de gym.

Moment Magique de la Journée.

M'man se croyant subtile quand, au moment d'une pub pour la vidéo des Griffes de la Nuit, *elle s'est mise devant la télé pour que je ne voie pas le visage de Freddy Krueger.*

14

L'élégant alignement d'imposantes maisons victoriennes n'aurait pas déparé Holland Park ou Notting Hill, alors qu'il se trouvait, en fait, dans une zone protégée en plein milieu de Finchley. La lumière du soleil aurait très bien pu appartenir à une journée chaude du mois d'août, pourtant il faisait moins de dix degrés, et le début du printemps remontait à peine à une quinzaine de jours. L'homme sur la pelouse qui profitait de l'après-midi avec son chien aurait pu être un pilier de la communauté locale. En l'occurrence, il n'en était rien.

Marchant dans sa direction, le voyant sourire tandis que le Jack Russel courait, dérapait et sautait à ses genoux, Thorne doutait que Billy Ryan ait une relation aussi simple et aussi affectueuse avec toute autre créature vivante.

– Je suis étonné, dit Thorne. J'aurais imaginé un Rottweiler ou un doberman. Peut-être même un pit-bull...

Ryan ne parut pas spécialement contrarié de le voir.

– Je n'ai rien à prouver. Je n'ai pas une trop petite bite à compenser. Et je préfère les petits chiens.

Thorne vit Ryan faire non de la tête et un signe de la main à quelqu'un derrière lui. Il se retourna et aperçut son pote le réceptionniste remonter dans une Jeep garée de l'autre côté de la pelouse. Thorne salua l'homme avec entrain, mais n'obtint rien de très amical en retour.

– Après-midi de libre, monsieur Ryan ?

– L'avantage d'être patron.

Ryan sourit, ajustant la monture de ses lunettes de soleil légèrement teintées.

– J'estime que je l'ai bien mérité, dit-il.

– Ouais...

Ryan se pencha pour prendre une balle couverte de bave au chien qui se mit à gronder et à se tortiller jusqu'à ce qu'il la lui arrache de la gueule. Ryan fit le geste de la lancer dans une direction, puis la lança dans une autre. Une fois que le chien fut parti à sa poursuite, Ryan marcha à pas lents à sa suite.

Thorne le suivit en restant à sa hauteur, faisant un signe de tête vers la voiture.

– Vous n'avez que lui ?

– Comment ça ?

– Je suis sûr qu'il a tout le matos, mais quand même. Vous devez sûrement penser que vous êtes une cible maintenant, Billy ?

Ryan portait un long manteau noir en cachemire et une écharpe en laine rouge. Il resserra le nœud de l'écharpe autour de son cou.

– Maintenant ? répéta-t-il.

– Depuis Moloney.

Ryan lui lança un regard de biais, mais détourna la tête avant que Thorne ait eu le temps d'y lire quoi que ce soit.

– C'est honteux, dit-il.

– La façon dont il est mort ? Qu'on l'ait tué ? Ou le fait qu'il était flic ?

– Au choix.

– Vous n'avez pas envoyé de couronne.

Moloney avait été inhumé dans la plus stricte intimité le week-end précédent. Son épouse avait refusé que la police organise une cérémonie officielle.

Ryan haussa les épaules, l'air inexpressif.

– Quelle chierie de partir comme ça, c'est moi qui vous le dis. Pas vraiment mourir en héros. Mais il s'est mis lui-même dans la ligne de tir, aussi, vous ne croyez pas ?

– Le tir de qui, à votre avis ?

– Je ne vais quand même pas faire le boulot à votre place...

Le chien avait ramené la baballe. Ryan la lança très loin et poursuivit sa marche.

– Ça vous met dans une position délicate, quand même, dit Thorne. Avec, à l'évidence, l'obligation de riposter, ou, pour le moins, de donner l'impression d'une riposte...

– Riposter contre qui ?

– ... alors qu'en fait, des représailles, ce serait un comble.

– Et si vous arrêtiez une seconde de parler pour ne rien dire ?

– Ouais, d'accord.

– Pourquoi un comble ?

Sa voix aux intonations suaves s'était durcie tout à coup. Il avait craché le dernier mot en s'arrêtant et en se retournant vers Thorne.

Thorne voyait, reflétées dans les verres des lunettes de soleil de Ryan, l'étendue de pelouse derrière lui ainsi que la mini-silhouette du chien courant vers eux ventre à terre. *Parce que c'est toi qui l'as fait buter, sale con d'assassin.*

– Parce que c'était un officier de police, évidemment, dit Thorne.

Cette fois, Ryan chipa la balle au chien et la fourra dans sa poche. Le terrier jappa deux ou trois fois, puis se barra, truffe à terre. Il n'était pas le seul à s'être lancé sur une piste.

– Vous n'avez pas répondu à ma question, dit Thorne.

– Laquelle ?

– Que vous soyez devenu une cible pour les frères Zarif.

– Les frères qui ?

– Vous semblez très détendu, c'est étrange, à la façon dont vous vous lamentiez du manque de protection l'autre jour.

– Je ne me suis jamais lamenté de ma putain de vie, et je parlais de ma famille.

– Au temps pour moi...

Ryan ôta ses lunettes de soleil. Comme le soleil n'était parti nulle part, Thorne ne put que supposer que c'était une posture. Peut-être que Ryan voulait que Thorne voie ses yeux.

– On n'arrive pas au top dans ses affaires en prenant la tangente quand ses affaires sont menacées. On reste à sa place, sinon quelqu'un vous la prend.

– Kevin Kelly a pris la tangente, lui.

Les lunettes de soleil retrouvèrent leur place.

– C'était une autre époque, fiston. Tu n'as pas connu.

Thorne sourit.

– Je connais des gens qui étaient là.

– Ah oui, c'est ça, bien sûr. Que devient votre Miss Marple, au fait ?

– Kevin Kelly a pris la tangente et vous a confié toute la boutique. Une sacrée chance, quand on pense que vous n'aviez pas fait grand-chose pour le mériter. D'après ce que j'ai compris, il y en avait d'autres dans l'organisation mieux placés pour y prétendre. Des gueules qui avaient de l'ancienneté, une bonne réputation, voyez ? N'empêche, ça ne dépend que du boss, et quand il décide de raccrocher, il vous donne tout. Vous avez dû cirer pas mal de pompes pour obtenir le feu vert, Billy...

Ryan garda le silence. Le soleil rehaussait le brillant de son gel capillaire.

– Donc, Kevin Kelly se met au vert, soulagé que ce ne soit pas sa petite fille chérie qui ressemble au Fantôme de l'Opéra, et le clan Kelly devient le clan Ryan...

– La mémoire de la vieille dame doit lui jouer des tours, dit Ryan. Mes souvenirs sont différents...

– Ce qui s'est passé dans cette école, aussi terrible, aussi écœurant que ce soit... vous a rendu un peu service, je dirais.

Quelque part entre les arbres en bordure de la pelouse, un chien aboyait, mais Ryan ne quitta pas Thorne des yeux. Il hocha la tête d'un air entendu.

– Je me demandais quand vous remettriez Gordon Rooker sur le tapis...

Thorne afficha le même air que lui.

– Ce n'est pas moi, c'est vous.

Il n'avait pas besoin de voir les yeux de Ryan pour savoir qu'ils s'étaient assombris. Ryan commença à marcher vers les arbres, plus vite cette fois.

Thorne resta un ou deux pas derrière lui, haussant la voix en le suivant :

– Je ne sais pas si vous avez appris ce qui est arrivé à M. Rooker. J'y pense, comme vous me parlez de lui. Il a été agressé en prison, apparemment. Il s'est fait planter. Dans le ventre. Pendant qu'il peignait, rien que ça. Il va bien, au cas où ça vous inquiéterait. Il est hors de danger à présent...

Ryan s'arrêta. Il essayait de sourire, mais ses lèvres restaient pincées, ses dents bien invisibles.

– Vous êtes ici à titre officiel ?

Thorne réfléchit à la question. Il remarqua que Ryan dansait d'un pied sur l'autre et se souvint de l'avoir vu faire pareil devant la salle de jeux vidéo, pendant qu'il attendait sa voiture.

– Ben, je suis payé pour ça...

– Parce que ça ne sert fichtrement à rien, pas vrai ? Ce que vous voudriez que je dise, même si je le disais, ne vous mènerait à rien. À moins que vous ne l'enregistriez, et, pour être honnête, mec, de toute façon, il y a des gens que moi, je paie, qui feraient en sorte que ce genre de conneries ne se sache pas. Bref, assez papoté...

– Je n'enregistre rien. Franchement, ce qui m'intéresse, c'est seulement votre avis sur certains points, et je m'efforce d'être direct.

Il fit un large sourire, enfonçant profondément les mains dans les poches de son blouson en cuir.

– Ce n'est pas à moi qu'il faut reprocher de tourner autour du pot, dit-il. Le terme qu'on emploie, c'est « être légalement audacieux ».

– Le terme que moi, j'emploie, c'est « forcer sa putain de chance ».

Ryan enfonça deux doigts dans sa bouche, et siffla en mettant le cap sur la voiture. Thorne n'aurait su dire s'il sifflait son chien ou son chauffeur.

Quoi qu'il en soit, les deux accoururent.

Dehors, il faisait froid et sombre, et ça roulait à touche-touche sur North End Road. Dans la voiture, Thorne avait chaud, et étonnamment bon moral.

Le restant de la journée, à son retour à Becke House, s'était plutôt bien déroulé, surtout parce que Tughan et le reste de la Brigade d'Intervention passaient la leur à Barkingside. Thorne avait entrepris d'éplucher une montagne de paperasses. Il avait rattrapé son retard sur certaines affaires, reléguées depuis quelques semaines au second plan.

Il s'était aussi rencardé sur les résultats des investigations menées par Holland et Stone sur les visiteurs filmés par la vidéosurveillance de Park Royal.

– Strictement aucun intérêt, avait dit Holland. La femme et la fille sont comme on pouvait s'y attendre : ni l'une ni l'autre Mère Teresa, mais je les crois assez inoffensives. Philip Simmonds, le visiteur de prison est, à mon humble avis, un peu *space*, c'est sûr, mais la plupart de ces gars-là le sont...

Stone avait acquiescé, ajouté son propre commentaire :

– Wayne Brookhouse, le petit ami de sa benjamine, n'est pas très net. Comme on s'y attendrait de la part d'un pote de Rooker, mais pas pire. Tony Sollinger est mort. Cancer des intestins, il y a trois semaines.

Là, il avait relevé la tête de ses notes griffonnées :

– Comment ça s'est passé avec Ryan, chef ?

Thorne n'était pas mécontent de sa promenade de l'après-midi à Finchley, tout comme Brigstocke, qui avait finalement réussi à convaincre Tughan qu'ils devraient au moins faire savoir à Billy Ryan qu'ils ne l'avaient pas lâché. Il n'était pas étonnant que Tughan ait eu besoin d'être persuadé de la nécessité d'une approche un peu plus musclée. C'était également ironique, étant donné qu'en théorie c'était justement le rôle de la brigade. Pas de chance que, pour son inspecteur-chef, « très actif » soit un terme uniquement associé aux médicaments anti-constipation.

Pourtant, la majorité des brigades qui constituaient la Section des crimes graves était très active jusqu'à un certain point. La brigade volante – la « Sweeney[1] » de la télévision – était la plus connue. Grâce à des sources de renseignements soigneusement entretenues, elle pouvait, parfois, empêcher que des cambriolages ne se produisent, ou même arrêter les truands en flagrant délit, calibre au poing – *au moment où ils mettaient le pied sur le trottoir* –, ce qui était le résultat le plus valorisant de tous.

Pour Thorne, et d'autres des brigades criminelles, la situation était un peu différente. Ceux qui traquaient les tueurs ne pouvaient qu'être « réactifs ». On pouvait apprendre où un cambriolage était prévu, ou quel fourgon blindé risquait de se faire braquer, mais on ne savait jamais où un nouveau cadavre allait être découvert. D'habitude, bien sûr, on ne savait jamais non plus quand, mais, en l'état actuel des choses, Thorne pouvait se hasarder à avancer qu'un, voire plusieurs corps seraient découverts beaucoup plus tôt qu'on ne s'y attendait...

Il descendait par Belside Park, passant devant les traiteurs et les épiciers bio hors de prix, quand, soudain, il décida de dîner tôt. Il tourna à gauche juste avant la station de métro de Chalk Farm, puis traversa Camden et orienta la BMW vers Seven Sisters Road. Il appela Hendricks en arrivant à hauteur de Manor House et le prévint qu'il mangerait à l'extérieur.

La nourriture était délicieuse, et les portions résolument anti-nouvelle cuisine...

1. « The Sweeney », série télévisée centrée sur des membres de la Brigade volante.

Arkan Zarif resta près de la table pour regarder Thorne prendre sa première bouchée. Thorne avait choisi un plat qu'il n'avait jamais vu – des boulettes d'agneau épicées enveloppées dans une couche de pommes de terre. Il mastiqua, hochant la tête d'un air enthousiaste, et le vieil homme lui fit un sourire ravi.

– Je choisis la viande moi-même, dit-il. Bien sûr, c'est aussi moi qui la fais cuire, mais choisir la viande, c'est le plus important.

Il regarda quelques instants encore, bouche ouverte, sourire aux lèvres tandis que Thorne prenait une autre bouchée.

– Bon, je vous laisse profiter de votre dîner...

Thorne avala et montra la chaise en face de lui.

– Non, je vous en prie. Joignez-vous à moi. Ce n'est pas souvent qu'on a l'occasion de manger avec le chef.

Zarif opina de la tête.

– Je vais boire un verre de scotch avec vous.

Il se retourna et s'adressa en turc à sa fille, qui se tenait, l'air sombre, derrière le comptoir. Elle regarda Thorne, qui lui sourit très gentiment. Le vieil homme fronça les sourcils en se rasseyant, et se pencha vers Thorne pour murmurer :

– Sema est la malheureuse de service. Vous n'êtes pas en cause.

Thorne la regarda servir un verre de Johnny Walker pour son père, et le couper d'eau minérale.

– Vous êtes sûr ? dit-il. Je peux avoir cet effet-là sur les femmes.

Zarif produisit un rire chuintant. Il se frappa la poitrine plusieurs fois de suite avec sa grosse paluche jusqu'à ce qu'il cesse.

Sema apporta la boisson, puis, sans un mot, retourna derrière le comptoir.

– *Serefe*, dit Zarif en levant son verre.

Thorne buvait de la bière. Il leva sa bouteille d'Efes.

– Ça veut dire « Respect ».

– Respect ! dit Thorne quand la bouteille et le verre s'entrechoquèrent.

Dans la petite minute de silence qui suivit, Thorne engloutit presque tout ce qu'il y avait dans son assiette. Il découpa de gros morceaux de boulettes de viande, piocha le riz à la cuiller, faisant descendre le tout avec force rasades de bière fraîche.

Zarif buvait son scotch à l'eau à petites gorgées.

– Vous aimez la cuisse de la dame, dit-il.

Thorne leva les yeux de son assiette, sans cesser de mastiquer. Il marmonna son incompréhension.

– Ce plat s'appelle *kadinbudhu*. Ce qui veut dire « cuisse de la dame ». Je dis en plaisantant que celui qui n'aime pas le *kadinbudhu* n'aime peut-être pas les dames. Vous comprenez ?

Le rire chuintant jaillit de nouveau.

– Et les végétariens ? demanda Thorne.

Zarif prit la carte en lui lançant un regard qui se voulait la preuve qu'il ne blaguait pas.

– Tous nos plats veulent dire quelque chose. En turc, tous les noms ont une signification. C'était quoi votre entrée ?

– L'aubergine grillée...

Zarif pointa le doigt sur la carte.

– *Imam bayildi*. Ça veut dire « le prêtre s'est évanoui ». Vous comprenez ? Quand ce plat a été servi au prêtre, il l'a tellement aimé qu'il s'est évanoui de plaisir.

– Vous m'excuserez de ne pas en avoir fait autant, pourtant c'était très bon...

– *Hunkar bengedi*, dit Zarif en plantant de nouveau son doigt sur la carte. C'est un plat que je réussis très bien. De l'agneau coupé en dés dans de la sauce blanche. Ça veut dire « l'empereur a aimé ».

– A-t-il aimé ça autant que le prêtre ?

Zarif ne comprit pas la plaisanterie.

– Tous les noms ont une signification, mais certains se traduisent mal. Ou bizarrement, voyez ? Nous avons des clients anglais qui nous demandent pourquoi les noms sont toujours en turc. Je leur dis que si on les traduisait, ma carte aurait des plats qui s'appelleraient *kebab ordure* ou *prostituée fourrée.*

Thorne s'esclaffa.

– Non, franchement, ça ferait fuir les gens...

– Pas tout le monde, dit Thorne. Certains viendraient exprès.

Zarif rit aux éclats, se frappant de nouveau la poitrine, faisant déborder son verre.

Soudain, Thorne pensa à son père, au plaisir qu'il aurait pris à cette conversation. Il le visualisa en train de rire, de noter les noms des plats...

– Et les noms des gens ? demanda-t-il. Tous signifient quelque chose ?

Zarif acquiesça.

– Bien sûr.

Thorne, qui avait fini de manger, repoussa son assiette.

– Que veut dire Zarif ?

Le vieil homme réfléchit un instant.

– Zarif, c'est... « prévenant ».

Thorne cligna des yeux et vit un soupçon de sang sur du papier peint gaufré. Le corps de Mickey Clayton avachi sur une chaise de cuisine. Le dos tailladé...

– Prévenant ? répéta-t-il.

Zarif acquiesça derechef. Il agita la main pour capter l'attention de sa fille, puis s'adressa à elle en turc. Accentuant sa moue naturelle, elle se dirigea vers un petit réfrigérateur d'un côté du bar.

– Et mon prénom, Arkan, c'est le plus drôle de tous. Il a deux sens, selon l'endroit où l'on se trouve et comment on le dit. Il signifie « sang noble », ou « sang honnête ». C'est bien, voyez ? Mais aussi « ton derrière ». Il veut dire « cul ».

Thorne rit en faisant tourner le fond de la bière dans la bouteille.

– Mon nom a des sens différents selon les gens, dit Thorne.

– Oui.

Zarif agita les doigts en l'air, cherchant les mots.

– Une épine, c'est petit, piquant...

– Irritant, dit Thorne en vidant la bouteille. Et on peut avoir beaucoup de mal à l'ôter du pied.

Sema s'approcha et posa un plat devant Thorne. Il regarda Zarif, quêtant une explication.

– C'est du *suklac*. C'est la maison qui offre.

C'était un simple gâteau de riz – bien épais, onctueux et fortement parfumé à la cannelle.

– Un délice, dit Thorne.

– Merci.

Thorne surprit le changement d'expression du vieil homme à la seconde où il entendit la porte s'ouvrir. Il se retourna à moitié et, du coin de l'œil, vit deux hommes entrer. L'air que prit Sema lui indiqua que les deux frères Zarif qu'il n'avait pas encore rencontrés – Memet et Tan – faisaient un saut pour se présenter.

Arkan Zarif se leva et regagna le comptoir sur lequel les hommes, tour à tour, s'appuyèrent et se penchèrent pour embrasser leur sœur. Ils s'adressèrent en turc à leur père. Thorne les observait en faisant mine de regarder ailleurs. Il contempla les carreaux décoratifs en céramique fixés aux murs à côté des certificats d'hygiène alimentaire dans des sous-verre bon marché.

Les deux frères, contrairement à Hassan et à leur père, commençaient à se déplumer. Memet, à qui Thorne donnait la petite quarantaine, avait le front dégarni et portait très court le peu de cheveux qui lui restait. Il arborait également un bouc, plus fourni que celui de Thorne, et mieux taillé, mais ne réussissant pas davantage à dissimuler un double menton. Tan, plus jeune d'une quinzaine d'années, était plus petit et maigre comme un coucou. Il ne perdait pas ses cheveux, mais il s'était rasé le crâne – pour mieux singer son frère aîné, supposa Thorne. Lui aussi avait une barbichette, mais c'était à peine plus qu'une ligne tracée au crayon au-dessus de sa lèvre supérieure et autour de la pointe de son menton, dans le genre de celle que George Michael avait cru bon de porter un moment jusqu'à ce que quelqu'un lui signale que ça faisait ridicule. Apparemment, Tan se considérait comme un dur, et il ne quittait pas Thorne des yeux pendant que Memet parlait.

Sachant que Thorne ne comprendrait pas, Memet Zarif ne prenait pas la peine de parler à voix basse en s'adressant à son père. Il souriait beaucoup et donnait de petites tapes sur l'épaule du vieil homme, mais la gravité de son ton n'échappait pas à Thorne.

Entendant son nom, Thorne leva les yeux. Il n'avait pas oublié ce que Carol Chamberlain avait dit au sujet de Billy Ryan. De ces gens qui en savaient aussi long sur vous que vous sur eux. Qui en savaient plus... Thorne soutint pendant une ou deux secondes le regard de soldat abruti par le combat de Tan, puis il retourna à son gâteau.

C'était déroutant, et même stimulant, de savoir qu'un de ces hommes – Thorne pariait sur Memet Zarif – avait sans doute donné l'ordre de faire exécuter Mickey Clayton et les autres. Si ses frères et lui s'imaginaient que la justice serait plus douce à leur égard parce que ce n'étaient pas eux qui avaient tenu le revolver ou le couteau, c'est qu'ils avaient appris moins de choses que Thorne ne le supposait. Et même si Thorne avait d'autres idées, l'opinion générale voulait que les frères Zarif soient également responsables de la mort du sergent Marcus Moloney. Quoi qu'il puisse penser de Tughan, Thorne ne doutait pas qu'il ferait en sorte que Memet, Hassan et Tan paient pour ça.

Quand Thorne releva la tête de son *suklac*, Memet et Tan étaient à hauteur de sa table.

– Vous voulez quoi ? demanda Memet Zarif.

Thorne avala et reprit une cuillerée. Quand il répondit à la question, il fit comme s'il venait de se souvenir qu'on la lui avait posée.

– Ce que je voulais, c'est dîner, ce que je fais actuellement, alors peut-être pourriez-vous être assez aimable pour me laisser terminer mon repas en paix. Si vous souhaitez vraiment que je m'énerve et fasse un esclandre dans le restaurant de votre père – que je renverse une ou deux tables sur vous, voyez, histoire d'inverser les rôles –, je vous suggère de persister dans cette attitude.

Il tourna la tête vers le plus jeune des deux frères.

– Oh, et si ce regard est censé m'intimider, je te conseille de t'acheter un nouveau manuel, fiston. Tu as, au mieux, l'air d'un débile mental...

Thorne se détourna avant que les deux hommes aient eu le temps de réagir. Il se pencha derrière eux, attira le regard de leur sœur et griffonna dans l'air – le geste universellement convenu pour demander l'addition.

Memet et Tan allèrent s'installer à une table dans un coin, où ils furent bientôt rejoints par un autre homme qui déboula du fond de la salle. Sema leur apporta du café et des petits gâteaux saupoudrés de sucre. Ils allumèrent des cigarettes et s'entretinrent à voix basse dans un sabir turco-anglais.

Arkan Zarif porta la soucoupe de l'addition à Thorne.

– Vous allez rester pour un café... ?

Thorne prit une friandise turque dans la soucoupe et examina l'addition.

– Non, merci. Il est temps que je parte, je crois.

Il fouilla dans son portefeuille.

Zarif tourna le regard vers la table dans le coin, puis le reporta sur Thorne.

– Mes fils se méfient de la police. Ils ont mauvais caractère, je sais bien, mais ils ne font pas de bêtises.

Thorne continua de mâchouiller la confiserie en se disant que la perception du vieil homme n'était pas tellement moins éloignée de la réalité que celle de son propre père. Il laissa tomber un billet de dix et un de cinq dans la soucoupe.

– Pourquoi se méfient-ils de la police ?

Zarif paraissait mal à l'aise.

– En Turquie, il y a eu quelques problèmes. Rien de grave. Memet était un peu agité, des fois...

– C'est pour ça que vous en êtes partis et que vous êtes venus ici ?

Zarif agita les mains avec force.

– Non. Nous sommes venus pour des raisons simples. Tout ce que le peuple turc veut, c'est avoir du pain et du travail. Nous sommes venus dans ce pays pour avoir du pain et du travail.

Thorne se leva et prit son blouson. Il remercia le vieil homme, vanta la nourriture, puis s'éloigna vers la porte en songeant que, son pain, on pouvait le gagner ou se contenter de prendre celui d'autrui...

Le bon sens conseillait à ses pieds de passer sans s'arrêter devant la table dans le coin, mais une autre partie de son cerveau continuait de penser aux noms.

Irritant. Et on peut avoir beaucoup de mal à l'ôter du pied...

Les trois hommes attablés se turent et le regardèrent. La fumée gris-bleu de leurs cigarettes s'enroulait vers le plafond, flottant autour des plafonniers comme la manifestation d'une dizaine de génies.

Thorne montra du doigt les volutes et les filaments de fumée, puis se pencha vers Memet Zarif.

– Si j'étais vous, je me mettrais à faire des vœux...

Ce fut sans se départir de son sourire qu'il se dirigea vers sa voiture, sortit son téléphone portable et composa le numéro en marchant.

– P'pa ? C'est moi. J'en ai une bien bonne pour toi. En fait, on peut faire toute une liste si tu veux, mais je pense qu'il faut commencer le quiz par cette énigme. Bon, tu as un stylo ? Okay, quelle sorte de.... Non, disons plutôt comme ça : où se trouve-t-on si on exige d'avoir une prostituée fourrée ?

15

Rooker avait été transféré en début de semaine à la prison de Salisbury, une des rares du pays à disposer d'une aile pour témoins protégés. Il s'était déclaré ravi de ce déménagement. Désormais, il tuait le temps avec une demi-douzaine de codétenus pour compagnie et pas un seul couteau de peintre à la ronde.

– Comment Billy Ryan vous a-t-il contacté ? demanda Thorne. De quelle manière l'idée de tuer Alison Kelly a-t-elle surgi dans la conversation ?

La salle d'interrogatoire spécialement conçue avait des murs jaune pâle fraîchement peints, mais pas tant de charme que ça. Son designer n'avait pas dû faire trop d'heures sup : une table, des chaises, du matériel d'enregistrement, un cendrier...

Rooker s'éclaircit la voix.

– J'avais déjà rencontré Ryan deux ou trois fois...

– Pour le premier contrat sur Kevin Kelly, par exemple ?

– Joker.

– Ryan vous a engagé pour ça aussi, pourtant, non ?

– Je pensais qu'on ne revenait plus là-dessus...

– C'est étonnant qu'il ait de nouveau fait appel à vous, alors que vous vous étiez planté sur ce coup.

Rooker se carra dans sa chaise et croisa les bras. On aurait dit un enfant boudeur.

– Bon, dit Thorne. Ce sera évoqué au procès. Le bavard de Ryan ne va pas vous lâcher, il fera tout son possible pour discréditer votre témoignage. Vous n'êtes pas vraiment un citoyen modèle, si ?

Rooker s'inclina lentement vers l'avant, fit glisser sa boîte de tabac sur la table et commença à s'en rouler une. Ce n'était plus le personnage que Thorne avait rencontré à Park Royal quelques mois plus tôt. Il était évident qu'il ne s'était pas encore complètement remis de son agression, mais aussi que son arrogance du début était loin d'être à prendre pour argent comptant. Thorne savait très bien que la survie en prison dépendait totalement des airs qu'on se donnait. De ce que les autres s'imaginaient qu'on était. Le faux-semblant était tout aussi utile qu'une carte téléphonique ou une spatule volée.

– Le truc, c'est que j'étais l'homme idéal, dit Rooker. Le bruit courait que c'était moi qui avais été engagé pour exécuter Kevin Kelly l'année d'avant...

– Ouais. Le bruit.

– Comme je vous ai dit, c'était ce que tout le monde croyait. Ce qui faisait de moi le choix idéal pour Billy Ryan quand il a décidé d'exécuter la fille.

– La couverture idéale.

– Exactement.

Rooker avait allumé sa cigarette. Thorne suivit des yeux la fumée qui s'élevait dans les airs, se souvenant de ce qu'il avait dit à Memet Zarif la semaine précédente, aussi envieux qu'il l'avait été alors – comme il l'était toujours en présence de quelqu'un qui s'accordait encore le plaisir de fumer. Ses rêves les plus prosaïques étaient remplis de ronds de fumée, de nicotine, et de la merveilleuse contraction dans la poitrine quand elle atteignait...

– Donc, comment Ryan vous a-t-il contacté ? Il ne pouvait pas prendre le risque d'être vu en votre compagnie ?

– Pas tout de suite, non. Tout a été organisé par une tierce personne. Un intermédiaire, un certain Harry Little. Il est mort depuis...

– Une mort suspecte ?

– Pas que je sache. Il avait une soixantaine d'années, à l'époque, je crois.

– Continuez...

– On s'est vus dans un pub de Camden. Peut-être bien le Dublin Castle, je ne me rappelle pas. En tout cas, Harry ne me lâchait plus. Hyper sympa. On n'avait jamais été spécialement potes, alors j'ai compris qu'il avait une idée en tête, et que c'était un truc costaud parce qu'il avait une certaine réputation, voyez ? Il s'est mis à me parler de Billy Ryan, en tournant autour du pot. On s'enfile pas mal de pintes, voyez ce que je veux dire ? Finalement, il m'annonce que Billy veut me voir, et qu'il me fera savoir quand et où, tout ça, et c'était déjà évident pour moi qu'il s'agissait d'un travail un peu spécial.

Il vit l'expression de Thorne changer suffisamment pour se croire obligé de préciser :

– Spécial, c'est-à-dire « différent », voyez ? Qui sortait de l'ordinaire.

Thorne acquiesça. *L'ordinaire.* Mettre une balle dans la nuque de quelqu'un, ou le pousser par une fenêtre, ou le tabasser à mort...

– Où a eu lieu la rencontre avec Billy Ryan ?

Rooker écrasa sa clope et repoussa sa chaise.

– Écoutez, on pourrait faire une pause ? J'ai vraiment envie de pisser...

Pendant l'absence de Rooker, Thorne se leva pour se dégourdir les jambes. Il marcha jusqu'au mur du fond, s'y adossa et ferma les yeux. Les visages tournoyaient dans son esprit, jouant aux chaises musicales : Billy Ryan, Memet Zarif, Marcus Moloney, Ian Clarke, Carol Chamberlain. Les visages morts de Muslum et de Hanya Izzigil. Le visage de leur fils, Yusuf.

Les deux visages de Jessica Clarke...

Un surveillant de prison ouvrit la porte et fit rentrer Rooker. Thorne le rejoignit à la table.

– Vous avez des enfants, monsieur Thorne ?

– Non.

Rooker s'assit et haussa les épaules, comme si ce qu'il s'était apprêté à dire ne se justifiait plus, ou ne servirait à rien.

Thorne était intrigué, mais surtout désireux de s'y remettre. De se barrer de là. Il appuya sur le bouton rouge du double cassette fixé au mur.

– Reprise de l'interrogatoire à... onze heures quarante-cinq minutes.

Il se tourna vers Rooker. Déjà, la boîte à tabac n'avait de nouveau plus son couvercle.

– Dites-moi ce qui s'est passé quand vous avez rencontré Billy Ryan.

– C'était sur un chemin de Eppin Forest, pas loin de Loughton. J'ai juste reçu un appel de Harry Little, un soir, et je suis allé là-bas en voiture...

– Il n'y avait que vous deux ?

Rooker acquiesça.

– On s'est assis dans la voiture de Ryan et il m'a expliqué ce qu'il attendait de moi.

– Il vous a demandé de tuer la fille de Kevin Kelly, Alison.

Rooker regarda Thorne dans les yeux. Il savait que, là, c'était important.

– Oui, c'est ça.

– Et vous en avez pensé quoi ?

Rooker sembla perplexe.

– Bah, comme vous le disiez, ça sortait de l'ordinaire.

– Tout le monde savait que Ryan était un peu barje...

– Mais quand même, une enfant ?

– Il voulait la guerre. Il voulait faire un truc qui déchaînerait ce putain de petit monde, voyez ?

Thorne cligna des yeux et revit le visage de Ryan tout près du sien, presque aussi rouge que son écharpe. Le regard vitreux. L'imperceptible tressautement autour de sa petite bouche quand il avait dit : *« Assez papoté... »*

– Était-ce l'idée de Ryan ? demanda-t-il. Qu'elle soit brûlée vive ?

– Bon Dieu, oui !

Rooker passa la main dans ses cheveux, faisant tomber sur la table une pluie de minuscules écailles blanches.

– Il pensait que, vu que c'était une chose que j'avais déjà faite, je me sentirais plus à l'aise.

– Plus « à l'aise » ?

– Je vous dis, il était barje...

– C'était tout de même quelque chose pour lequel vous étiez connu, non ? Le feu ? L'essence à briquet ? Alors, quand Ryan vous a suggéré cette méthode, certaines alarmes ne se sont pas déclenchées ?

– Lesquelles ? dit Rooker d'un air rigolard. Des alarmes incendie, vous voulez dire ?

Thorne demeura impassible.

– Regardez-moi bien, Gordon. J'en pisse de rire.

– 'scusez-moi...

– Vous n'avez pas ressenti ne serait-ce qu'une petite crainte ?

Rooker tira une longue taffe, puis une autre, retint la fumée.

– Voyons, ça allait forcément vous désigner, non ? Vous voulez sérieusement me faire croire que, pendant que vous vous demandiez jusqu'à quel point Ryan était barje, ça ne vous a pas effleuré une seule seconde qu'il envisageait peut-être de vous faire un coup fourré ?

La fumée s'échappa dans un soupir bruyant.

– Plus tard, oui. Je m'en suis rendu compte par la suite, mais on me désignait déjà du doigt de toute façon. Ouais, après coup, c'était évident, putain, et j'ai compris que j'avais été très con, mais c'était un peu tard. J'étais piégé et Ryan avait ses raisons d'en avoir après moi. À ce moment-là, bien sûr, je savais pertinemment qu'il lui fallait vraiment se débarrasser de moi pour que je ne parle pas.

– Bref, vous avez pensé quoi quand il vous l'a demandé ?

– J'ai pensé « pas question ».

– Parce que c'était risqué ?

– Parce que c'était une foutue gamine.

Thorne se pencha vers le magnéto.

– M. Rooker tape des deux mains sur la table pour souligner son propos.

Il flasha à Rooker un sourire exagéré.

– Je dis ça juste au cas où quelqu'un, en entendant ce bruit, penserait que je vous ai frappé avec une chaise ou autre...

Rooker grommela.

– Bref, que s'est-il passé quand vous avez décliné l'offre de Ryan ?

– Il n'était pas jouasse...

– Qu'a-t-il dit ?

– Il a dit qu'il trouverait quelqu'un d'autre pour faire le boulot. Je le réentends me dire exactement ça au moment où je suis descendu de la voiture juste avant qu'il redémarre : « On trouve toujours quelqu'un d'autre... »

Thorne voyait tout à fait Ryan en train de le dire. Il voyait tout à fait son visage alors qu'il le disait, et il sentit une contraction dans le creux de son ventre, parce que Ryan devait bien savoir que c'était vrai. Sa triste expérience avait appris à Thorne que c'était une des rares choses dont on pouvait être sûr. On trouvait toujours quelqu'un prêt à faire quelque chose qu'un autre refusait de faire. Quelque chose de plus sombre et de plus dépravé. Quelque chose d'inexplicable. D'inimaginable...

Thorne annonça officiellement, pour le magnétophone, que l'interrogatoire était suspendu.

Puis il appuya sur le bouton rouge.

– On reprendra après déjeuner, dit-il.

À hauteur de Newbury, Thorne quitta la M4 et s'engagea au pas dans le parking de Chieveley Services. Une voiture fit un appel de phares, et Thorne gara sa BMW à côté. Holland descendit d'une Rover de fonction, s'y adossa et attendit que Thorne le rejoigne.

Thorne avait reçu l'appel juste après sept heures sur la M3 pendant qu'il roulait en direction de Salisbury. Il s'était arrêté à l'aire de repos suivante pour s'acheter un sandwich et consulter l'atlas routier. La circulation était dense sur la route qui l'avait mené jusqu'à la M4, et pire encore pendant le trajet de retour vers l'ouest.

Holland tendit à Thorne une grosse torche électrique. Thorne la considéra, et préféra opter pour la Maglite qu'il gardait toujours dans son coffre, sortant ses gants en même temps. Balayant le sol devant eux avec le faisceau de leurs torches, ils commencèrent à s'éloigner en direction du coin tout au fond du parking.

– Comment se fait-il qu'on l'ait su si vite ? demanda Thorne.

– Coopération rapide et efficace entre nous-mêmes et les charmants garçons de la police de la Vallée de la Tamise.

L'air incrédule de Thorne fit sourire Holland.

– Je sais, difficile à croire, dit-il. Ils ont trouvé le camion ce matin, ont lancé une recherche à partir de l'immatriculation et, au bout d'un long jeu de piste de paperasses – via une demi-douzaine de sociétés différentes –, devine quel nom est sorti du chapeau ? Un drapeau sur leur système informatique alerte la bande de la Vallée de la Tamise que c'est un nom qui nous intéresse, et le tour est joué...

– Quoi, ils nous ont appelés, comme ça ?

– Étonnant, hein, que différents services travaillent si bien ensemble ! Quelqu'un devrait prévenir Mulder et Scully...

Le camion se trouvait dans le noir total ou presque. La lumière du fast-food et de la boutique à cinq cents mètres de là s'arrêtait juste avant, réduisant à tout juste deux ombres les deux flics en tenue qui montaient la garde. Comme Thorne et Holland approchaient, leurs torches capturèrent les brassards fluorescents des uniformes des policiers, et le périmètre en ruban bleu de scène de crime qui avait été délimité autour du véhicule.

Des politesses furent échangées avec les deux policiers, qui se firent une joie d'accepter l'offre d'aller boire un thé à l'intérieur. Thorne et Holland tournèrent lentement autour du camion.

C'était une cabine Mercedes blanche, prolongée par une semi-remorque tôlée de sept ou huit mètres de long. Sale, vert foncé. Aucun logo de société, aucun signe distinctif.

Thorne se hissa sur le marchepied de la portière passager, saisit la poignée du bout des doigts.

– Je suppose que les gars de la Vallée de la Tamise l'ont déjà fouillée, dit Holland.

Thorne ouvrit la portière.

– J'espère qu'ils ont pris leurs précautions. Nous allons devoir faire venir les techniciens.

– Ils sont en route...

Thorne balaya avec le faisceau de sa torche l'intérieur de la cabine. Des papiers étaient éparpillés sur les sièges et sur les tapis de sol. Ceux qui l'avaient fouillée n'avaient pas trop fait attention. Il restait à savoir si c'étaient les policiers qui avaient découvert le véhicule, ou les voleurs qui l'avaient abandonné par la suite.

– Que transportait-il ? demanda Thorne en sautant à terre. Qu'était-il censé transporter, du moins ?

– Le manifeste retrouvé dans la cabine indique qu'il s'agissait de lecteurs DVD. Chargé à bloc, du haut de gamme, bon pour la fauche.

– Ce qui est manifeste, c'est que Billy Ryan a dû déjà mettre la main dessus. On dirait bien qu'il s'est décidé à frapper les Zarif là où ça leur fera vraiment mal. Qu'en est-il du chauffeur ?

– Aucune trace. Pas même une barre chocolatée...

– Qu'en penses-tu ?

– Pas plus que vous. Peut-être que les agresseurs l'ont enlevé...

Thorne, à genoux, braquait le faisceau de sa torche sous le camion. Huile, poussière, rien d'autre.

– Ou peut-être qu'ils lui ont juste cassé la gueule et qu'il est retourné ventre à terre chez les Zarif. Dans un cas comme dans l'autre, je ne donne pas cher de sa peau.

Deux ados qui, à l'évidence, avaient vu la lumière des torches, s'approchèrent nonchalamment, venant du fast-food avec des burgers et des Coca. Thorne les éclaira. Ils crièrent et levèrent les mains pour se protéger les yeux.

– Va leur dire de décamper, tu veux bien, Dave ?

Thorne regarda Holland marcher vers eux, puis revenir vers le camion, en se disant que, pour une fois, le vieux cliché selon lequel il n'y a « rien à voir » tombait pile. Les hautes portes arrière n'étaient pas verrouillées, mais repoussées l'une contre l'autre. Après avoir essayé en vain d'en ouvrir une d'une main, Thorne posa sa torche par terre, s'agrippa à deux mains et tira.

L'odeur de pisse l'assaillit aussitôt. Il se pencha pour ramasser sa torche et l'orienta vers l'intérieur, sursautant légèrement quand Holland surgit sur le côté du camion.

– Putain !

– Pardon, dit Holland, tout sourires.

Il ajouta l'éclairage de sa torche, révélant, peu à peu, l'intérieur de la remorque vide.

– Ça sent bon, hein ? Un clodo a dû y passer la nuit, je dirais. Des gamins peut-être...

Thorne leva une jambe et tendit les mains pour prendre appui.

– Un peu d'aide ne serait pas de trop, dit-il.

Holland croisa les doigts pour lui faire la courte échelle.

Thorne y posa le pied et grimpa dans la remorque. À l'intérieur, la puanteur était encore pire.

– Pfff...

– Peut-être qu'un mec complètement bourré a cru que c'était une nouvelle sorte de toilettes publiques, suggéra Holland. Ça change de le faire dans les cabines téléphoniques...

Thorne fit jouer le faisceau de sa torche sur le sol métallique éraflé. La lumière fit luire des traînées glissantes là où le liquide avait coulé, où des flaques s'étaient formées.

En ayant assez vu, il se retourna, prêt à sauter à terre, quand la Maglite éclaira quelque chose. Il y avait des marques sur les côtés de la remorque, près du siège du chauffeur. Thorne orienta le faisceau dessus et s'en approcha lentement.

– Quelqu'un d'autre est monté ? cria-t-il.

Il connaissait déjà la réponse. Personne n'aurait pu passer à côté de ça en plein jour...

– Je n'en sais trop rien, répondit Holland. Je crois qu'ils ont juste ouvert les portes, constaté que c'était vide...

Les éraflures étaient récentes, Thorne en était sûr ; leurs marques vives sur le métal terne et sombre.

Holland, penché vers l'intérieur du camion, braqua sa torche sur Thorne.

– C'est quoi ?

Un seul mot. Dans une langue inconnue. Tracé profondément en lignes brisées sur la paroi de la remorque avec une pointe. Un clou, peut-être.

UMIT.

– Ce ne sont ni des clodos ni des gamins qui sont venus, dit Thorne. Ce ne sont pas des vidéos douteuses que les Zarif font entrer en contrebande, ajouta-t-il en se retournant vers les portes ouvertes et la silhouette de Holland dans l'obscurité, mais des gens.

– Hein ? Des clandestins ?

– Ça peut être un réseau de prostitution, mais j'en doute. Je pense que ces individus étaient tout à fait consentants. Ils ont sacrifié toutes leurs économies à la promesse d'un gangster...

Holland dit autre chose que Thorne ne comprit pas. Il pivota lentement sur lui-même, le cercle de lumière de sa torche dansant indolemment sur les parois sales. Cafardeux, se souvenant...

De la femme dans le métro, l'autre jour. Un bébé et un gobelet vide.

Des paroles d'Arkan Zarif.

Du pain et du travail...

Bien après minuit, Thorne tourna dans Ryland Road et se gara derrière une Golf bleu foncé. Il se sentait vanné. Au moment où il passait à hauteur de la voiture en direction de son appartement, il remarqua un homme endormi sur le siège passager. Thorne ralentit le pas et se pencha pour regarder de plus près. De la lumière émanait d'un réverbère à une cinquantaine de mètres de là, mais elle était très diffuse. L'homme dans la voiture ouvrit les yeux, sourit à Thorne et les referma.

Thorne continua son chemin vers la porte de chez lui, plongea la main dans une poche pour prendre ses clés. Peut-être avait-il agacé Billy Ryan plus qu'il ne l'avait cru...

Hendricks avait déjà déplié le canapé convertible et s'était allongé, lisant un livre de poche à la couverture branchouille.

Thorne l'informa des événements de la journée.

En ce qui concernait l'affaire en cours, Hendricks n'avait pratiquement plus été impliqué dans le travail depuis l'autopsie de Marcus Moloney, mais il était important qu'il soit toujours partie prenante de l'équipe. En outre, Thorne ne doutait pas que ses compétences particulières soient à nouveau sollicitées avant la fin de l'enquête.

– Tu as un message sur le répondeur, cria Hendricks pour que Thorne l'entende de la cuisine. Ça semble intéressant...

Thorne revint sans se presser avec son thé, enfonça la touche, s'assit sur l'accoudoir du canapé pour écouter. C'était un message d'Alison Kelly. Elle demandait s'il était libre le lendemain soir et laissait un numéro de téléphone.

Hendricks posa son livre.

– C'est celle à laquelle je pense ?

Thorne éteignit la lumière du salon et s'éloigna vers sa chambre.

– Difficile à dire.

Il souriait en ouvrant la porte.

– Je ne sais pas qui est celle à laquelle tu penses...

Quelques heures plus tard, Thorne revint au salon sur la pointe des pieds, aussi éveillé que lorsqu'il en était parti. Il s'approcha lentement de la fenêtre. En passant devant le canapé-lit, il se cogna le pied contre la barre métallique.

Hendricks s'étira et se redressa, réveillé par le choc ou le juron.

– Il est quatre heures du mat'...

– Oui, je sais.

Même s'il n'y avait personne d'autre qu'eux dans la pièce, l'obscurité leur imposait de parler à voix basse.

– Qu'est-ce que tu fabriques ? gémit Hendricks.

Thorne était agacé, et la douleur lancinante n'arrangeait rien.

– Là, tout de suite, je trouve qu'on est super à l'étroit ici.

Il gagna la fenêtre.

– Jusqu'à combien de temps ça peut prendre pour se débarrasser d'un petit coup de blues ?

Hendricks se tint coi.

Thorne remonta le store et regarda dans la rue. La Golf n'y était plus.

18 mai 1986

Ali et moi, on est allées en ville aujourd'hui. On s'est juste baladées, c'est tout. Ali s'est acheté un sac et deux hauts, et moi, des 33-tours. Après, on s'est payé un hamburger, et on est allées s'asseoir sur un banc devant la bibliothèque. Deux garçons glandaient, et ils n'arrêtaient pas de regarder. J'ai commencé à plaisanter avec Ali, à lui demander laquelle de nous leur plaisait. C'est tout à fait le genre de chose que j'aurais dit avant. (Ali était toujours celle qui plaisait aux garçons, d'ailleurs !) Elle semblait mal à l'aise, elle a jeté son hamburger, et je sais que j'aurais dû laisser tomber, mais je cherchais seulement à la faire rire. Je lui ai dit que c'était tout à fait vrai, ce qu'on raconte, que les jolies filles sortaient toujours avec une copine moche, et alors, elle a fondu en larmes.

Maintenant, je m'en veux de l'avoir contrariée, mais je suis furieuse aussi parce que, qu'elle se sente triste ou coupable ou je ne sais quoi, ça me paraît tellement futile, bon sang, quand je me regarde dans le miroir de la porte de ma chambre et que je vois que la moitié de mon visage ressemble encore à la viande de son hamburger.

Je sais que je ne ressentirai pas la même chose demain matin, et qu'Ali et moi redeviendrons meilleures amies avant la fin de l'année scolaire lundi, mais c'est difficile de ne pas se sentir déprimée en écrivant tout ça et en se disant que c'est ma faute. J'écris toujours le soir en regardant par la fenêtre et en écoutant The Smiths ou autre chose d'aussi noir. J'aurais peut-être dû acheter une musique plus gaie quand j'étais en ville. La bande-son au menu de demain sera offerte gracieusement par Cliff Richard ou les Wombles, ou autre...

Moment Merdique de la Journée

Cette histoire avec Ali.

Moment Magique de la Journée

La vanne d'un humoriste à la télé sur la forte propension des grands brûlés à s'enflammer pour une cause.

16

Un seul mot, écrit au feutre rouge sur le tableau blanc.
UMIT.

– Ça veut dire « espoir », dit Tughan. En turc...

Des pieds raclèrent le sol et des regards embarrassés furent échangés. Thorne se dit que si les gens qu'on avait fait descendre du camion étaient actuellement pris en charge par Billy Ryan, il ne devait certainement plus leur en rester beaucoup, d'espoir.

On était le samedi matin, au lendemain de la découverte du camion abandonné. L'équipe de la SO7 était de nouveau à Becke House afin d'examiner ce tout dernier rebondissement. Qui rebondissait, de fait, sur un sentiment de frustration de plus en plus grand...

– Les services des douanes sont sur l'affaire, dit Tughan. Je ne sais pas trop ce qu'ils vont en tirer, mais sans doute un peu plus que nous...

Thorne se trouvait, ainsi que Russel Brigstocke et le reste du noyau dur de l'équipe – Kitson, Stone, Holland et leurs homologues de la SO7 –, dans un coin de la Salle des enquêteurs. Ils regardaient Tughan piétiner un petit carré de moquette devant l'un des bureaux. Week-end ou pas, il y avait ceux qui ne faisaient jamais aucune concession à la décontraction, côté tenue, mais, malgré le costume élégant et, sans surprise, impeccablement repassé, Thorne songea que Tughan commençait à accuser un peu la fatigue, au physique comme à la voix. Peut-être pas autant que Thorne lui-même, mais il en prenait le chemin.

– Sur les frères Zarif, tu veux dire ? demanda Thorne.

Holland leva les mains en un geste exaspéré.

– Il y a sûrement un élément qui les relie à ça. Quelque chose qui nous donnerait une bonne raison de leur pourrir la vie…

Tughan posa son café et se mit à feuilleter un rapport ficelé à la hâte sur les détournements de véhicules ou de marchandises.

– C'est comme le putain de principe des six niveaux de séparation, dit-il. Entre ce camion et les Zarif, il y a on ne sait combien de sociétés de transport routier, d'agences de leasing, de contractants. Ils sont, en théorie, propriétaires du véhicule, mais si on essaie de les relier à ce que ce véhicule transportait, c'est notre vie à nous qu'on va nous pourrir.

– Je parie qu'on les fait bien marrer, dit Holland. Eux et les enfoirés de Ryan.

Tughan haussa les épaules.

– Sans aucun corps, sans les personnes qui se trouvaient dans ce camion, on n'a que dalle.

– Je n'arrive pas à croire qu'ils aient pu tout bétonner.

Holland chercha un soutien des yeux, en trouva un peu sous couvert de hochements de tête et de murmures.

– Je pense à un truc, dit Brigstocke.

Tous les regards se tournèrent vers lui.

– On a vérifié si la vignette de ce camion était valide ?

La blague reçut un accueil honnête, et du meilleur effet, même si le rire de certains se perdit dans des bâillements.

– Savons-nous qui il transportait ? demanda Kitson. Précisément, je veux dire : saurons-nous un jour combien ils étaient exactement ?

Thorne secoua la tête.

– Entre une dizaine et, je ne sais pas… cinquante ?

– On en a retrouvé autant morts à l'arrière du camion à Douvres, c'est ça ?

– Plus même, dit Thorne.

Il se souvint de l'odeur quand il était monté dans le bahut la veille au soir. Il se demanda ce qu'avait dû ressentir, quelques années plus tôt, celui qui avait ouvert les deux portes d'une remorque et regardé dans le soleil couchant les tas de morts enchevêtrés, écrasés et émaciés. Cinquante-huit immigrés chinois retrouvés, par un après-midi torride, serrés comme des sardines, asphyxiés à l'arrière d'un camion hermétiquement fermé. Leurs vêtements disposés en piles bien nettes. Celles formées par leurs corps nettement moins ordonnées...

À l'époque, on avait, bien sûr, crié au scandale. Exigé la mise en place de contrôles plus draconiens et d'actions positives afin d'infléchir ce commerce barbare. Thorne savait très bien qu'on aurait probablement davantage réagi si les cadavres à l'arrière de ce camion avaient été ceux d'ânes, de chiots ou de chatons...

– Comment se peut-il qu'il en passe autant ? demanda Stone. On ne les fouille pas, ces camions ?

– Pas tous, répondit Tughan. Ils peuvent se planquer dans des compartiments secrets ou derrière des piles de fausse cargaison...

Stone secoua la tête.

– Tout de même, on pourrait penser que les camions seraient un peu plus contrôlés après tout ce binz à Douvres.

Thorne savait qu'il n'aurait pas été nécessaire de pratiquer une fouille très poussée pour trouver ces immigrés chinois. Pour leur sauver la vie. Ils se cachaient derrière des caisses de tomates...

– Les passeurs ne sont pas des imbéciles, dit Tughan. Ils évitent au maximum les ports qui disposent de scanners, mais même ceux-là sont débordés. Il n'est pas possible de contrôler plus d'une poignée de bahuts, sinon il y aurait des files d'attente de plus de cinquante kilomètres de long pour embarquer à bord des ferries.

Thorne savait que Tughan disait vrai. Incapable de dormir la nuit précédente, il avait allumé son ordinateur qu'il utilisait rarement et surfé sur le Net pendant une paire d'heures. Il était allé sur le site du NCIS et avait pris un cours d'initiation au crime organisé turc. Il avait regardé la manière dont les gangs mafieux et les familles opéraient à la fois au Royaume-Uni et en Turquie, puis avait cliqué sur le lien avec les pages consacrées aux réseaux d'immigration clandestine.

Une lecture guère réjouissante. Et qui ne l'avait guère aidé à trouver le sommeil...

La douane se souciait davantage de trouver l'alcool et le tabac de contrebande que du passage, et *a fortiori* du commerce d'humains. Quelques scanners avaient bien été installés, mais simplement il était beaucoup trop contraignant de contrôler plus d'un petit échantillon de véhicules pris au hasard parmi ceux qui transitaient par la plupart des ports. Sept mille camions par jour passaient par Douvres ; les bons jours, cinq pour cent d'entre eux étaient susceptibles d'être fouillés. Il n'était guère surprenant que, souvent, aucun effort ne soit fait pour dissimuler les clandestins. Les passeurs n'avaient pas froid aux yeux, car ils savaient pertinemment qu'ils pouvaient se le permettre.

Tughan glosa encore un peu sur l'inutilité de tenter d'infléchir la courbe ascendante du trafic d'êtres humains. Il mentionna les vaillants efforts de la police, des services de l'immigration, du NCIS et de la douane. Il expliqua une opération, dont on attendait encore les résultats qui se révéleraient capitaux, impliquant des agents du MI5 et du MI6 ayant infiltré les organisations de responsables...

Thorne écoutait, se demandant s'il devait mettre son grain de sel. Après tout, ce n'était pas souvent qu'il connaissait les faits et les chiffres sur le bout des doigts. En général, il n'était pas du genre à faire ses devoirs à la maison. Il décida de ne pas s'en mêler, se disant que, pour certains, il était peut-être un peu tôt dans la matinée pour supporter le choc.

Yvonne Kitson avait apporté une Thermos d'Earl Grey. Elle s'en versa une tasse.

– Donc, jusqu'à ce que nous ayons retrouvé ces gens et découvert ce que Ryan a fait d'eux, nous ignorons qui ils sont et comment ils sont arrivés jusqu'ici.

Brigstocke montra du doigt le tableau blanc, le mot unique écrit en rouge : *Espoir*. Couleur tomates écrasées...

– En tout cas, nous sommes à peu près sûrs que certains d'entre eux sont turcs, dit-il. Kurdes, sans doute.

Thorne connaissait l'itinéraire le plus probable :

– De la Turquie et du Moyen-Orient par les Balkans.

Ignorant l'air ébahi de Brigstocke, d'horreur amusée de Tughan, il poursuivit :

– Puis traversée de la mer Adriatique jusqu'en Italie.

– Les passeurs ont toute une panoplie de possibilités, intervint Tughan. Ils modifient les itinéraires pour tromper la vigilance des services de l'immigration, mais il y a des endroits clés : Moscou, Budapest, Sarajevo sont toutes des points de contact relais majeurs...

Thorne sourit. Des « points de contact » ! Nick Tughan n'était pas homme à se laisser voler la vedette. Thorne s'attendait presque à le voir se précipiter à travers la salle comme un prof pour aller noter ça au tableau.

– Mais Istanbul, c'est l'incontournable. Elle est en plein sur l'itinéraire le plus direct entre les plus importants pays de départ et l'Occident.

– Exact, renchérit Brigstocke. Et les frères Zarif y ont de nombreux amis et contacts.

Holland se frotta les yeux.

– Comment entrent-ils ici ?

– Je viens de le dire, rétorqua Tughan. Les passeurs ne sont pas des imbéciles.

Moi non plus, songea Thorne.

– Ils ont aussi plusieurs options de ce côté-ci, dit-il. Ils peuvent se risquer par un grand port ou tenter un itinéraire bis, en passant par l'Irlande par exemple. Une autre porte d'entrée commence à avoir la cote : la Hollande et le Danemark, puis la traversée jusqu'aux îles Féroé, puis les Shetland et arrivée en Écosse continentale.

Thorne n'aurait su dire si le bref silence qui s'ensuivit était « impressionné » ou simplement « étonné ».

Ce fut Yvonne Kitson qui, la première, recouvra l'usage de la parole.

– Dites donc, lança-t-elle en se tournant vers lui, faussement agressive. Vous venez de quelle planète, et qu'avez-vous fait de Tom Thorne ?

Le constable Richards – le Gallois minutieux qui avait pris un tel pied à faire son discours sur les « cercles concentriques » – coupa court aux rires avant même qu'ils ne s'amorcent.

– Qu'allons-nous faire concrètement, chef ? Au sujet des Zarif et de Billy Ryan ?

Tughan esquissa un sourire, ravi qu'un des siens lui repasse le flambeau. À qui de droit.

– C'est délicat, car, des deux côtés, ils ont d'excellentes raisons d'adopter un profil bas pendant quelque temps. Les Zarif savent qu'on a l'œil sur leur commerce illégal, et Ryan a pas mal d'immigrés à écouler.

– Je n'imagine pas Memet Zarif et ses frères faire les morts très longtemps, dit Thorne. Ils voudront rendre coup pour coup à Ryan cette fois. En le touchant de près, peut-être...

Tughan y réfléchit quelques secondes.

– Peut-être, mais je pense qu'on a un peu de temps devant nous. Je veux une politique de fortes perturbations. Mettons-leur des bâtons dans les roues, cassons-leur les couilles un max.

Il pointa le doigt sur Holland pour lui rappeler ce qu'il avait dit un peu plus tôt.

– Pourrissons-leur la vie...

Thorne savait que, par « fortes perturbations », Tughan entendait surtout interpeller ou, pour le moins, harceler le menu fretin des deux organisations : dealers, racketteurs – ceux à la périphérie des cercles du constable Richards. Ça bloquerait pas mal de temps, d'effectifs et, le pire, selon l'opinion de Thorne, ça n'aurait pas l'effet escompté sur ceux qu'ils auraient vraiment dû pourchasser. C'était une politique qui pouvait donner d'excellents résultats quand les bonnes conditions étaient réunies, mais, cette fois, il y avait trop de gens dans le coup. Cela lui donnait l'impression d'être un inspecteur des impôts, et ça l'indisposait. Il avait envie de porter un coup à Billy Ryan et aux Zarif, et pas seulement au portefeuille...

– Pas convaincu, Tom ? demanda Tughan.

Apparemment, comme d'habitude, on lisait sur le visage de Thorne comme à livre ouvert...

Thorne ne supportait pas les regards posés sur lui, les soupirs à peine réprimés de ceux qui n'avaient ni les couilles ni la force mentale de donner leur avis.

– C'est comme si on essayait d'arrêter un assassin, dit-il, et que, en attendant qu'il récidive, on s'occupe en découpant ses cartes de crédit. En lui piquant quelques sous de sa paie...

La réaction de Tughan fut étonnamment calme, et même aimable.

– Nous n'avons pas affaire à des criminels lambda, Tom. Ces hommes-là ne sont pas des tueurs ordinaires.

Thorne échangea de vagues haussements d'épaules avec Brigstocke, un regard « à quoi bon » avec David Holland. Il savait que Tughan avait raison, mais ça ne le rendait pas plus content pour autant, ni moins perdu.

Thorne n'aurait jamais cru qu'un jour viendrait où il commencerait à appeler de ses vœux un bon vieux psychopathe des familles...

Thorne trouva un message de Phil Hendricks sur son portable : il allait passer la nuit chez Brendan. Thorne lui répondit par texto : il était désolé de s'être comporté comme un pauvre con la veille au soir, il espérait que ce n'était pas pour cette raison que Phil découchait.

– Qu'est-ce que Ryan va faire d'eux ? demanda Kitson.

Tous deux, de retour dans leur bureau, passaient en revue de la paperasse tandis que, dans le couloir, Tughan et Brigstocke discutaillaient toujours de la mise en place d'un plan de « fortes perturbations ». Thorne posa son téléphone et consulta sa montre avant de lever les yeux. Encore un quart d'heure, et il rentrerait chez lui.

– Sans doute la même chose que les Zarif auraient faite, dit-il. Il va les exploiter. Ces pauvres gars donnent toute leur fortune jusqu'au moindre penny, et quand ils arrivent ici, ils découvrent qu'ils doivent bien plus d'argent encore à ces « entrepreneurs ». Pendant le temps qu'il leur faut pour passer clandestinement au Royaume-Uni, ils peuvent travailler pour des organisations criminelles dans une demi-douzaine de pays différents. Ça peut prendre des mois, voire des années, et les passeurs encourent d'autres frais pendant le transport. Il y a des pattes à graisser tout le long du chemin, et ce coût se répercute sur les gens qui voyagent à l'arrière des camions.

Kitson hocha la tête.

– Donc, même s'ils arrivent entiers, ils sont endettés jusqu'au cou...

– Exactement. Mais une chance, les gens comme ce gentil M. Zarif ont des tas de boulots à leur proposer pour éponger leurs dettes. À une livre cinquante de l'heure, ça ne leur prendra que deux ou trois ans...

– Et ils n'y peuvent rien. Ils ne peuvent pas faire de scandale.

– Sauf s'ils préfèrent qu'on leur rappelle, avec éclat, à qui ils ont affaire. Je veux dire, il y en a déjà tellement, ici, de ces connards, hein ? Qui nous piquent notre boulot ou qui vivent de notre allocation chômage. Qui va remarquer s'il y en a un ou deux qui disparaissent ?

Thorne baissa d'un ton, sa voix perdant son mordant et son ironie.

– Ou bien, il y a pire. N'oubliez pas, là d'où viennent ces gens, les passeurs ont beaucoup d'amis qui savent parfaitement où trouver leurs familles.

Kitson soupira, longue expiration de résignation.

– Super, comme nouvelle vie...

Thorne pensa à tous les clichés. Il était difficile de considérer que l'espoir jaillissait pour durer éternellement, mais facile de le voir piétiné et anéanti. L'espoir, ça meurt de mort violente. À coups de matraque ou par le feu.

L'espoir, ça saigne.

Thorne laissa tomber des papiers qu'il n'avait même pas parcourus dans un tiroir qu'il referma brusquement. Ce geste détourna son attention du visage de la femme du métro. Le claquement noya le bruit du vide dans le fond du gobelet en plastique mâchouillé.

Thorne avait pas mal lu sur le trafic d'êtres humains, la veille au soir. Sur les femmes qu'on kidnappait, qu'on droguait de force pour les rendre dépendantes à l'héroïne et au commerce du vice. Il supposait que les Zarif étaient impliqués dans cette branche particulièrement lucrative.

Il y avait pire que mendier...

Au bruit de voix qui résonnèrent devant la porte, Thorne leva les yeux. Holland frappa et passa la tête dans le bureau.

– On a retrouvé le chauffeur du camion, dit-il. (Il entra.) Dans un bois derrière une aire de repos de l'A7.

– Dans quel état ? demanda Thorne.

– Tué par balle dans la tête...

– Sympa.

– Mais après qu'on la lui eut fracassée avec une branche bien épaisse.

– L'A7, dit Kitson. C'est la route principale entre Édimbourg et Carlisle. Mon ex avait de la famille par là-bas...

Holland, qui tenait son calepin en main, se mit à le feuilleter.

Thorne était tombé pile lors du briefing de la matinée. Apparemment, le camion avait été attaqué après son entrée en Écosse par l'itinéraire qu'il avait décrit. La cargaison avait sans doute été chargée à bord d'un autre véhicule, puis le camion d'origine conduit vers le sud et abandonné à Chieveley.

Holland avait trouvé ce qu'il cherchait.

– Voilà, dit-il. L'aire de repos se trouve juste au nord de Galashiels. C'est les gars des Lothian et Borders qui ont trouvé les corps.

– Qui ont trouvé *quoi* ? dit Thorne.

– Il y avait deux autres corps. Trois en tout.

Le regard de Holland passa de Thorne à Kitson.

– Aucune pièce d'identité sur eux. Une balle dans la tête.

Kitson cracha l'air de ses poumons comme si, soudain, il était devenu irrespirable.

– Deux d'entre eux auront voulu se battre, peut-être ?

Elle se tourna vers Thorne, qui acquiesça.

– Ou essayé de s'enfuir, dit-il.

– Je crois que c'est la piste qu'on explore, dit Holland.

Thorne visualisa aussitôt les deux hommes courant désespérément dans le noir à travers bois. Traçant leur voie, à bout de souffle, sur des feuilles mouillées et s'étalant en trébuchant sur des souches pourries. Il les vit tomber avant que l'écho des coups de feu ne se soit tu. Il savait que le dernier mot qui leur était passé par la tête, quel qu'il soit, juste avant que la balle ne le fasse, n'avait sûrement pas été *ümit*. On lui avait appris à porter un toast en turc ; peut-être devrait-il aller s'initier à quelques prières.

La porte s'ouvrit en grand et Holland se poussa pour laisser entrer Brigstocke et Tughan.

– Dix corps maintenant, annonça Tughan. On atteint la barre des deux chiffres. Il faut que cela cesse...

La barre des deux chiffres ? À entendre Tughan, on avait l'impression que la guerre de territoires qui opposait Ryan et les Zarif venait de dépasser un quota de victimes tacitement acceptable. Thorne avait déjà vu des choses plus étranges, mais, pour x raison, il avait l'impression que le plan « fortes perturbations » avait été mis au rebut à la lumière de la nouvelle provenant du nord de la frontière. À l'évidence, Tughan semblait avoir en tête une approche beaucoup plus directe.

Brigstocke passa une main dans ses cheveux noirs et épais, et, d'un coup de phalange, remonta ses lunettes.

– Dix corps. Les victimes civiles commencent à être dix fois plus nombreuses que les soldats[1].

1. Allusion à la phrase de H.L. Mencken : « Dans la guerre, les héros sont toujours dix fois plus nombreux que les soldats. »

– Et si on arrêtait de perdre notre temps avec les singes savants ? dit Thorne. Si on s'occupait directement des joueurs d'orgue de Barbarie ?

Tughan leva une main.

– C'est tout juste ce que nous allons faire.

– Très bien, dit Thorne, songeant : J'ai un rencard tout à l'heure, mais j'ai encore du temps. Je n'aurai pas besoin de m'attarder trop longtemps. Finchley, ça fait une petite trotte, et c'est moins fastoche d'y faire un saut, mais Green Lanes, ça ne m'oblige pas à un gros détour...

– On va coffrer Billy Ryan, dit Tughan. On va l'avoir avec l'affaire Rooker, et, au final, on aura aussi les frères Zarif. Pour le moment, notre priorité numéro un, c'est d'éviter qu'il n'y ait d'autres morts.

« Au final », le genre d'expression que Thorne aurait préféré ne pas entendre.

– Avant tout, je vais aller voir le superintendant, et il est fort possible qu'il doive en référer en haut lieu. Nous allons approcher Ryan par les voies officielles, très certainement par l'intermédiaire de son avocat, et nous ferons la même chose avec la famille Zarif, sans doute par le biais d'un leader de leur communauté ou d'un prêtre.

Tughan acquiesçait dans le vide, comme s'il essayait de se convaincre lui-même du bien-fondé de son raisonnement.

– La situation en est arrivée au point où une intervention pourra nous être tout aussi profitable qu'une investigation. Négocier avec ces gens-là n'est pas dans nos habitudes, mais si les réunir autour d'une table peut nous aider à mettre un terme à ce putain de chaos, je serai heureux de le faire.

Thorne parut songeur pendant une ou deux secondes avant de prendre la parole. Il se disait qu'il n'était guère surprenant que la proposition de Tughan ne soit pas vraiment d'enfoncer à coups de pied la porte de l'un ou de l'autre.

– Ce sera à nous de fournir les sandwichs ? demanda-t-il.

*

– Où tu vas ?

L'homme derrière le comptoir en bois brut posa la question en levant à peine les yeux de son journal. Son accent très prononcé transforma les mots en un : *outouva* ?

– Moi, nulle part, répondit Thorne, mais vous, allez derrière dire à votre patron que quelqu'un aimerait lui parler.

Thorne regarda froidement l'homme qui, à présent, lui accordait toute son attention. Il pointa le doigt pardessus son épaule vers l'espace peu éclairé du fond. Il savait qu'un autre homme, assis dans un fauteuil miteux dans le coin gauche, derrière lui, le scrutait intensément lui aussi.

Thorne brandit sa carte de police.

– Faites vite.

L'homme referma son journal en claquant des mains, cracha un mollard noir et disparut dans la pénombre.

L'agence de minicabs consistait en un hall d'entrée à peine plus grand qu'un placard à balais. Sur la droite du guichet, une porte non peinte donnait sur plusieurs pièces à l'arrière. Thorne supposa que les chauffeurs devaient poireauter tout près à bord de leurs tas de ferraille Vauxhall et Toyota, ou, peut-être dans le restau des Zarif à côté. Il se retourna et regarda sur l'écran de télévision au-dessus de la porte d'entrée quelques secondes d'un film qu'il n'identifia pas. Les infos régionales devaient passer sur l'autre chaîne, montrant peut-être les trois buts que les Spurs avaient marqués contre Everton un peu plus tôt dans la journée. Il baissa les yeux sur l'homme assis dans le fauteuil. Ce dernier arqua un sourcil, comme si tous deux n'étaient que des clients agacés de devoir attendre qu'on les conduise chez eux. Il soutint le regard de Thorne plus longtemps qu'il n'était strictement nécessaire, puis il se leva et franchit la porte latérale vers le fond du bureau.

À peine la porte s'était-elle refermée qu'elle se rouvrit et que Memet Zarif entra dans le hall. Il n'échappa pas à Thorne que, au même moment, celui à qui il s'était adressé reprenait sa place au comptoir. À quelques pas de là, en retrait dans l'ombre du fond, se tenait l'homme qui s'était levé du fauteuil.

– C'est pour un taxi, monsieur Thorne ? demanda Memet.

Il portait une chemise blanche toute simple, boutonnée au col, sur un pantalon noir et des mocassins à pompons.

Thorne lui sourit.

– Non, je vous remercie. Je crois que je préfère arriver chez moi en un seul morceau. Le dernier minicab que j'ai pris, le chauffeur ignorait que, lorsque le feu est rouge, ça signifie qu'il faut s'arrêter...

– Mes chauffeurs savent ce qu'ils font.

– Vous êtes sûr ?

– Absolument.

– Ils savent remplir les constats d'accident, c'est ça ?

Memet rit en lançant un coup d'œil à l'homme au comptoir et en faisant un signe de tête vers Thorne. L'homme du fauteuil s'avança et vint se planter à côté du réceptionniste. Il cracha du turc en direction de Thorne.

Thorne tourna vivement la tête vers lui et sourit.

– J'en ai autant à ton service, dit-il.

Il reporta son attention sur Memet, souriant toujours. Ils s'amusaient tous comme des petits fous.

– Dites donc, vous croyez que ça vaudrait la peine que j'envoie quelques policiers ici pour vérifier si tous vos véhicules et tous vos fantastiques chauffeurs sont assurés dans les règles ?

Thorne luttait contre des bruits de coups de feu jaillissant du téléviseur. Il haussa la voix :

– Je perdrais mon temps, non ?

Le son de la télé diminua soudain suffisamment pour que Thorne entende Memet soupirer :

– Vous nous prenez pour des imbéciles ?

Thorne avait l'impression que tout le monde s'y mettait pour lui dire que les individus comme Memet Zarif et Billy Ryan étaient tout sauf imbéciles. Ils étaient prudents, il n'en doutait pas, mais se refusait à gober le mythe selon lequel son équipe et lui s'attaqueraient à la branche mafieuse de Mensa. Thorne avait arrêté son content de voyous qui passaient pour intelligents, et il savait aussi que beaucoup d'entre eux étaient cons comme des manches et s'en sortaient plutôt bien. Il savait qu'en réalité la majorité des voyous qui réussissaient se fiait à son instinct, comme beaucoup de ceux qui se lançaient à leurs trousses.

Mais l'instinct était faillible, ce que Thorne ne savait que trop.

Vous nous prenez pour des imbéciles ?

Memet était sûrement assez intelligent pour charger une simple question de sous-texte. Là, il ne parlait plus d'une agence de minicabs...

Thorne passa devant lui, parlant tout en poussant la porte latérale en bois et en pénétrant dans un couloir peu éclairé :

– J'aime bien ce que vous avez fait de cet endroit.

À travers la mince cloison, il entendit les hommes au comptoir se remuer pour l'intercepter.

Memet emboîta le pas de Thorne qui marchait calmement sur un lino graisseux. Ça sentait un peu le moisi. Des écailles de peinture magnolia crissaient sous ses pas.

– Vous l'avez fait vous-même, ou vous avez engagé des professionnels ?

– Qu'est-ce que vous voulez au juste, monsieur Thorne ?

Ils passèrent devant la porte qui menait au guichet de la réception. Les deux hommes de main fixaient Thorne du regard, puis ils tournèrent les yeux vers Memet, quêtant des instructions. Au fond du couloir, il y avait un petit salon obscur. Les trois hommes assis autour de la table posèrent leurs cartes à jouer et levèrent la tête vers Thorne qui se dirigeait vers eux. Hassan Zarif s'apprêta à se lever, puis se détendit quand il vit son frère aîné derrière l'épaule de Thorne.

Thorne mesura très vite la scène du regard. Les deux autres hommes attablés étaient Tan, le benjamin des trois frères, et le Monsieur Muscle qu'il avait vu au restaurant en compagnie de Hassan quand il y était allé avec Holland. Pendant quelques secondes, les seuls bruits audibles furent la bande-son de la télé dans la salle d'attente et le gargouillement du filtre à air d'un gros aquarium de poissons tropicaux posé sur un buffet en chêne.

Thorne désigna la table. Au centre, la pile de billets froissés de cinq et de dix livres était sur le point de se répandre sur la moquette.

– Je peux faire le quatrième au bridge, si ça vous tente, dit-il.

Memet le bouscula pour passer devant lui et prit le siège inoccupé.

– Contentez-vous de nous dire ce que vous êtes venu nous dire.

– C'est drôle que vous m'ayez parlé de chauffeurs tout à l'heure. Ça me rappelle quelque chose : on a retrouvé celui de votre camion.

Memet haussa les épaules, afficha un air perplexe.

– Notre camion... ?

Hassan se pencha vers lui et lui parla en turc. Memet acquiesça.

– La police de la Vallée de la Tamise m'a appelé à ce sujet hier matin, dit Hassan.

Il s'adressa à Memet et à Tan comme s'il les mettait au courant d'un petit pépin sans importance.

– Le camion n'a subi aucun dégât, à ce qu'ils m'ont dit, le transporteur va pouvoir se faire dédommager pour sa cargaison perdue, alors je n'ai pas cru bon de contacter notre assureur.

Il leva les yeux sur Thorne.

– Je n'avais pas encore eu l'occasion d'en parler à mes frères, mais ce n'est qu'un détail.

– Transmettez nos remerciements aux policiers qui ont découvert le camion, dit Memet.

Thorne devait reconnaître qu'ils la jouaient bien.

– Pas vraiment un détail pour le chauffeur, dit-il. On l'a retrouvé à moitié décapité.

Monsieur Muscle ne put réprimer un sourire. Voyant que cela n'avait pas échappé à Thorne, il baissa la tête et se mit à rassembler les billets.

Hassan frotta son menton proéminent. Le poil dru crissait contre sa paume.

– Bah ! ça nous éclaire au moins sur un point, déclara-t-il. On peut supposer que le chauffeur n'était pas de mèche avec les agresseurs.

Memet ne réussit pas trop mal à paraître choqué et peiné, pourtant Thorne ne doutait pas que cette nouvelle représentait pour eux un certain soulagement. Un chauffeur mort était un chauffeur qui ne dirait rien à la police.

– Ils l'ont tué ? demanda-t-il en se tournant vers Hassan. Dans quel but ? Il transportait quoi, ce camion ?

Ils la jouaient même très bien. Loin d'être des imbéciles, c'était sûr...

– Il me semble que la police m'a dit que c'étaient des lecteurs de CD, répondit Hassan.

– Des lecteurs DVD, rectifia Thorne. La bonne nouvelle, c'est qu'ils n'ont pas mis le grappin sur toute la marchandise.

Monsieur Muscle continuait de remettre en ordre les billets de banque, mais à présent, les trois frères fixaient Thorne. Le visage de Memet était inexpressif. Hassan se donnait bien du mal pour paraître tout juste ingénument curieux. Tan persistait et signait son regard noir de dur à cuire.

– Absolument, dit Thorne. Il semblerait qu'ils aient balancé deux ou trois lecteurs DVD pendant leur fuite.

Seul Memet Zarif fut capable de conserver son expression et de soutenir le regard de Thorne.

– Ne vous inquiétez pas, je ne manquerai pas de vous contacter si on en retrouvait d'autres, dit Thorne. J'ai pensé que ça vous intéresserait de savoir où on en était.

Autres glouglous provenant de l'aquarium. Autres échos de voix de la télévision résonnant dans le couloir.

Au moment où Thorne se retournait pour partir, il avisa une autre présence dans le coin, à sa droite, un peu derrière lui. Il regarda dans cette direction jusqu'à ce que l'homme se penche lentement en avant et que son visage quitte l'ombre pour la lumière. Thorne reconnut alors le fils de Muslum et de Hanya Izzigil.

Thorne fit un pas vers le jeune garçon.

– Yusuf...

C'était peut-être seulement dû à l'éclairage, mais les yeux du jeune garçon semblaient différents. Un mois plus tôt, en présence de ses parents morts dans la pièce voisine, ils étaient brillants de larmes, mais ce n'était pas le seul changement que Thorne remarquait. Il y avait du défi dans leur fixité, dans leur « mortitude », et dans la posture des épaules du jeune garçon tandis qu'il fixait l'homme qui avait si lamentablement échoué à ce que justice soit faite.

Manifestement, d'autres lui avaient fait des promesses qu'ils avaient plus de chances de tenir.

– Nous prenons soin de Yusuf désormais, dit Hassan.

Thorne regarda le jeune garçon quelques instants encore, quêtant un signe qu'au moins un peu de lui n'était peut-être pas encore devenu leur. Il vit seulement que ce jeune garçon était paumé. Il se retourna, repartit lentement par où il était venu.

– Je vous laisse reprendre votre petit jeu...

– Vous êtes sûr de ne pas vouloir rentrer chez vous en taxi ? demanda Memet.

Thorne, dos à eux, ne répondit pas.

Tan Zarif parla pour la première fois :

– On vous fera un très bon prix. De Green Lanes à Kentish Town pour un billet de cinq. Qu'est-ce que vous en dites ?

Thorne sentit son estomac se nouer à l'implicite de cet itinéraire détaillé. Il se retourna et planta son regard dans celui de Tan, s'efforçant de ravaler sa panique, affectant un air dégagé.

– Il me semblait qu'on en avait déjà parlé, dit-il. Laisse tomber ces conneries de dur à cuire genre « on sait où vous habitez », ou alors change de look.

Il fit glisser son doigt d'une oreille à l'autre en suivant le contour de ses joues, la même ligne étant crayonnée sur celle de Tan par son ombre de barbe.

– Ton truc à la George Michael n'impressionne personne...

Thorne inspira à fond et retint son souffle tandis qu'il s'éloignait rapidement dans le couloir, franchissait la salle d'attente vide et ressortait dans la rue. Là, il expira et, quand il tourna la tête, vit Arkan Zarif qui l'observait depuis le seuil du restaurant.

En voyant Thorne venir vers lui, le vieil homme leva la main et la porta à sa bouche.

– Un café ? Un *suklak*, peut-être... ?

Thorne ralentit le pas, mais continua d'avancer vers sa voiture.

– Je ne peux pas. Je suis attendu...

Il était vrai qu'il lui fallait moins d'une heure pour arriver chez lui, se doucher et se changer, mais ce n'était pas seulement pour cette raison-là qu'il avait refusé l'invitation du vieil homme. Même s'il avait eu le temps, le café, Thorne le savait, aurait eu un goût encore plus amer que d'habitude.

Quand il pensait à la fille brûlée vive, il repensait souvent aux autres, aussi. À ses copines.

Elles avaient été les premières à s'en rendre compte, bien sûr, à repérer les flammes. Celle qui se trouvait le plus près, la vraie Alison Kelly, avait hurlé comme si c'était elle qui avait pris feu. Il avait un peu sursauté, peut-être même crié quand le hurlement l'avait transpercé comme une lame. Il avait tourné la tête vers le bruit, alors, et vu les flammes reflétées dans les yeux de la fille. Ils étaient marron foncé et grands ouverts, et les flammes qui montaient, qui grimpaient le long de celle qui brûlait pour de bon, paraissaient minuscules, dansant dans les yeux de sa copine en cette seconde avant qu'il se détourne et se mette à courir. Il se souvenait encore à quel point elles lui avaient paru petites, vacillantes sur le marron foncé. Lointaines.

Tandis qu'il se précipitait vers le bas de la pente raide, qu'il cavalait vers la voiture, ce hurlement l'avait suivi. Il en sentait l'écho dans son dos, roulant à ses trousses vers le bas de la côte, le faisant presque tomber. Puis les hurlements étaient devenus, bien sûr, plus forts et plus hystériques, le poussant à dévaler la pente encore plus vite.

Il s'était arrêté juste une ou deux secondes avant de bondir dans la voiture, et, à présent, il se souvenait très bien de cet instant. De son souffle court et de l'image derrière ses paupières. Il avait fermé les yeux et la forme des flammes était toujours là, imprimée. Or bordé de rouge saignant sur l'obscurité.

Un instantané de flammes. Celles qu'il avait vues bondir dans les yeux de la fille qu'on l'avait chargé de tuer.

17

– Comment avez-vous eu mon numéro, au fait ?

Alison Kelly reposa son verre, coinça une mèche de cheveux derrière son oreille.

– En le lisant sur votre carte ?

Thorne sourit et secoua la tête. Comme tous ses collègues, il possédait une carte de visite générique de la Police de Londres. Elle indiquait l'adresse de Becke House, ainsi que les numéros de téléphone et de fax du bureau. Elle portait la légende : « Travaillant pour un Londres plus sûr », imprimée en bleu en caractères guillerets. Elle laissait un espace pour écrire les numéros de mobile, pager ou autre.

– Je n'écris jamais mon numéro de téléphone personnel, dit Thorne. Et vous n'avez pas pu le trouver dans l'annuaire non plus...

Elle ne trahissait toujours rien.

– Vous avez eu mon numéro de la même façon que vous obtenez tout le reste, hein ?

Ils étaient attablés dans un coin du Spice & Life de Cambridge Circus. Alison dégustait un grand gin tonic. Thorne marchait à la Guinness, pour sa plus grande joie. La salle contenait de vastes étendues de velours rouge, bien trop de rampes en laiton et était inexplicablement bondée de touristes scandinaves tellement en forme qu'ils en devenaient crispants.

Thorne déchira un paquet de chips et en prit une poignée.

– Vous ne comptez pas me répondre franchement, c'est ça ?

– J'ai été la fille d'un gangster jusqu'à l'âge de quatorze ans. Puis tout a changé. Absolument tout. P'pa a pris ses distances avec tout ça, en nous emmenant – avec un gros paquet de son argent « sale ». Il a passé le reste de sa vie à jouer au golf et à faire des mots croisés dans son jardin d'hiver. Deux ou trois ans plus tard, Billy et moi étions ensemble, mais avec la fin de notre mariage, j'ai complètement coupé avec tout ça. Avec cette vie-là, et c'était ce que je voulais. Le milieu, ce n'était plus qu'une chose que M'man et moi voyions à la télé, et je n'étais rien qu'une petite secrétaire juridique avec un accent d'école privée et un cheval de polo. Maintenant, je suis une secrétaire juridique un peu mieux payée avec moins d'accent et sans cheval de polo. Et toujours coupée de cette vie-là. Mais...

– Mais ?

Elle sourit, prit son verre.

– J'ai encore quelques copines qui sont pas mal « plongées » dedans.

Elle but jusqu'à la dernière goutte.

– On organise une soirée « filles » deux ou trois fois par an. Vous voyez le genre : restaurant tenu par la famille, alcool à volonté offert par la maison, je me plains de mon travail et elles se plaignent que leur mari ou leur petit ami se soient fait condamner à de trop lourdes peines de prison.

– Quelle rigolade...

– Il se peut qu'une ou deux d'entre elles connaissent suffisamment bien certains policiers et puissent obtenir un petit service si elles le leur demandent gentiment. Pour obtenir le numéro de téléphone d'un flic, il n'est pas nécessaire d'être un foudre de guerre.

– Je devrais être outré, mais je suis trop occupé à penser à une nouvelle tournée.

Elle prit le verre vide de Thorne et repoussa sa chaise.

– La même chose... ?

Pendant une heure ou presque, ils parlèrent de la difficulté à faire, ou à ne pas faire, ce que les autres attendaient de vous. Il fut vite évident que c'était là un sujet que tous deux connaissaient à fond.

Thorne lui dit que s'il était de ceux qui faisaient ce qu'on attendait d'eux, ou, à tout le moins, ce qu'on les encourageait à faire, il ne se serait pas là en train de boire un verre avec elle.

Alison parla à Thorne de sa répugnance à se tourner les pouces et à seulement dépenser le fric de son vieux. Et de la déception de sa mère quand elle avait repoussé son offre de l'aider à monter son affaire.

– Vous me donnez l'impression d'avoir voulu prendre vos distances, dit Thorne. Avec l'argent. Avec tout ce qui générait de l'argent. Comme si vous le rendiez responsable de ce qui était arrivé à Jessica.

Son teint pâle rosit légèrement.

– Ce ne serait jamais arrivé si mon père n'avait pas été ce qu'il était. Ce n'est pas le fruit de mon imagination...

Tous deux burent une gorgée pour combler le bref silence qui suivit. Elle était passée au vin blanc. Thorne, à sa Guinness suivante.

– Pourquoi avoir épousé Billy Ryan ?

Elle y réfléchit quelques secondes. Juste au-dessus du bourdonnement des conversations de pub, les voix du tout dernier boy's band dérivaient depuis le juke-box du bar contigu.

– Vous allez croire que je plaisante, dit-elle, mais ça me paraissait vraiment être une bonne idée à l'époque.

– Il avait... quoi ? Trente-cinq ans ?

– Plus vieux. Moi, je n'en avais que dix-huit.

– Alors, qui donc a pu penser que c'était une « bonne idée » ?

Elle sourit.

– Pas ma mère, pour commencer. Elle estimait que la différence d'âge était trop grande. Mais P'pa était totalement pour. Je pense que quelques-uns trouvaient que c'était une bonne chose, vous savez, les anciens compagnons qui passaient le voir de temps en temps. Même si P'pa s'était retiré, et si Billy était aux commandes, certains trouvaient que c'était un bon moyen de... de ne pas couper les ponts. Entre la vieille et la nouvelle garde.

– À vous entendre, on croirait que c'était un mariage arrangé.

Elle fit non de la tête.

– Si seulement j'avais cette excuse ! J'aimerais pouvoir vous dire que je l'ai épousé pour faire plaisir à tout le monde. Dans une certaine mesure, je savais que c'était le cas. Mais le fait est que je l'aimais.

Elle se tut, mais parut vouloir ajouter quelque chose. Chercher les mots justes.

– Il était impressionnant, à l'époque.

Thorne songea au Billy Ryan qu'il avait rencontré tout récemment. Certains le trouveraient peut-être encore impressionnant, mais aimable n'était pas un mot qui venait à l'esprit en le voyant.

– Quel a été le problème ?

Elle but une bonne gorgée de vin.

– Rien... pendant un certain temps. Mais Billy avait deux facettes.

Thorne acquiesça. Il connaissait beaucoup de gens dans ce cas-là...

– Il y avait une part de lui qui voulait juste s'amuser, dit-elle. Il aimait inviter des amis ou aller à des soirées. Il m'a emmenée dans tous les clubs. Il avait envie de s'habiller, de frimer et de sortir avec des acteurs et des pop-stars. Avec des gens de l'édition. Il adorait tout ça...

– J'imagine que les acteurs et les pop stars aussi.

– Mais quand on se retrouvait en tête à tête, il pouvait être complètement différent. Quand il n'y avait plus que lui et moi, et une bouteille, il devenait quelqu'un d'autre, et c'était moi qui en faisais les frais. Peut-être que, là aussi, il s'amusait ; je ne sais pas...

Thorne vit son regard s'assombrir et il comprit ce qu'elle voulait dire. Il revit les pieds de Ryan, très cosy dans des chaussures hyper cirées, mais aussi ses épaules, puissantes sous le blazer coûteux.

Deux facettes. Le danseur et le boxeur.

– C'est une excellente raison de quitter quelqu'un, dit-il.

– C'est lui qui est parti.

– Ah.

– Il disait qu'il ne pouvait pas gérer mes problèmes. Tout ce binz avec Jessie dont j'essayais toujours de me dépêtrer.

Thorne eut bien du mal à empêcher sa mâchoire de béer. Des « problèmes » ? Un « binz » ? Qui, de A jusqu'à Z, résultait de ce que son mari avait fait ?

Alison surprit l'expression de Thorne, l'interpréta comme rien de plus qu'une légère surprise.

– J'avais de sacrées sautes d'humeur, c'était affreux, oui, je sais. Mais on ne peut pas dire que Billy ait vraiment été un soutien. Il n'arrêtait pas de me dire que j'étais névrosée... que j'avais besoin de voir un psy. Il me répétait sans arrêt que je me détestais, qu'il n'était pas possible de vivre avec moi, qu'il fallait que je dépasse ce qui était arrivé dans la cour de cette école.

Le jour où un homme payé par Billy Ryan était venu pour la tuer. Le jour où les flammes avaient dévoré sa meilleure amie sous ses yeux.

– Non, dit Thorne. Pas vraiment un soutien.

Elle fit tourner le reste de son vin dans le fond de son verre.

– Bien sûr, il avait raison, j'avais besoin de voir un psy, et c'était encore plus nécessaire après deux ans passés avec Billy. J'ai puisé dans l'argent que ma mère m'avait proposé à l'époque. J'en ai claqué pas mal pour payer des inconnus afin qu'ils m'écoutent. D'innombrables je-m'en-foutistes à cinquante livres de l'heure.

Thorne la regardait.

Elle écarquilla les yeux quand son regard croisa le sien.

– Mais je vais très bien maintenant, dit-elle.

– Tant mieux...

En finissant son verre, elle contorsionna son visage en une série de convulsions et de tics délibérément comiques. Ce n'était pas spécialement drôle, mais Thorne rit tout de même.

Elle reposa son verre et prit son sac.

– Allons manger un morceau...

Rooker regardait une araignée au plafond, regrettant qu'il n'y ait pas plus de bruit. Il y en avait toujours en prison, toujours. Même endormis, cinq cents hommes, ça faisait du boucan. La journée, ça pouvait devenir insupportable. Le martèlement des pas dans les couloirs et dans les escaliers, les cliquetis métalliques – seaux et clés –, les voix cassantes et tranchantes se répercutant d'une cellule à l'autre, d'un étage à l'autre. Le moindre petit bruit – une fourchette sur une assiette, un gémissement la nuit – était amplifié d'une façon ou d'une autre, lourd de sens. C'était comme si la colère ambiante agissait sur l'air même, l'aidait à déplacer et à porter les sons. Déformés, assourdissants. C'était une chose à laquelle on finissait par s'habituer. Une chose à laquelle Rooker avait fini par s'habituer.

Ici, pourtant, c'était une putain de tombe.

Même la tranquillité relative des ailes des D.V. où il avait séjourné était une vraie cacophonie comparée à ça. Là-bas, les délinquants sexuels aux pas traînants faisaient des bruits bien à eux. Même chose pour les vieux cons qu'ils se coltinaient. On collait toujours les vieux croûtons dans les ailes des D.V. Les victimes d'infarctus et les timbrés, ainsi que ceux qui craquaient. La plupart ne faisaient pas de vagues mais, bon Dieu, après l'extinction des feux, les raclements de gorge et les quintes de toux allaient bon train et lui donnaient envie de plaquer des oreillers sur leurs visages terreux et de traviole.

Et voilà que maintenant ça lui manquait. Le silence l'empêchait de dormir.

Il s'autorisa à sourire. Du bruit, il y en aurait pas mal dans quelques semaines, quand il sortirait – quand tout serait terminé et qu'il serait chez lui, où que ce soit. Il y aurait du silence quand il en voudrait, et des bruits qu'il n'avait plus entendus depuis très longtemps. Circulation, pubs, foules des matchs de foot.

Quand tout serait terminé...

Les séances avec Thorne et compagnie le vannaient. Thorne, surtout, avec sa façon de lui rentrer dans le lard, d'insister et d'insister, jusqu'à ce que l'effort d'en appeler à ses souvenirs et de répéter encore et encore les mêmes choses lui donne l'impression de tortiller du cul pour chier droit. Il savait qu'il fallait en passer par là, que le jeu en valait la chandelle, mais il avait oublié à quel point il les haïssait. Même quand on était censé les aider, être de leur côté, les flics n'étaient qu'une meute de bâtards.

Il sentit dans son ventre un frisson d'excitation qui lui venait souvent à présent dès qu'il pensait à la vie à l'extérieur. C'était comme un gargouillis dû à la panique. Cela faisait si longtemps qu'il s'imaginait dehors que, maintenant que c'était à portée de main, il se rendait compte que ça lui fichait une trouille bleue. Il avait connu bon nombre de détenus qui avaient fait beaucoup moins de taule que lui et qui n'avaient pas pu tenir le coup à l'extérieur. La plupart d'entre eux étaient, en un an, cassés par l'alcool et la came. D'autres suppliaient presque qu'on les remette en prison, et, finalement, faisaient en sorte que leur rêve devienne réalité.

Ça n'allait pas être facile, il en avait conscience, mais au moins, avec Ryan hors d'état de nuire, il aurait une chance. Il aurait le temps de se réadapter.

Dès qu'il avait le moindre doute, dès qu'il se demandait s'il ne ferait pas mieux de changer d'avis et de dire à Thorne et compagnie d'aller se faire mettre, il lui suffisait de se remémorer la fameuse soirée à Epping Forest, une des dernières fois qu'il avait posé les yeux sur Ryan. Il lui suffisait de se remémorer l'expression qu'il avait vue sur son visage.

Sortir lui faisait peur, mais Billy Ryan encore plus.

Rooker se tourna sur le côté face au mur, grimaçant sous l'élancement de douleur dans son ventre. Ça lui faisait toujours mal. À choisir, il préférait la douleur à la panique, mais, tout de même, il se dit que dès qu'il serait dehors et loin, et que les choses se seraient tassées, il passerait quelques coups de fil. Il demanderait un ou deux renvois d'ascenseur, et réglerait son compte à ce salopard de Fisher.

Thorne jeta un coup d'œil au réveil sur sa table de chevet. Cinq heures dix du matin. À peine dix minutes de plus depuis la dernière fois qu'il avait regardé.

Il tourna la tête pour regarder Alison endormie.

Elle était imperméable au monde, et avait à peine bougé depuis qu'elle avait fini par s'assoupir pour la deuxième fois. Thorne savait qu'il n'aurait pas cette chance-là. Il avait à peine fermé les paupières depuis qu'il avait été réveillé, presque trois heures plus tôt, par les sanglots.

Il la regarda dormir et repensa à ce qu'il lui avait révélé...

Pendant un moment, il n'avait pu lui arracher un mot. Chaque fois qu'elle voulait dire quelque chose, ça restait coincé dans sa gorge, étranglé par sa respiration laborieuse qui semblait la faire trembler de la tête aux pieds. Il l'avait serrée contre lui jusqu'à ce qu'elle se calme un peu, puis écoutée alors que, dehors, ça commençait à s'éclaircir, et que les larmes et la morve séchaient sur ses bras et sur son cou.

Elle avait posé certaines des questions qu'il avait déjà entendues, et d'autres qu'il avait lues dans son regard quand elle avait parlé de son passé. Les murmures et les sanglots avaient ajouté du désespoir qu'il n'avait perçu jusque-là que dans la voix de ceux qui venaient d'être touchés par un deuil, ou celle de parents d'enfants disparus.

Aurait-elle pu agir différemment ?

Pourquoi avait-on brûlé Jessica ?

Quand n'aurait-elle plus le sentiment que c'était elle-même qui brûlait ?

Donc, Thorne l'avait serrée fort contre lui, et, finalement, lui avait donné la seule réponse qu'il avait à sa disposition, espérant qu'elle puisse peut-être répondre à toutes ses questions.

Puis les pleurs avaient cessé très vite et, soudain, elle avait paru submergée de fatigue au point de ne même plus pouvoir maintenir sa tête droite. Elle s'était laissée tomber lentement sur l'oreiller, le visage détourné de lui, et il n'aurait su dire combien de temps elle était restée allongée ainsi, regardant le mur de sa chambre. Il savait que ce serait une erreur de demander, même à mi-voix, si elle dormait...

À présent, les yeux levés vers son abat-jour bon marché, il ne savait plus trop pourquoi il le lui avait dit. Peut-être à cause de ce qu'elle lui avait raconté au pub au sujet de Ryan. Peut-être que c'était un désir tout bête, en lui, de donner quelque chose. Ou sa foi en la vertu absolue des faits, en leur capacité à étouffer les flammes du doute et de la culpabilité. Quoi qu'il en soit, c'était fait. Thorne sentait qu'il avait pénétré dans un territoire étrange et ne savait pas trop quoi en penser.

Conscient qu'il ne parviendrait pas à se rendormir, il se leva sans bruit et se dirigea vers la porte. En passant près du lit du côté d'Alison, il regarda son visage. Il en vit la moitié, pâle dans la portion de lumière laiteuse qui saignait dans la chambre par l'interstice entre les rideaux. L'autre moitié était dans l'ombre qui la barrait comme une balafre.

6 juin 1986

On est tous partis en voiture pour aller dans un pub à la campagne. Il faisait suffisamment beau pour qu'on s'assoie en terrasse, ce qui était sans doute une bonne idée. Le pub était bondé et je ne voulais surtout pas couper l'appétit à ceux qui dégustaient leur plat du jour. Je ne pense pas que je me sentirai un jour tout à fait à l'aise en présence de beaucoup de gens.

M'man et P'pa m'ont laissée boire la moitié d'une bière, ce qui était une très bonne raison de plus d'être en terrasse !

Beaucoup de guêpes bourdonnaient autour de nous, ce qui agaçait tout le monde. Moi, je restais parfaitement immobile en espérant que l'une d'elles viendrait se poser sur moi, sur la cicatrice. J'avais envie de savoir ce qu'on ressentait, ou même si je pourrais ressentir quoi que ce soit. Mais P'pa agitait les bras et râlait, et aucune ne s'approchait de moi.

P'pa avait apporté son nouvel appareil et insistait pour prendre des tas de photos. On souriait tous les deux, comme toujours, comme si tout était parfaitement normal, et je faisais comme si tout allait bien pour moi pour ne pas perturber P'pa. Après, j'ai plaisanté en disant que la fille chez Boots allait avoir le choc de sa vie en développant les négatifs, et M'man a été un peu bizarre pendant un moment.

Plus tard, Ali m'a téléphoné pour me dire qu'elle devait s'habiller et donner un coup de main pour un dîner classe organisé par ses parents. Elle me dit qu'elle redoute. Elle me dit qu'il y aura sans doute plusieurs criminels notoires à la table qui essaieront de faire la conversation en grignotant des amuse-gueules. Ça m'a fait rire et j'ai eu envie de le raconter à quelqu'un, mais M'man et surtout P'pa ont toujours un sérieux problème avec Ali et sa famille. Je ne leur dis même pas quand Ali et moi nous voyons en dehors de l'école.

Moment Merdique de la Journée

Dans le jardin du pub, il y avait une famille pas très loin de nous, à une de ces tables en bois avec un banc fixé de chaque côté. Il y avait un ado avec eux, et une fillette de quatre ou cinq ans qui n'arrêtait pas de me regarder. Je lui faisais des grimaces. Je roulais des yeux en coinçant ma langue sous ma lèvre inférieure. Je m'escrimais à la faire rire, mais elle, elle avait seulement l'air d'avoir peur.

Moment Magique de la Journée

J'étais dans la cuisine après dîner, on écoutait la radio. M'man était sortie dans le jardin pour fumer une clope, et P'pa essuyait la vaisselle. Le dernier single des Smiths est passé, et je me suis mise à chanter en rythme. Je gesticulais comme Morrissey, en hurlant avec une voix de chat écorché ridicule, faisant l'idiote. Quand j'en suis arrivée au passage sur le fait de savoir ce que Jeanne d'Arc avait éprouvé, P'pa m'a regardée, un torchon dans une main. On a accusé le coup une seconde, puis on a tous les deux piqué une crise de fou rire à pisser dans sa culotte.

18

Si Thorne devait dresser la liste des endroits à proximité desquels il aimait le moins se trouver, le littoral figurerait en très bonne place. De l'avis général, les stations balnéaires britanniques étaient un peu moins attirantes que celles, plus glamour, d'Australie ou de Floride, mais, de toute façon, Thorne était loin d'être enthousiaste. La mer était peut-être plus chaude, plus bleue, plus « propre », là-bas, mais elle avait tout de même ses mauvais côtés.

Margate ou Miami ? Rhyl ou Rio ? En ce qui concernait Thorne, ça se réduisait *grosso modo* à choisir entre Charybde et Scylla...

Cela dit, ce qu'il avait vu de Brighton jusqu'à présent, ce matin-là, n'avait pas été trop désagréable. Un trajet de dix minutes en taxi de la gare à chez Eileen, puis une marche de cinq minutes jusqu'au pub.

La veille, le père de Thorne et son meilleur ami, Victor, avaient tous les deux fait le voyage de St Albans. Victor avait téléphoné à Thorne alors que celui-ci se préparait à sortir pour rejoindre Alison Kelly. Il lui avait dit qu'ils étaient arrivés entiers. Son père était surexcité, mais plutôt sage. Il se faisait une telle joie d'aller passer le week-end ailleurs.

Thorne aurait voulu prendre un train plus tôt, mais se préparer pour partir ce matin-là n'avait pas été chose simple. Alison l'avait surpris en train de regarder sa montre pendant qu'ils partageaient un petit déjeuner dans la cuisine, et cela n'avait fait qu'accentuer la gêne qui flottait autour d'eux, aussi forte que l'odeur du pain trop grillé.

Ce qui avait été dit aux petites heures du jour...

C'était bien plus difficile à affronter, et à commenter, sûrement, que ce qu'ils s'étaient fait l'un l'autre quelques heures plus tôt. Le sexe à la va-vite, tous deux pareillement en manque, physiquement du moins.

Le matin avait fait son œuvre sur eux, lourd, abêtissant et cruel. Il jetait une lumière nouvelle et dure sur l'indicible.

Thorne rota, un goût des Guinness de la veille. Victor rit. Eileen afficha un air désapprobateur. Son père fit celui qui n'avait rien remarqué.

– Excusez-moi, dit Thorne.

Il savait qu'il avait une petite mine, et qu'Eileen le voyait.

– J'ai eu une nuit agitée.

Eileen but une gorgée de jus de tomate.

– Ce qui explique pourquoi tu es arrivé ici si tard, dit-elle.

Le temps que Thorne arrive chez sa tante et avale une tasse de thé, le moment était venu de partir boire un apéritif vite fait avant le déjeuner dominical.

– Il ne sera pas facile de trouver un bon restaurant, dit Eileen. Ils seront tous pleins si on ne se presse pas.

Thorne ne dit rien. Eileen lui sauvait la vie depuis que la maladie de son père s'était déclarée, mais elle pouvait être un peu pinailleuse quand elle s'y mettait. Il espérait qu'elle n'était pas de cette humeur-là.

– Cannettes ou nénettes ? demanda Jim Thorne tout à trac.

Thorne regarda son père.

– Quoi ?

– Ta « nuit agitée ». Avec des cannettes ou des nénettes ?

Thorne n'aurait su dire ce qui le déroutait le plus, de la question ou de sa formulation.

– Les deux, peut-être, dit Victor.

Il sourit au père de Thorne et tous deux s'esclaffèrent.

Victor était sans doute le seul ami qui restait au père de Thorne. En tout cas, le seul que Thorne voyait. Il était plus grand et plus costaud que son père, surtout depuis que Jim Thorne avait perdu du poids. Il avait nettement moins de cheveux et un dentier mal adapté, et ces deux vieux messieurs côte à côte évoquaient souvent pour l'inspecteur un curieux duo de comiques has-been.

– Peut-être, dit Thorne.

Son père se pencha vers lui.

– Toujours une bonne idée, je suppose. Descends quelques bières et alors même les moches, tu commenceras à les trouver... c'est quoi le mot... le contraire de moches ?

Victor lui fournit des réponses.

– Jolies ? Attirantes ?

Jim Thorne acquiesça.

– Même les moches, tu commenceras à les trouver attirantes.

Thorne sourit. Curieux duo de comiques : le faire-valoir chargé de fournir régulièrement son aide pour les chutes. Il regarda Eileen qui, assise en face de lui, hochait la tête en levant les yeux au ciel. Son humeur n'allait pas trop mal.

Victor leva son verre, comme pour porter un toast.

– Verres de bière correcteurs, dit-il.

– Il en va de même pour les femmes, vous savez, dit Eileen. Il nous arrive de porter des verres de vin correcteurs.

Elle pointa le doigt sur le père de Thorne.

– Je suis sûre que Maureen en portait une paire le soir où elle est sortie avec toi.

Thorne observa son père. Ils n'avaient pas beaucoup parlé de sa mère depuis sa mort. Et presque jamais depuis la maladie d'Alzheimer. Il se demanda comment le vieil homme allait réagir.

Jim Thorne acquiesça ; ça l'amusait.

– Tu as sûrement raison, ma grande, dit-il. Des culs de bouteille, même.

Il leva son verre jusqu'à ce qu'il recouvre la moitié de son visage.

– Moi, j'étais parfaitement sobre...

Une fois le verre éclusé et reposé, Thorne tenta, en vain, de croiser le regard de son père. Le vieil homme lançait des coups d'œil aux quatre coins de la salle.

Le pub était vieillot au pire sens du terme et à moitié désert – ceci expliquant cela, sans doute. Ils étaient assis dans une salle de bar minuscule – le genre de pièce à laquelle on devait donner autrefois le nom d'alcôve – autour d'une table en métal bancale, près de la porte. L'absence de toute ambiance était surtout due à l'éclairage au néon. Il bourdonnait au-dessus des têtes, gommant tout le reste. Il conférait au lieu un faux air de salle d'attente qui sentirait la bière.

Thorne savait pourquoi ils avaient choisi ce pub-là : son père aimait les endroits puissamment éclairés. Il n'arrêtait pas de faire le tour de sa maison en allumant toutes les lumières, même en plein jour. Ça pourrait passer pour de la distraction, mais Thorne pensait que le vieil homme essayait tout bêtement de repousser l'obscurité, conscient qu'elle gagnait peu à peu du terrain et bataillant pour rester dans la lumière, là où il pouvait voir. Où on pouvait encore le voir...

– Qui veut remettre ça ? demanda Victor.

Eileen fit non de la tête, fit glisser loin d'elle son verre vide.

– Si nous voulons trouver quelque part où bien déjeuner un dimanche...

Ils commencèrent à rassembler leurs affaires – sacs, manteaux, chapeaux. Pendant qu'Eileen, Victor et son père s'éloignaient lentement, un par un, vers la porte, Thorne regarda sous la table pour vérifier que personne n'avait rien oublié.

Il aurait préféré être ailleurs. Il pensait à l'affaire ; à Rooker, à Ryan et à deux hommes détalant à toutes jambes dans une forêt obscure en espérant sauver leur peau. Il visualisait Alison Kelly et Jessica Clarke ; des visages sur son oreiller et dans un tiroir à côté de son lit.

Sous la chaise qu'elle avait occupée, il trouva le parapluie d'Eileen. Il le récupéra et la rejoignit à la porte. En y repensant, peut-être que cette journée dehors n'était pas une mauvaise idée. Avoir l'impression d'être un jeune entraîné bon gré mal gré par trois adultes un peu étranges était, si ça se trouvait, juste ce qu'il lui fallait.

Ils marchèrent en direction du front de mer. Thorne traînait des pieds et regardait des trucs qui ne l'intéressaient pas vraiment pour éviter de trop distancer son père et les autres.

Le printemps, vieux de seulement quelques jours, n'avait pas encore pris racine. Il faisait gris – le genre de temps que Thorne associait au bord de mer. Il ne put s'empêcher de se dire que ce serait complet si Eileen avait une raison d'ouvrir son parapluie. C'était, il le savait, un peu injuste pour la ville de Brighton. Chère et extrêmement à la mode, dotée d'une scène musicale florissante et de la réputation d'être la capitale gay de la Grande-Bretagne, elle était loin d'être la station balnéaire de base. Pourtant, les préjugés ayant la peau dure, du point de vue de Thorne, quand il y avait une chanson de rock portant dans son titre le nom d'un lieu, il préférait ne pas y mettre les pieds.

Comme pour confirmer son opinion préconçue, des gens prenaient un « bain de soleil » sur la plage. Plusieurs familles campaient sur les galets, leurs anoraks claquant sous le vent, leur chair de poule visible à cent mètres. Obstination, optimisme, bêtise – on appelait ça comme on voulait. Aux yeux de Thorne, c'était l'incarnation la plus parfaite de l'anglicité qu'il ait vue depuis longtemps.

– Non, mais regarde-moi ces andouilles, dit Eileen. Par ce temps !

Thorne sourit. Il y avait d'autres choses, bien sûr, qui étaient encore plus « british »...

– Il fait bigrement froid, je trouve, ajouta-t-elle en plaquant son manteau contre sa poitrine. Dix ou douze degrés tout au plus, je dirais. Plus froid, en tenant compte du facteur de refroidissement éolien.

Le « facteur de refroidissement éolien ». Un concept très aimé, curieusement, par les météorologues depuis quelques années. Thorne se demandait d'où il venait, et s'ils l'utilisaient là où le refroidissement éolien pouvait effectivement être un facteur.

Eh bien, ici, au Spitzberg, il fait moins quarante degrés, mais en tenant compte du « facteur de refroidissement éolien », il fait officiellement assez froid pour que même les eunuques se gèlent les couilles.

Ils avançaient, Thorne écoutant son père blablater sur combien d'années, combien d'ouvriers, combien de milliers de litres de peinture dorée avaient été nécessaires pour parachever le Pavillon Royal, jusqu'à ce qu'ils atteignent le restaurant. Eileen en appela à sa voix la plus snob pour demander une table. Une fois qu'ils furent installés, Thorne, qui avait d'ores et déjà décidé qu'il paierait le repas, consulta les prix. Tous choisirent la *Formule Spéciale Dimanche*. Ça n'allait pas le ruiner.

– C'est sympa, dit Victor.

Eileen acquiesça.

– Normalement, le dimanche, je prépare un déjeuner copieux pour tout le monde, mais Trevor et sa femme ne sont pas là, et Bob est allé jouer au golf, alors j'ai décidé de ne pas m'embêter. Et quel bonheur de se faire une petite sortie, non ?

Thorne grommela en songeant que, à moins d'un billet de dix livres par tête de pipe, « bonheur » était peut-être un peu fort.

– Dommage que nous ne voyions pas Trevor et Bob, dit-il.

Trevor était le fils d'Eileen, et Thorne se dit qu'il n'était probablement allé nulle part. Déjeuner avec Tonton Jim le Dingo ne constituait pas vraiment une perspective irrésistible. Cela expliquait sûrement la partie de golf de son mari, organisée à la hâte quand il avait appris que le beau-frère toqué et son copain tout aussi toqué venaient passer le week-end...

– Je sais, dit Eileen. Ils m'ont chargée de vous dire qu'ils auraient eu tellement de plaisir de vous voir.

Soudain, Thorne eut énormément pitié d'elle. De devoir mentir. De devoir supporter les conneries de son père. De faire tout ce qu'elle faisait sans rien recevoir en retour. Thorne n'arrivait pas à se rappeler s'il l'avait déjà vraiment remerciée pour quoi que ce soit.

– Ce sera pour la prochaine fois, peut-être, dit-il.

Eileen acquiesça en regardant le père de Thorne. Il fixait la table, tapotant contre ses dents le côté non tranchant de la lame de son couteau.

– Je crois que ton père passe un bon moment.

Victor tendit le bras pour prendre la cruche d'eau.

– Un super moment, c'est sûr, dit-il.

– Vous avons-nous remercié de nous l'avoir amené ? demanda-t-elle.

Le visage de Victor s'illumina.

– De rien, vraiment. C'est sympa pour nous deux de faire une petite escapade.

– Merci tout de même. Je ne pouvais pas aller le chercher, et il n'aurait pas pu venir ici sans vous... pour lui tenir compagnie, quoi.

– Il n'est pas un problème, vraiment.

Thorne savait que ces deux êtres aimaient son père, qu'ils sacrifiaient beaucoup d'eux-mêmes pour lui, mais ça l'agaçait toujours autant de les entendre parler de lui comme s'il n'était pas là.

– Il sait être un problème quand il veut en être un, dit Eileen.

Victor rit et servit un verre d'eau à Jim Thorne.

Thorne se déconnecta de la conversation et détourna les yeux, fouillant la salle du regard pour voir s'il apercevait des signes avant-coureurs de leurs *Formules*. Il sentit une main sur son bras et vit qu'elle appartenait à son père.

– Tu as l'air d'avoir beaucoup de choses en tête, fiston, dit le vieil homme.

Thorne acquiesça. Dans sa tête, une jeune fille battait des bras en traversant comme une flèche la cour d'une école, dansant dans une cuisine, basculant dans le vide du toit d'un parking aérien...

Jim Thorne se pencha vers lui et murmura :

– Parfois, je trouve que tu l'es encore plus que moi.

Il tapota le côté de sa tête avec son doigt. Sur sa tempe, ses cheveux étaient blancs, alors que ceux de son fils étaient gris.

– Tu devrais essayer ça, Tom. Je te le recommande chaudement. Même si on se sent très mal, même si ça nous fait beaucoup souffrir de penser à un truc, une demi-heure plus tard, on se souvient de que dalle. Juste comme ça, *pfuit*, parti. Génial. Une cervelle de poisson rouge...

Thorne considéra son père quelques secondes. Il ne trouvait rien à répondre à cela. Il fut sauvé par une serveuse qui se matérialisa à côté de leur table avec quatre bols de soupe apparemment trop liquide.

– Le quatre et le trois, ça nous fait donc quarante-trois...

Quand Eileen avait suggéré le bingo, Thorne avait éprouvé comme une pulsion suicidaire, et l'enthousiasme de Victor et de son père n'avait pas contribué à changer son humeur. Ils étaient passés devant le peu qu'il restait de la jetée ouest, désormais presque en ruine après avoir pris feu avec une régularité suspecte. Ils avaient continué de marcher jusqu'à Brighton Pier, anciennement Palace Pier, mais rebaptisée depuis que c'était la seule jetée de la ville encore en activité. Thorne avait tiré la gueule pendant tout le trajet.

Le bingo. C'était à égalité avec le karaoké et se planter dans les yeux des aiguilles chauffées au rouge...

– Les canetons, il y en a deux, c'est le vingt-deux.

Mais maintenant qu'il jouait, le plaisir de la partie prenait le dessus chez lui. Même si les lots offerts – un gros ours en peluche et un marteau gonflable géant – ne justifiaient guère l'emballement de son cœur.

– À sept, ce serait mieux, le cinq !

– *Bingooooo !*

Le cri avait jailli de la gorge d'une vieille dame assise non loin de Thorne. Il pesta dans sa barbe, et s'enfonça dans sa chaise en même temps que tout le monde. Il fit glisser les jetons en plastique bleu qui recouvraient tous ses numéros sauf deux.

Eileen était assise entre son père et lui.

Le vieil homme se pencha devant elle, hilare.

– Si tu as cent vieilles autour de toi, comment on s'y prend pour que quatre-vingt-dix neuf crient « Je suis baisée » ?

Thorne secoua la tête.

– Je ne sais pas.

– En demandant à la centième de crier « bingo ».

Thorne avait déjà entendu la blague, mais rit tout de même, comme toujours.

– Tu attendais combien de numéros ? demanda Eileen.

– Seulement ces deux-là.

– On imagine ce que ça donne dans une grande salle. Des dizaines de milliers de livres sont en jeu, parfois. Et même plus à l'échelon national...

Thorne se jura aussitôt de ne jamais s'aventurer dans ces lieux-là. Si la surexcitation était proportionnelle aux sommes à gagner, il tomberait certainement raide mort sur-le-champ.

Là où ils se trouvaient, dans la galerie de jeux au bout de la jetée, ça ne devait pas être très différent de ces immenses salles de bingo qui fleurissaient çà et là aux quatre coins de Londres. La plupart étaient d'anciens cinémas, mais certaines conservaient encore la splendeur des salles de concert qu'elles avaient été à l'origine. Thorne et les autres étaient assis sur d'inconfortables chaises en plastique moulé autour d'une petite estrade, les grilles en plastique devant eux, et des fentes dans lesquelles glisser leurs pièces d'une livre. C'était simple et rapide. On ne jouait pas pour de l'argent. C'était du bingo light.

– Prochaine partie dans une petite minute...

La voix de l'animateur était répercutée par la sono bas de gamme.

Thorne leva les yeux vers lui. Il était sec comme un coup de trique et dégarni. L'énorme micro qu'il pressait contre sa bouche masquait la moitié de son visage. Ses grosses lunettes de soleil cachaient le reste. Étant donné le côté minable de l'organisation, la concession à l'étiquette sous la forme d'une chemise à ruches et d'un nœud papillon sur le retour forçait l'admiration.

Thorne glissa sa pièce dans la fente pour le tirage suivant.

– Venez, venez, mesdames et messieurs, il ne reste plus que quelques places...

Thorne regarda autour de lui. Il n'y avait que six ou sept personnes dans toute la salle. Le mec était aussi excessif que Brighton.

– On baisse les yeux pour le premier numéro...

Thorne inclina le buste en avant, doigts en l'air, prêts à faire basculer les carrés en plastique. Non loin de lui, à sa droite, il entendait que son père riait encore à sa plaisanterie sur le bingo. Il vit Eileen se pencher vers lui, lui murmurer quelque chose, prendre une pièce et l'enfoncer dans la fente à sa place.

– Le cinq et le six, ça nous fait donc cinquante-six...

Le père de Thorne rit de plus belle. La dame âgée qui avait gagné le lot précédent leur fit « chut » en hochant la tête. Les bougonnements et les murmures s'intensifièrent à la droite de Thorne. Il se tourna au moment même où Eileen tendait la main vers lui pour implorer son aide.

– Le deux et le sept, cria soudain son père, ta mère aime la sucette !

Victor pouffa de rire, et Thorne vit les couleurs refluer du visage d'Eileen. Il tendit la main pour attraper son père par le bras.

– P'pa...

– Le deux et le un, c'est Popaul dans la main !

Thorne se leva et passa derrière Eileen pour rejoindre son père. Il entendit ricaner, puis une voix encourageante quelque part derrière lui.

– Vas-y, mon gars, lève-toi et lâche-toi !

Thorne baissa la tête jusqu'à toucher celle de son père. L'expression d'exaltation, de jubilation, qu'il lut sur le visage du vieil homme lui coupa le souffle.

– Les deux grosses dondons, annonça son père. Inbitables, l'une comme l'autre !

Un sifflement de larsen se fit entendre quand l'animateur posa son micro. Thorne fut choqué de voir que l'homme n'avait plus de dents et avait au moins vingt ans de plus qu'il ne lui avait donné. Du coin de l'œil, Thorne aperçut un homme en costume foncé – le directeur sans doute – marcher résolument vers eux, un talkie-walkie à la main. Thorne savait qu'il devait se ressaisir, préparer les excuses et explications habituelles, mais il était trop mort de rire.

Le café acheté à la gare de Brighton avait refroidi. Thorne regardait par la vitre du compartiment l'obscurité défiler au rythme beaucoup trop lent du train qui le ramenait à Londres. Il laissa sa tête retomber en arrière et ferma les yeux, se demandant pourquoi il se sentait aussi rarement fatigué au lit, quand il devait dormir.

Il imagina son père et Victor couchés dans les lits jumeaux de la chambre d'amis d'Eileen et parlant de leur journée. Riant de ce qui s'était passé à Brighton Pier. En vérité, il ne savait pas du tout si son père avait conscience de ce qu'il faisait dans ces moments-là. Étaient-ce des événements qu'il pouvait se remémorer en toute objectivité et avec plaisir ? Thorne espérait que oui, et imagina son père bataillant pour retenir le souvenir de ses exploits d'animateur de bingo avant qu'il ne lui échappe tout à fait.

Pfuit, parti. Génial. Une cervelle de poisson rouge...

Un peu plus tôt dans la journée, Thorne s'était imaginé être un enfant au milieu d'un troupeau d'adultes excentriques. Il savait, bien sûr, que c'était une illusion momentanée, qu'en réalité c'était l'inverse qui était vrai – qu'essayer de veiller sur son père, c'était aller au plus près, au plus près qu'il n'irait peut-être jamais, d'être parent.

Il n'eut pas le courage de réprimer un énorme bâillement. Après quoi, son regard croisa celui d'une femme assise en face de lui. Il lui sourit. Apparemment aussi vannée que lui, elle répondit à son sourire.

Il avait entendu des tas de choses sur le fait d'être parent. De vieux briscards comme Russel Brigstocke et Yvonne Kitson. De David Holland, qui avait toujours des traînées laiteuses sur ses revers. Tout ce qu'ils lui avaient dit lui paraissait soudain correspondre à sa situation...

Personne ne pouvait vous y préparer.

On apprenait tous les jours.

Il n'y avait pas de bonne et de mauvaise méthode.

Pour avoir parlé à ces gens, écouté leurs conversations, Thorne n'ignorait pas que quelquefois il fallait taper du poing sur la table. Et qu'à certains moments, après l'avoir fait, on se sentait nul en se rendant compte qu'on s'était trompé. À présent, il comprenait de quoi ils parlaient. Parfois, même s'ils n'aimaient pas ce que leurs enfants faisaient, ou les effets de leur comportement sur les autres, il était important d'accepter que l'enfant s'amuse tout simplement. Il revit l'expression du visage de son père pendant qu'il criait des obscénités...

Thorne se demanda s'il était trop tard pour appeler Alison Kelly, décida que oui, prit son téléphone et composa tout de même le numéro.

– Salut, c'est Tom. Allô... ?

– Salut...

– Désolé, c'est un peu tard. Je me demandais comment tu allais.

– Je suis fatiguée.

– Moi aussi. Quelle nuit.

Elle rit.

– Oui, en effet, non ?

Thorne la visualisa nue. La visualisa en pleurs. La visualisa détournée de lui, essayant de digérer ce qu'il lui avait dit.

– Je me demandais comment tu allais après ce que je t'ai appris.

Des grésillements brouillèrent la ligne. Thorne crut que ça ne captait plus, le vérifia sur l'écran de son portable.

– Ça va, finit-elle par dire. Je... t'en suis reconnaissante.

– J'aurais mieux fait de ne pas te le dire.

– Tu m'as dit la vérité...

– Tu étais bouleversée...

– J'avais besoin de la vérité. J'ai besoin de la vérité.

Thorne remarqua que la femme en face de lui détournait la tête. Il baissa d'un ton.

– Certaines vérités sont plus dures à entendre que d'autres.

Il y eut un moment de silence.

– Alison... ?

– Je suis une grande fille.

Un autre rire, dénué d'humour.

– Du moins, il faut bien que je sois une grande fille...

– Tu veux qu'on remette ça ? Qu'on se refasse une sortie ?

Il entendit un soupir exhalé lentement.

– Pourquoi est-ce que je pense que tu cherches seulement à être sympa ?

– Non, je t'assure...

– Accordons-nous quelques jours, d'accord ? Voyons comment nous sentons la chose...

À cause de l'obscurité de l'autre côté de la vitre, Thorne mit quelques secondes à se rendre compte qu'ils passaient sous un tunnel. Cette fois, son portable ne captait plus. Il regarda dans le vide quelques minutes, puis il tendit le bras de l'autre côté de l'allée pour prendre un journal abandonné sur une tablette. Il le retourna et commença de lire la dernière page.

Il dormait avant de l'avoir finie.

19

La serveuse fit glisser jusqu'au milieu de la table une assiette de biscuits savamment disposés. Elle prit le plateau vide et recula, s'arrêtant à la porte pour lancer un coup d'œil un peu perplexe au groupe d'hommes et de femmes réunis dans la salle de conférences.

C'était, assurément, un panel hétéroclite...

Le superintendant en chef Trevor Jesmond s'éclaircit la voix bruyamment et attendit que le silence se fasse.

– Peut-on commencer, mesdames et messieurs ?

Thé et café furent servis pendant que Jesmond faisait les présentations.

Il y avait sept personnes autour de la grande table rectangulaire. Jesmond présidait, flanqué, à sa droite, d'une constable turcophone. Du même côté de la table était assis Memet Zarif, près d'un homme âgé décrit comme une figure très respectée de la communauté turque. Face à eux se trouvaient Stephen Ryan et une femme très chic du nom d'Helen Brimson, désignée par Jesmond comme étant l'avocate représentant la Société Immobilière Ryan. Le dernier à être cité transpirait sous son blouson en cuir, un stylo à la main et une liasse de feuilles de papier devant lui.

– L'inspecteur Thorne prendra des notes. Rédigera le compte rendu de la réunion...

Helen Brimson inclina le buste.

– Je présume que cette procédure sera soumise à validation par un certificat d'immunité au nom de l'intérêt public ? intervint-elle.

Jesmond acquiesça, et continua de le faire tandis qu'elle poursuivait :

– Je demande confirmation que toutes ces notes serviront uniquement à la rédaction d'un document interne aux services de police, qu'aucune d'elles ne sera révélée lors d'un procès si une procédure judiciaire devait survenir ultérieurement...

Thorne notait sans réfléchir, espérant seulement qu'il n'aurait pas à se taper trop de foutaises juridico-légales de ce genre.

– Cette réunion fait seulement partie d'un processus de consultations intercommunautaires, dit Jesmond.

Écartant les bras, il ajouta :

– Je suis heureux que tout le monde ait accepté d'y participer, et de venir ici ce matin...

« Ici » désignait un hôtel banal et anonyme à la périphérie de Maidenhead. Un hôtel pour hommes d'affaires, comme la centaine d'autres qu'on trouvait autour de la M25. Très facile d'accès et très discret.

C'était pour parler de cela, pour essayer de finaliser la chose, que Tughan les avait réunis autour de la table voilà un peu plus d'une semaine.

Zarif posa la main sur l'épaule de l'homme assis à côté de lui, « la figure très respectée de la communauté turque ». Tous deux arboraient un costume élégant et un sourire irréprochable.

– Mes frères et moi avons été priés, par l'intermédiaire de notre cher ami ici présent, d'aider la police par tous les moyens. J'avoue que je considérais que nous faisions déjà tout ce qui était en notre pouvoir pour soutenir de notre mieux ces investigations, mais s'il y a quoi que ce soit d'autre que nous puissions faire, nous en serons, bien entendu, très heureux.

Jesmond acquiesça. Thorne nota. Apparemment, c'était bien parti pour un festival de conneries.

– Même chose pour moi, dit Stephen Ryan.

Grosse chaîne en or pendant à son cou. Veste en daim coûteuse sur chemise à col ouvert.

– Et pour mon père et tous ceux qui sont liés à la Société Immobilière Ryan. Une importante réunion de travail empêche mon père d'être présent aujourd'hui, mais il tenait à ce que j'insiste sur le dégoût que ces meurtres lui inspirent...

Thorne n'en croyait pas ses oreilles. Il songea à Alison Kelly. Il s'était écoulé un peu plus d'une semaine depuis qu'il lui avait téléphoné du train. Ils n'avaient pas repris contact depuis...

– ... et sur son désir d'éviter tout autre bain de sang.

Stephen Ryan décocha un regard à Thorne à l'autre bout de la table.

– Vous écrivez tout ça ?

Thorne songea : J'aimerais prendre ce stylo et te massacrer la gueule, connard de mes deux.

Il écrivit : « Ryan. Dégoûté de. Désireux de. »

Jesmond coupa un biscuit en deux, veillant à faire tomber les miettes dans l'assiette.

– Je n'ai pas besoin de vous dire à tous que c'est ce que nous voulons entendre. Mais nous aurons besoin d'action pour que les choses changent. Pour que le bain de sang dont vous parlez cesse vraiment.

– Évidemment, dit Zarif.

Ryan leva les mains. *Cela va sans dire.*

Jesmond mit ses lunettes, prit une feuille de papier et commença à lire les noms imprimés dessus.

– Anthony Wright. John Gildea. Sean Anderson. Michael Clayton. Muslum Izzigil. Hanya Izzigil. Sergent Marcus Moloney.

Là, il se tut, et son regard fit le tour de la table.

– Et tout récemment, Francis Cullen, un chauffeur routier longue distance ainsi que deux corps encore non identifiés découverts avec le sien.

Thorne regarda Ryan, puis Zarif. Tous deux affichaient un air sérieux, d'une gravité de circonstance après le décompte de ces victimes. Ceux qui avaient perdu. Ceux qu'ils avaient fait assassiner.

– Eux, ce sont les morts que nous connaissons, reprit Jesmond. Ce sont les meurtres sur lesquels nous enquêtons actuellement, qui tous, dans une certaine mesure, impliquent vos familles ou vos affaires...

L'avocat de Ryan voulut intervenir.

D'un geste de la main, Jesmond l'en empêcha.

– Ou, pour le moins, touchent vos familles ou vos affaires. Maître Brimson ?

– J'ai conseillé à mon client de ne rien dire, dans le cadre de cette réunion, sur quelque affaire que ce soit que vous pourriez être amené à lui demander de commenter.

– Voilà ce qui s'appelle être précis, dit Thorne.

Il reçut un sourire glacé.

– « Pourriez », ai-je dit. « Pourriez ».

– Comptez sur moi pour bien le noter, rétorqua Thorne.

Zarif se servit une deuxième tasse de café.

– Votre attitude est une honte, monsieur Ryan. C'est le refus des gens de parler de ces choses-là, de s'impliquer, qui est si dangereux. C'est ce qui rend ces meurtres possibles.

Le vieil homme assis près de lui tiraillait sa barbe, approuvant de la tête avec enthousiasme.

– Certains, dans ma communauté, ont peur de parler, reprit-il.

Il se tourna vers Jesmond.

– Nous pensions que ceux dans le... cercle de M. Ryan seraient peut-être plus audacieux.

Zarif manœuvrait pile-poil. La colère de Ryan était contrôlée, mais palpable.

Pendant dix longues secondes, personne n'ouvrit la bouche. Thorne écouta le bruit des voitures passant sur l'autoroute toute proche, le vrombissement d'un ventilateur dans la bouche d'aération au plafond. Le temps virait au beau depuis quelques jours, et, dans la pièce, l'air semblait sec et vicié.

– Ces meurtres, peu importe qui étaient ou ce qu'étaient les victimes, sont purement et simplement inacceptables, finit par dire Jesmond. Ils affectent des gens d'un grand éventail de communautés. Les gens et le commerce...

Thorne écrivait, en songeant : Ils affectent des chances de promotion...

Ryan eut un fin sourire.

– Parfois, c'est la même chose, dit-il.

– Pardon ? fit Jesmond.

– Les gens et le commerce.

Ryan se pencha en avant et regarda intensément Zarif du côté opposé de la table.

– Parfois, le commerce, ça peut être des gens, justement. Vous voyez ce que je veux dire ?

À présent, c'était au tour de Zarif d'en appeler à son self-control. Il savait que Ryan faisait allusion au trafic d'immigrés clandestins, à l'attaque du camion. Il se tourna vers le vieil homme à côté de lui et marmonna quelque chose en turc.

Une fois qu'il en eut terminé, la constable turcophone traduisit à l'intention de Jesmond.

– Il a proféré quelques propos injurieux, commença-t-elle.

Thorne regarda Zarif. Il n'était pas surpris...

– M. Zarif a dit que certains feraient bien de réfléchir un peu avant de parler... surtout si c'est pour dire des conneries.

Le regard de Thorne passa de Ryan à Zarif, dans l'espoir vain que ces deux-là grimpent sur la table et se rentrent dans le lard. Allez-y, songeait-il, finissons-en une bonne fois...

Jesmond remercia la constable. Thorne tourna la tête vers elle et croisa son regard. Il avait oublié son nom. Elle était là, il le savait, pour s'assurer que tout propos incriminant puisse être dûment noté, même s'il devait se révéler irrecevable plus tard. Il savait aussi qu'il n'y avait pas l'ombre d'une chance que quoi que ce soit d'important soit dit par quiconque. Tout ça, c'était politique et faux-fuyants.

Tout l'intérêt de cet exercice apparemment inutile résidait dans ce qui ne serait pas dit.

– Nous devons unir nos efforts, déclara Jesmond.

Son regard fit le tour de l'assistance jusqu'à ce qu'il ait la certitude que chacun canalisait son humeur.

– Si mon client est venu pour se faire insulter, je ne vois pas l'intérêt qu'il reste assis ici et poursuive cette discussion, dit Me Brimson.

Thorne leur lança un coup d'œil, à elle et à Ryan. Leurs bras se touchaient, et il se demanda, comme ça, s'ils couchaient ensemble. Bien sûr, Brimson faisait tout bonnement son travail, mais il devait bien y avoir une autre raison pour qu'elle n'ait pas la nausée.

– M. Ryan préférerait peut-être venir s'asseoir ici ? dit-il.

Ryan ne prit même pas la peine de lever la tête.

– Allez vous faire mettre, Thorne.

Thorne se tourna vers Jesmond et le regarda d'un air innocent.

– Ça aussi, je dois le noter... ?

– J'ai deux messages à vous faire passer ce matin, enchaîna Jesmond. Le premier – et là, je tiens à ce que ce soit bien clair pour tout le monde –, c'est que, en ce qui concerne les meurtres que j'ai mentionnés, il est hors de question pour nous de restreindre le champ de nos investigations.

– Hors de question, répéta Thorne.

Jesmond lui décocha un coup d'œil.

– Certains d'entre vous le savent déjà, mais l'inspecteur Thorne est un des officiers de police activement impliqués dans la recherche des responsables.

Thorne faillit lever le doigt.

– Le deuxième message est un appel direct.

Jesmond ôta ses lunettes, les glissa dans la poche de sa chemise.

– Nous souhaitons que ce niveau de consultation se poursuive, pour le bien de tous. Au nom du préfet de police, je fais appel à vous directement. Nous souhaitons utiliser votre influence. Comme patrons, et comme membres importants de vos communautés. Nous souhaitons que vous fassiez tout votre possible pour éviter d'autres pertes de vies humaines.

Le stylo de Thorne grattait le papier. Il peinait à suivre le rythme du discours de Jesmond. Il avait chaud, se sentait migraineux et luttait pour activer ses griffonnages.

Un quart d'heure plus tard, la serveuse frappa à la porte et entra. Elle demanda si elle devait apporter d'autres biscuits, mais la réunion touchait déjà à sa fin. Ryan et Zarif partirent à une ou deux minutes d'intervalle, discutant vivement avec leur avocat.

Jesmond rassembla ses papiers.

– Ça s'est passé comment, selon vous, Tom ?

Il n'attendit pas de réponse, devinant peut-être qu'elle tarderait à venir.

– Je sais. Ce genre de réunion, c'est la plaie.

D'un geste sec, il referma sa serviette.

– Espérons au moins que celle-ci aura servi à quelque chose.

À l'exception possible de la crampe de l'écrivain, Thorne en doutait.

Méthodique, comme elle l'était en tout – une travée dans un sens, la suivante dans l'autre –, Carol Chamberlain manœuvra pour franchir un engorgement à hauteur des caisses, puis tourna vers les détergents, les essuie-tout et les rouleaux de papier toilette.

Jack, souriant, apparut à côté du Caddie et y laissa tomber de pleines poignées de courses.

– Il nous faut de la nourriture pour chien ? demanda-t-il.

Carol acquiesça, puis suivit des yeux son mari qui s'éloigna dans le rayon et tourna au coin. Elle reprit lentement sa marche, choisissant des produits sur les présentoirs. Attraper, lâcher, pousser. Méthodique, mais la tête ailleurs.

« Quand on aura arrêté Ryan, il va nous dire qui a accepté son argent il y a vingt ans et a cramé Jessica. Il va me donner un nom. »

Thorne lui avait fait une promesse. Lui avait dit qu'il retrouverait l'homme responsable de ce qui s'était passé vingt ans plus tôt. Lui avait dit qu'il réparerait l'erreur qu'elle avait faite.

Lui avait dit ce qu'il pensait qu'elle avait envie d'entendre.

Il y avait plus de quinze jours de cela, chez lui, et, depuis, elle ne l'avait pas revu, et elle ne lui avait pas parlé au téléphone depuis presque aussi longtemps. Elle savait qu'il était occupé, bien sûr, qu'il avait mieux à faire que de la tenir, elle, informée...

Attraper, lâcher, pousser...

Son affaire non élucidée de 1993, le bookmaker assassiné, n'avançait pas. Elle ne contenait rien qui lui fouette les sangs. Qui la distraie.

Naturellement, Jack préférait qu'il en soit ainsi. Il appréciait le calme en fin de journée, le fait qu'elle n'ait, sous quelque forme que ce soit, rien à ramener à la maison. Il était plus heureux maintenant qu'elle ne s'absentait presque jamais. Elle l'aimait éperdument, savait qu'il ne ressentait cela que parce qu'il l'aimait tout autant. Elle serait perdue sans lui, désemparée sans l'ancre de sa sollicitude. Mais, étant donné ce qu'elle éprouvait à présent, et depuis le début de toute cette affaire, cette ancre commençait à la tirer vers le fond.

Elle voulait en finir avec tout ça.

Attraper, lâcher, pousser...

Tom Thorne était l'homme en qui elle plaçait tous ses espoirs. Elle n'avait pas d'autre choix. Autant elle l'aimait et le respectait, autant elle n'aimait pas se sentir redevable. N'aimait pas le fait que ça lui échappe.

Alors là, pas du tout.

Elle avait envie de remplir son Caddie, d'y empiler un tas de bouteilles et de conserves, et de foncer entre les rayonnages. Envie de voir les familles et les vendeurs se disperser sur son passage. Envie d'entendre les cliquètements du Caddie et les grésillements braillards des talkies-walkies quand elle passerait en force aux caisses, renverserait les vigiles et pulvériserait la vitrine...

Jack revint vers elle à grands pas, serrant des boîtes pour chien contre sa poitrine. À peine furent-elles tombées bruyamment dans le Caddie qu'elle l'enlaça. Et qu'ils se dirigèrent tous deux vers le rayon suivant.

23 août 1986

Le dernier album des Smiths est génial. Il contient Bigmouth Strikes Again, *P'pa passe la tête dans la chambre quand il l'entend, et il rit au moment où la chanson parle de Jeanne d'Arc.*

Ali a un petit copain ! Elle l'a rencontré en boîte. Je ne sais pas quand elle y est allée, ni avec qui, mais, apparemment, ce garçon l'a abordée directement en lui demandant si elle voulait boire quelque chose. J'ai fait sa connaissance l'autre jour, et je le trouve plutôt sympa, mais quand il m'a dit bonjour, comme si tout était normal, il n'arrêtait pas de regarder Ali, pour qu'elle voie à quel point il était « sensible », comme s'il vérifiait ce qu'elle pensait de lui.

Je ne sais pas s'ils sont déjà passés à l'acte.

Il y a un autre mec sur qui elle a vraiment craqué aussi, m'a-t-elle dit. Celui-là est beaucoup plus vieux qu'elle, raison pour laquelle il lui plaît tant, à mon avis. En plus, il travaillait avec son père, ce qui implique qu'il doit certainement avoir un surnom, du genre Ron « Le Boucher » ou autre. Ali avait pour habitude de blaguer sur le fait qu'elle essaierait bien de draguer un de ces types, un des amis de son père. Pour s'amuser, rien de plus, en disant : « C'est quoi ça, un flingue ou tu es juste content de me voir ? Ah, ce n'est qu'un flingue... »

Il y a une autre chanson sur cet album : I Know It's Over.

Je l'écoutais au casque, et il y a un passage où Morrissey chante l'impression de sentir de la terre lui tomber sur la tête. C'est ce que ça lui fait quand la relation qu'il vivait avec quelqu'un prend fin, qu'il s'est fait larguer, par exemple. J'essayais d'imaginer ça. Que j'étais sortie avec quelqu'un qui ne voulait plus de moi. J'étais couchée, là, l'écoutant très fort et, les yeux fermés, me projetant dans cette situation. Pendant un moment, je me suis sentie profondément romantique, un peu comme une poétesse. Puis, tout à coup, j'ai commencé à me sentir en colère et bête, et je ne pouvais plus supporter de l'entendre. Je saute toujours ce morceau maintenant. Les paroles et la musique me faisaient pleurer, me donnaient envie de pleurer, mais mes sentiments n'étaient pas réels. L'émotion derrière tout ça était fausse. Je trouve la pitié des autres déjà dure à supporter, mais si je commence à avoir pitié de moi, là, je touche vraiment le fond.

Je ne risque pas d'avoir une relation avec quelqu'un, putain, c'est la vérité pure et simple, et si, par miracle, ça arrivait, pas la peine d'être Einstein pour deviner pourquoi ça ne marcherait pas. À moins que je me mette avec une autre Tête de Pizza, évidemment. Je vois ça d'ici : nos regards se croisant d'un bout à l'autre de la salle d'attente bondée d'un chirurgien réparateur...

Non, pas l'ombre d'une chance. Ce n'est pas parce que j'ai la tête que j'ai que je vais forcément craquer sur d'autres gens qui ont la même tête, si ?

Me faire larguer, ça ne me rendrait pas triste. Ça me donnerait envie de tuer celui avec qui j'aurais eu une relation amoureuse pour être un tel enfoiré. Un tel lâche plus que nul.

Je n'ai pas envie d'avoir de relation amoureuse, de toute façon.

En me relisant, je trouve que ça fait pauvre fille. Comme si j'étais une sale mioche qui se raconte qu'elle veut rester toute seule parce qu'elle se sent si malheureuse. Ce que ça fait, je n'y peux rien. Mais une chose est sûre : je sais ce que je ressens.

Moment Merdique de la Journée

Décidé de ne plus me prendre la tête avec tout ça parce que c'est bête.

Moment Magique de la Journée

Idem.

20

– Racontez-moi encore votre rendez-vous avec Ryan. Ce qu'il vous a dit cette nuit-là à Epping Forest...

Rooker était auréolé de fumée de cigarette. Son soupir y troua un tunnel d'ennui.

– Vous n'avez donc rien de mieux à faire ? demanda-t-il. Ce n'est pas comme si, tout d'un coup, j'allais me rappeler un truc que je ne vous aurais pas dit, hein ?

Thorne regarda les deux cassettes dans le magnétophone. Suivit des yeux la rotation des bobines rouges.

– Qui sait...

– Pas vingt ans plus tard. Vous ne croyez pas que j'ai eu assez de temps pour m'en souvenir ?

– Ou assez de temps pour oublier.

– Oh, putain de merde...

Il s'était écoulé près d'un mois depuis l'agression de la jeune fille à Swiss Cottage. Près d'un mois depuis que les Hautes Instances avaient accepté la proposition de Rooker pour qu'il témoigne contre Billy Ryan. La veille – le jour de la table ronde à Maidenhead –, Tughan avait informé Thorne que, si tout se passait bien, Ryan devrait être inculpé d'ici une petite semaine.

Le dossier se bâtissait prudemment sur plusieurs fronts ; beaucoup de ceux qui étaient en relation avec Rooker et Ryan en 1984 avaient été retrouvés et interrogés. Certains sévissaient toujours. Certains s'étaient retirés en banlieue depuis longtemps. D'autres encore plus loin, sous de meilleurs climats ou des systèmes fiscaux plus attractifs.

Quelques-uns avaient parlé, mais pas assez pour que Tughan et son équipe se sentent en position de force.

L'*omerta,* la loi du silence. La langue étrangère attribuait à ce mot une dimension honorable, voire digne, pourtant il n'y avait ni honneur ni dignité dans la vie de ces gens-là qui se planquaient dans des villas de style pseudo-espagnol ou autre, faisant dans leurs frocs de trouille. Thorne aurait bien aimé passer un peu de temps avec quelques-uns de ces vieux enculés, ces gros durs fossilisés de Braintree ou de Benidorm. Il avait envie de les baffer, ces têtes de nœud autobronzées, de leur mettre une photo de Jessica Clarke sous le nez...

– Comme je vous ai dit, reprit Rooker. J'ai reçu un appel de Harry Little, et je suis allé retrouver Ryan à Epping Forest. Dans un chemin pas loin de Loughton...

D'une façon ou d'une autre, Rooker serait le témoin clé, et, comme toujours avec les criminels détenus, il ne serait pas difficile à discréditer. À supposer qu'on lui accorde un quelconque crédit.

Quoi qu'il arrive, ils devaient bétonner son témoignage...

– Vous êtes monté dans sa voiture..., dit Thorne.

– Je suis monté dans sa voiture.

– Quelle marque, sa voiture ?

Rooker leva les yeux, regarda Thorne comme s'il était tombé sur la tête.

– Comment voulez-vous que je le sache ? Il faisait sombre. Et c'était il y a vingt ans.

Thorne s'enfonça dans son siège, comme s'il venait de démontrer quelque chose.

– Les détails, c'est important, Gordon. Les défenseurs de Ryan vont vous massacrer à la première occasion. Si vous ne vous souvenez pas de la voiture, peut-être que vous ne pouvez pas vous souvenir très exactement de ce que Ryan vous a dit. Peut-être que vous aviez l'esprit confus. Peut-être que vous avez cru qu'il vous demandait quelque chose, alors que non. Vous me suivez ?

– Ça devait être une Mercedes. Un des vieux modèles avec le gros radiateur.

– Vous comprenez ce que je suis en train de dire ? C'est pour ça que nous devons en passer par là.

Rooker acquiesça, à contrecœur.

– Je n'avais pas l'esprit confus, dit-il.

La porte s'ouvrit et Thorne marmonna un remerciement au surveillant qui entra avec les boissons. Du thé pour lui. Une cannette de cola bas de gamme pour Rooker. Le surveillant sortit en refermant la porte derrière lui. Ils burent.

– Il est chaud, dit Rooker.

– Une fois dans sa voiture, Ryan est allé droit au but ou vous avez d'abord parlé d'autres choses ?

– Il n'a jamais vraiment été du genre à parler de la pluie et du beau temps, vous savez. On a peut-être papoté un petit moment, je dirais. D'amis communs...

– Harry Little ?

– Ouais, Harry. D'un caïd ou d'un autre. Mais je ne me souviens pas qu'il ait très longtemps tourné autour du pot.

– Donc, il vous a demandé si vous seriez prêt à tuer la fille de Kevin Kelly, Alison ?

Rooker gonfla les joues, se préparant à débiter une fois encore ses réponses. Thorne posa de nouveau la question...

– Oui.

– En échange d'une somme d'argent qu'il vous verserait.

– Oui.

– Combien ? Combien était-il disposé à vous payer pour tuer Alison Kelly ?

Rooker leva les yeux, très vite, fixa Thorne. De l'électricité passa entre eux, conduite par le plateau métallique de la table. Thorne se rendit compte, choqué, que ce n'était pas pour ça qu'il était venu.

Rooker paraissait tout aussi ébahi.

– Je crois bien que c'était dans les douze mille livres...

– Vous « croyez » ? « Dans les » ?

– C'était douze mille livres.

Il ajouta quelque chose, au sujet de l'équivalent de cette somme de nos jours.

Thorne n'écoutait plus. À présent, il savait le prix qu'on avait accordé à la vie d'Alison Kelly. Il se demandait s'il le lui aurait avoué – le montant exact – s'il l'avait su le soir où il s'était mis à lui murmurer des vérités dans le noir. Songea qu'il aurait sans doute mieux fait de ne rien lui dire...

– Ryan vous a expliqué pourquoi il voulait que vous le fassiez ?

– Il essayait d'affaiblir Kevin Kelly, non ? Il voulait s'attaquer aux autres organisations. Il voulait prendre la relève...

– Je sais, je ne parle pas de ça. A-t-il dit pourquoi il voulait y parvenir en tuant une enfant ? Vous avez dit vous-même que c'était pousser la chose à l'extrême. Que c'était sortir de l'ordinaire.

– C'est vrai. Et c'est bien la raison pour laquelle j'ai décliné l'offre. Mais, à part ce que je vous ai déjà dit, je ne sais rien d'autre. Comme pour tous les boulots que je faisais à l'époque. Le « pourquoi », ce n'était pas mon truc.

Thorne but une gorgée de thé. Il s'apprêta à demander autre chose, mais Rooker le devança.

– Il va encore falloir nous amuser à ça souvent ?

– C'est sans doute la dernière fois. La dernière fois que nous, nous devons le faire. Je ne vous dis pas que vous n'aurez pas droit à d'autres interrogatoires avec d'autres policiers...

– Parlez-moi de la suite.

– Le procès ?

– Après le procès. Parlez-moi de ce qui va m'arriver.

Ce fut au tour de Thorne de soupirer. C'était un sujet sur lequel Rooker semblait ne pas se lasser de revenir...

– Je vous ai expliqué, répondit-il. Je n'ai pas mon mot à dire sur ce qui se passera, où vous vous retrouverez, rien de tout ça. Il y a un service spécial qui se charge de tout.

– Je sais, mais vous devez bien avoir une petite idée. Je suppose qu'on va m'envoyer vachement loin d'ici, hein ? À votre avis ? Sous une toute nouvelle identité, tout ça ?

– Il y a différents... niveaux de protection des témoins. Je pense qu'on peut raisonnablement dire que vous serez au plus haut niveau. Au début, en tout cas...

Rooker parut ravi par ce que Thorne venait de lui dire. Puis il pensa à autre chose.

– Le nom, je pourrai le choisir ?

– Hein ?

– Mon nouveau nom, ma nouvelle identité. Je pourrai choisir ?

– Vous avez déjà une idée en tête, c'est ça ?

– Pas vraiment.

Il rigola, plongea les doigts dans sa boîte de tabac.

– Je ne voudrais quand même pas passer par tout ça pour me retrouver avec un nom à la con, hein ?

Thorne sentit une contraction dans sa poitrine. La suffisance qu'il avait perçue chez lui, la première fois, à Park Royal, était de retour. Rooker lui parlait comme à un pote, comme à quelqu'un de confiance qu'il aimait bien. Ça donnait envie à Thorne de bondir par-dessus la table et de lui tordre les chairs flasques du cou.

Il regarda sa montre, pencha la tête vers le magnéto.

– Fin de l'interrogatoire à quatorze heures trente-cinq.

Il planta son doigt dans le bouton STOP.

– On en a terminé, alors ? demanda Rooker.

Thorne fit un signe de tête vers le magnéto.

– On en a terminé avec ça.

Il inclina le buste vers l'avant.

– Ça vous faisait quoi, Gordon ?

– Comment... ?

– Tuer quelqu'un pour de l'argent. Exécuter un contrat. J'aimerais que vous disiez ce que vous ressentiez.

Rooker continua de rouler sa cigarette, mais plus lentement, ses doigts jaunis soudain moins adroits.

– Quel rapport avec le reste ? demanda-t-il.

– Nous savons déjà que le « pourquoi » n'était pas votre truc, alors je me demandais juste ce qui l'était. La satisfaction du travail bien fait ? La fierté du devoir accompli ?

Rooker ne répondit pas.

– Vous... « aimiez » ça ?

Rooker leva les yeux alors, secoua énergiquement la tête.

– On aime le travail bien fait, c'est tout. Avoir le fric. Si on commence à aimer le faire, à prendre son pied d'une façon ou d'une autre, on est foutu.

Thorne ne pouvait en convenir. Il était clair que Monsieur X prenait du plaisir à ce qu'il faisait et, jusque-là, il n'avait pas commis trop d'erreurs.

– Et donc ? demanda-t-il. On se déconnecte, c'est ça ? On passe en pilotage automatique, en quelque sorte... ?

– On se concentre. La tête se vide... Non, elle ne se vide pas vraiment. C'est comme si ça se brouillait, et là, juste au milieu, il y a un point lumineux. Qui est vraiment net et clair. Froid. On se détend, on reste calme et on avance vers le but. Le but, c'est la cible, et on ne laisse rien vous en détourner...

– Comme la culpabilité, la peur, ou le remords ?

– Vous me demandez, je vous réponds. C'est le boulot...

– Vous en parlez au présent.

Rooker posa la cigarette roulée dans la boîte dont il fit retomber le couvercle.

– Je vis toujours avec.

– Beaucoup de gens vivent toujours avec, dit Thorne.

Phil Hendricks donnait des cours au Royal Free Hospital, et Thorne devait le retrouver après le travail, à Hampstead. De là, ils étaient allés dîner dans un chinois à un jet de pierre de l'hôpital. Ensuite, ils avaient traversé la rue pour se rendre dans le pub le plus proche et s'enfiler deux bières chacun en l'espace d'un quart d'heure. L'un et l'autre devenant plus bavards au fur et à mesure qu'ils se détendaient...

– Ne te laisse pas embobiner par Rooker, dit Hendricks. Il essaie de faire passer ça pour un foutu exercice zen de maîtrise de soi. Il a tué des gens, point barre. Il ne faut rien y voir d'autre.

– Je n'étais pas d'humeur, c'est tout.

Thorne sourit et leva son verre.

– Il y a des jours comme ça...

Des jours qui semblaient lui revenir en pleine figure à peu près tous les mois. Quand, sans raison particulière, Thorne devenait spectateur de lui-même. Quand il se regardait faire, quand il voyait nettement les gens qu'il côtoyait à chaque heure de sa vie. Quand, après avoir fonctionné sans plus réfléchir pendant des semaines, il était soudain frappé par la puanteur et la noirceur de tout ça. C'était comme se réveiller à moitié uniquement pour se rendre compte que la vie réelle était bien pire que le cauchemar.

Thorne se dit que, en un sens, en poussant les choses à l'extrême, sa vie ressemblait à celle de son père. Il y avait des moments où il s'entendait dire des choses – à des assassins, et à leurs victimes – qui étaient tout aussi bizarres, à leur façon, que tout ce que son père pouvait bien raconter.

– Le six et le neuf, dit Thorne en souriant à Hendricks. Partant pour l'effet bœuf ?

C'était devenu une blague courante entre eux depuis que Thorne lui avait raconté ce qui s'était passé à Brighton : toute la semaine, ils avaient échangé des annonces graveleuses de bingo par messages téléphoniques ou textos interposés.

Hendricks se leva pour aller chercher un autre verre. Avant de se tourner et de s'éloigner vers le bar, il empoigna son sexe, et sentit ses doigts.

– Tous les trois, le bon fromage que voilà...

Thorne regarda autour de lui. Il y avait du monde, pour un mardi soir. La proximité de l'hôpital impliquait que l'endroit était sans doute plein de toubibs. Thorne savait très bien que bon nombre d'entre eux venaient pour décompresser...

Alors qu'il essayait, en vain, de trouver une nouvelle annonce de bingo, une autre bière fut plantée devant lui sur la table.

– Tu savais qu'on perdait du poids après la mort ? demanda Hendricks.

– C'est une bonne chose...

Hendricks s'assit, tira sa chaise vers la table.

– Je suis sérieux. On pèse un peu moins mort que vivant.

Thorne prit son verre.

– C'est un peu radical, tu ne crois pas, comme régime...

– Tais-toi, tu vas peut-être apprendre quelque chose. On peut perdre un gramme et bien plus. Aux environs de seize, c'est la moyenne.

Hendricks hocha la tête, but une gorgée de bière.

– Les étudiants à qui je m'adressais aujourd'hui avaient l'air aussi intéressés que toi.

– Ben, continue, quelle en est la raison ?

– On n'en est pas sûr à cent pour cent. L'air contenu dans les poumons, sans doute. Mais, c'est là le plus beau...

– Oh, parce qu'il y a un plus beau ?

– Certains pensent qu'il s'agit du poids de l'âme.

L'expression fit tilt dans la tête de Thorne. Il acquiesça. Attendit la suite.

– Au XVIIIe siècle, on a fabriqué des balances très élaborées destinées à peser les patients en phase terminale juste avant et juste après leur mort.

Hendricks laissa ses paroles faire leur chemin, prenant plaisir à son récit.

– Ce n'était pas rien à l'époque – essayer de déterminer le poids de l'âme au moment où elle quitte le corps. Essayer de l'isoler. Ce genre d'expérience se faisait encore en Amérique au début des années 1900, et il y en a eu une célèbre en Allemagne il y a tout juste vingt-cinq ans...

Thorne n'en revenait pas. Il y a un siècle ou plus, il était facile de mettre une telle théorie sur le compte d'illuminés bizarrement accoutrés, de mascarades se faisant passer pour de la science. Mais il y a seulement vingt-cinq ans ?

– Mais c'est juste l'air dans les poumons, n'est-ce pas ?

– C'est l'explication la plus probable. À moins qu'on ne souscrive à la théorie de l'âme...

Thorne sourit de l'autre côté de la mousse de sa bière.

– Tu as commencé à picoler avant la fin de ta journée de travail ou quoi ?

Ils burent en silence pendant une petite minute. Thorne sentait que l'alcool commençait à lui monter à la tête. Il n'avait bu que deux verres, il savait que c'était surtout dû à la fatigue plus qu'à autre chose.

Des images se formaient, se dissolvaient, puis réapparaissaient dans son esprit. Des corps et des balances. Des hommes en perruque et redingote empilant de gros poids sur des plateaux en bois. Surveillant les râles d'agonie de mourants à la respiration sifflante et au visage livide, en griffonnant des chiffres dans des cahiers. Les yeux écarquillés, qu'ils levaient de calculs tachés d'encre pour regarder plus haut, bien au-delà de leurs laboratoires primitifs...

Thorne considéra Hendricks. Il était clair, à son franc sourire et à son expression lointaine, que son ami pensait de nouveau à des numéros, à des rimes et à des blagues salaces.

Hampstead Heath se trouvait seulement à deux arrêts de Kentish Town West. Ils marchaient en direction de la gare quand le mobile de Thorne sonna.

– Tom... ?

Thorne regarda Hendricks, arqua les sourcils.

– Bon sang, Carol, c'est un peu tard pour toi, non ?

– Je sais, excuse-moi. Je n'arrivais pas à dormir.

– Tu n'as pas reçu d'autres appels, hein ?

– Non, rien de tout ça...

Un énorme camion passa en mugissant et la suite de ce que dit Chamberlain fut perdue pour Thorne. Il y eut un moment de silence, chacun d'eux attendant que l'autre reprenne la parole.

– J'appelais juste pour savoir comment ça allait.

– Ça baigne, Carol...

– Tant mieux.

– *Tout* baigne. L'affaire en est plus ou moins au même point que la dernière fois qu'on s'est parlé, mais ça prend tournure.

Il avait tout de suite compris, évidemment, que c'était cela qu'elle voulait vraiment savoir.

– Excuse-moi, dit-il. Je pensais t'appeler.

– Ne sois pas bête. Je sais bien que tu dois être très occupé. Bon, je te laisse...

– Comment va Jack ?

– Il va bien. Tout va bien, Tom...

Hendricks consulta sa montre : le dernier train partait dans quelques minutes.

Thorne fit oui de la tête, accéléra le pas.

– Et si on se voyait la semaine prochaine ? dit-il. Viens, on déjeunera ensemble. Je le fourguerai en note de frais.

– Ça me paraît être une excellente idée. Je te rappelle la semaine prochaine, alors...

– Prends bien soin de toi, Carol. Tu as le bonjour de Phil...

Elle n'était déjà plus là.

À la gare, ils s'assirent sur un banc pour attendre l'arrivée du train. De l'autre côté de la voie, trois adolescents flânaient sans but d'un bout à l'autre du quai.

– Seize grammes en moyenne, tu disais ?

Sur le coup, Hendricks parut interloqué, puis il acquiesça.

– Ouais...

– Pour ? Un homme de taille et de poids moyens ?

– Tout juste. Pour une femme de taille moyenne, ce serait autour des douze grammes, je suppose.

Donc, un enfant, ce serait moins, songea Thorne. Les trois quarts, peut-être huit ou neuf grammes. Ce n'était pas logique, pourtant, hein ? La tête de Thorne commençait à lui tourner. Sûrement que l'âme d'un enfant devait peser plus. Ce n'est qu'en grandissant que nous devenons corrompus, sans âme...

Huit ou neuf grammes.

Leur train entra en gare. Thorne parla fort pour dominer le grondement, autant pour lui-même que pour Hendricks.

– Une poignée de riz, dit-il. Pfff, non... moins. Tout juste quelques grains...

21

3 novembre 1986

Si quelqu'un d'autre s'avise de me mater et de me faire un clin d'œil, ou de dire un truc débilos du genre « bientôt permis », je ne réponds plus de moi. C'est comme s'ils disaient en réalité : « À partir de seize ans, on peut avoir des rapports sexuels, tu sais, ce qui est tout à fait normal. » J'ai envie de les attraper par les poignets et de leur dire : « Merci mille fois, je ne l'avais pas réalisé. Je n'ai plus qu'à trouver quelqu'un qui soit assez en manque et un gros putain de sac à me mettre sur la tête. »

Pourquoi les gens présupposent-ils que je suis intéressée ?

Pourquoi les gens se font-ils toujours des idées préconçues ?

Ça fait des jours que je suis à cran, à me demander comment dire à P & M que, pour moi, plutôt mourir que d'aller demain à cette soirée qu'ils se sont donné tant de mal pour préparer. Premier anniversaire post-dernière opération. Comme s'il y avait de quoi en faire tout un plat, pourtant je sais qu'ils veulent juste que je m'amuse, que je fasse des choses normales, et je ne peux pas leur faire comprendre.

Que je n'ai pas envie de faire la fête. Que je n'ai pas envie de petites attentions. De la fausseté de tout ça.

Quand je me mets en colère, ils se contentent de me sourire, putain ! Ils me laissent tout faire tout le temps, et ça me donne envie de crier ou de casser quelque chose. Alors qu'Ali et les autres se font interdire de sortie ou autre, avec moi, on prend des gants.

Comme si j'avais des cicatrices partout. Comme si l'on ne pouvait me toucher nulle part.

J'aurais envie qu'on me dispute, qu'on me punisse. J'aurais envie de leur dire de se la carrer dans le cul, leur soirée, rien que pour les voir perdre leur calme, pour une fois, et les entendre me dire qu'on arrête tout ça. Dès que je deviens vraiment garce, ils ne font que se regarder et ils prennent cet air qui me tue, comme s'ils pensaient que ce comportement était acceptable et qu'ils devaient me pardonner. Vous savez, vêtements noirs, idées noires, comme si tout ça était parfaitement normal chez l'ado moyenne horriblement défigurée.

Quand j'essaie de leur expliquer ce que je ressens à la perspective de cet anniversaire, je sais qu'ils pensent que c'est simplement dû au traumatisme, à une réaction compréhensible après tout ce que j'ai enduré, et que je ne le pense pas vraiment.

Je le pense vraiment.

Rien que la perspective de cette fête me met dans tous mes états. Personne ne s'en rend compte. Même Ali semble ne pas comprendre ce dont je parle. Elle n'arrête pas de me dire qu'on va bien s'amuser, que je suis une rabat-joie, et elle me demande s'il y aura des hommes séduisants.

P & M doivent avoir dépensé une fortune pour la location de la salle, de la sono et tout, et je les aime à en mourir d'avoir fait ça. Si je pensais une seule seconde être capable d'assurer, je n'en ferais pas toute une histoire. Regarder mes copines danser, boire et s'éclater avec les autres, ce serait super, mais je sais pertinemment ce qui va se passer.

Je sais que, à un moment, quelqu'un prendra la parole.

Je l'imagine depuis des semaines, depuis le moment où ils me l'ont dit. Depuis le moment où ils m'ont annoncé qu'ils voulaient organiser une fête et où ils ont eu l'air plutôt contrarié quand je leur ai répondu qu'ils pouvaient la faire sans moi. Des fois, j'imagine que c'est Papa, et des fois, que c'est une de mes amies, en général Ali. La musique cesse, et il y a le hurlement des haut-parleurs quand on s'empare du micro du DJ. On se lance dans le fameux discours. On évoque mon courage et on fait des blagues merdiques que tout le monde fait semblant de trouver drôles. Puis il y a ce moment de flottement qui suit tous les discours. Puis tout le monde se met à applaudir et tout le monde me regarde.

Tout le monde. Me regarde.

Et la moitié pâle de mon visage, la moitié lisse, se met à rougir au point de prendre la couleur de la cicatrice. Les deux moitiés assorties pendant que tout mon visage me brûle une fois de plus.

En chantant Joyeux Anniversaire, *pendant que Papa et Maman se tombent dans les bras, que quelques-unes de mes copines pleurent, et que tout le monde me regarde, plantée dans un cercle de lumière au centre de la salle, de l'air dont on regarde une gamine de six ans.*

Une gamine pas comme les autres...

Thorne ferma le journal intime et s'allongea en le plaquant contre sa poitrine. Il le rouvrit, sortit la photo dont il se servait comme marque-page. Visualisa la jeune fille s'éclipsant dans l'obscurité par une triste soirée de novembre.

La musique, un morceau des Wham, faiblissant derrière elle tandis qu'elle s'éloigne de la salle, de la fête, avançant vers les lumières du centre-ville.

Une absence pas encore remarquée. Ses amies dansant, se parlant fort par-dessus la musique pendant qu'elle grimpe.

L'odeur de gaz d'échappement et le bruit de ses pas qui résonne dans la cage d'escalier en béton gris.

Une voix qui s'étonne, les premiers regards inquiets de ses amies pendant que, à huit cents mètres de là, elle émerge dans le froid. À l'air libre. La ruée impitoyable du noir fondant sur elle. La nuit l'embrassant sur les deux joues au moment où elle bascule dedans...

La sonnerie du téléphone fit sursauter légèrement Thorne, la brusquerie de son mouvement envoyant Elvis valdinguer du pied du lit. Thorne regarda le réveil : 4 : 35.

Brigstocke ne s'embarrassa pas de formules de politesse.

– Nous avons été prévenus d'un incident à une adresse à Finchley...

Thorne avait déjà bondi du lit.

– Chez Ryan ?

– Tout juste. Des policiers sont sur les lieux, mais c'est un peu confus. Au moins un blessé, c'est sûr, mais à part ça, nous ne savons pas grand-chose.

– Tu crois que Zarif a envoyé Monsieur X se charger de Ryan ?

– Tu en sais aussi long que moi, mon pote...

Thorne évoluait rapidement dans la chambre, chopant des chaussettes et un slip, attrapant une chemise.

– Tu es en route pour là-bas ?

– Tughan y va, répondit Brigstocke, mais tu habites beaucoup plus près que lui, alors je suppose que tu auras une longueur d'avance.

– Salut, Russell. Je t'appelle quand j'arrive...

Thorne entra dans le salon pour trouver Hendricks déjà assis dans le lit. Thorne l'informa de ce qui se passait.

– Tu veux que je vienne ? demanda Hendricks.

Thorne avait gagné la cuisine. Il en ressortit en faisant non de la tête tout en avalant un verre d'eau.

– Tu es sûr ? Je peux m'habiller en une minute...

Thorne prit son blouson, tâta les poches pour vérifier qu'il avait ses clés.

– Inutile. On ne sait pas encore exactement ce qui s'est passé. Mais à ta place, je n'essaierais pas de me rendormir...

Les rues étaient presque désertes quand Thorne prit la direction du rond-point d'Archway, et tourna vers le nord. Il savait qu'il dépassait peut-être la vitesse limite, mais il se sentait pleinement éveillé et concentré. Il voyait les feux arrière très tôt, anticipant les rares voitures qui venaient dans sa direction depuis les rues transversales. Prévoyant bien à l'avance.

Il choisit de passer par Highgate, évitant la route parallèle qui l'aurait obligé à passer par *Suicide Bridge*. Cette passerelle en fer qui, depuis longtemps, remplaçait le viaduc de John Nash – l'« Archway » d'origine – était le tremplin de prédilection des grands déprimés de la ville. Thorne s'arrangeait pour l'éviter le plus possible, car il était incapable de rouler dessous sans s'attendre inconsciemment à sentir l'impact d'un corps sur le capot de la voiture.

Ce soir-là, il était pressé, mais les pages écornées d'un journal intime dansant toujours devant ses yeux, il était prêt à tout ou presque pour éviter ce pont.

Son mobile sonna de nouveau au moment où il grillait un feu rouge pour s'engager sur la North Circular. Il regarda l'écran, y vit clignoter « Holland Mob. »...

– Je sais, dit-il. Je vais chez Ryan.

Holland rit.

– On se retrouve là-bas...

Si les Zarif avaient fait buter Ryan, il n'y avait aucun moyen de savoir comment les choses allaient évoluer. Thorne supposait que Stephen prendrait les rênes, et il ne semblait pas être du genre à pardonner et à oublier. Cela dit, d'après ce que Thorne avait vu, peut-être le fils et héritier de Ryan n'avait-il pour lui rien de plus qu'un sale caractère. Il pouvait craquer, laissant la Société Immobilière Ryan imploser et offrant aux Zarif de nouvelles possibilités d'expansion. Cette sale besogne avait peut-être été programmée en réaction à l'incursion de la société de Ryan dans leur territoire, mais Thorne avait du mal à croire que Memet et ses frères se soient donné tant de mal sans vouloir en tirer quelque chose de substantiel. Quelle que soit la suite des événements, il y avait fort à parier que de grands changements s'annonçaient. De sales changements...

Thorne atteignit la zone protégée de Finchley en un quart d'heure. Il contourna le parc sur les chapeaux de roue, se remémorant sa rencontre avec Billy Ryan, ici même, quinze jours plus tôt. Quand il arriva à la maison de Ryan, il ignorait ce qu'il allait trouver, mais son petit doigt lui disait que ce serait quelqu'un d'autre qui, dorénavant, irait promener le chien.

C'était une villa de trois étages située à un angle du parc. Deux voitures de police étaient garées devant, mais il n'y avait pas d'ambulance en vue. Thorne montra sa carte de police au constable à la porte, et entra. Alors qu'il regardait le filet de sang qui serpentait sur la moquette de l'entrée, un policier en tenue apparut devant lui.

– Je suis l'inspecteur Thorne. Où est l'ambulance ?

– Elle est venue et est repartie à vide, chef. La victime était déjà morte à son arrivée. Morte quand on l'a appelée, à mon avis...

Thorne se demanda si Hendricks s'était déjà habillé.

– Où ?

Le policier montra du doigt l'embrasure d'une porte dans le couloir.

Thorne s'avança dans cette direction, en regrettant de ne pas avoir pris de gants dans son coffre.

– Identifiée ?

– Oui, chef. Selon Mme Ryan, le mort est son mari, William John Ryan.

Thorne marchait en prenant soin d'éviter les taches de sang qui devenaient de plus en plus grosses au fur et à mesure qu'il approchait. La porte était entrebâillée. Il l'ouvrit en la poussant doucement du bout du pied.

Ryan gisait sur le sol de la cuisine, recroquevillé dans un coin, un avant-bras poilu zébré de rouge et calé à un angle bizarre contre un buffet. Sa chemise blanche était trempée – des marques sombres imbibant la soie aux épaules et sous les aisselles. La belle entaille dans son cou laissait s'écouler encore un peu de sang, le mastic des joints rougissant entre les carreaux du sol.

Pas besoin d'être diplômé en médecine...

Thorne prit conscience que le policier l'avait rejoint à la porte. Il lui lança un coup d'œil, puis reporta le regard sur Billy Ryan.

– Alors, c'est quoi l'histoire ? demanda-t-il.

– C'est assez bizarre. *A priori*, elle est entrée et elle l'a poignardé, c'est tout. Encore et encore.

Thorne fit volte-face, stupéfait.

– C'est sa femme qui l'a tué ?

– Non, chef. Pas sa femme.

Le policier se retourna, fit un signe de tête en direction de la pièce d'où il était sorti à l'arrivée de Thorne.

– L'autre femme...

Thorne le poussa pour passer, et s'éloigna dans le couloir sans dire un mot. Il sentait son souffle expulsé avec force par ses poumons, entendait dans sa tête un bruit de plus en plus assourdissant, comme des guêpes capturées sous une tasse. Il se doutait de ce qu'il allait voir...

Les deux policiers assis sur le canapé se levèrent, l'air grave, quand Thorne entra dans le salon. La femme, menottée au poignet de l'un d'eux, n'eut d'autre choix que de suivre le mouvement. À côté d'elle, une constable fixait Thorne, dans l'expectative, sa main enserrant le coude d'Alison Kelly.

Thorne ouvrit la bouche pour parler, puis la referma. Il ne voyait pas ce qu'il pourrait dire. Alison le regarda une ou deux secondes.

Il crut bien la voir lui adresser un petit signe de tête avant qu'elle ne baisse les yeux.

AVRIL

PEAU IMMORTELLE

22

Deux ou trois ans auparavant, tôt le matin, en se rendant à son travail en voiture, Thorne avait été secoué à la vue d'un corbillard à chevaux avançant vers lui dans la brume. Il s'était arrêté sur le bas-côté pour suivre des yeux la chose qui était passée en cliquetant. Le souffle des chevaux, comme de la fumée, demeurait en suspension devant leurs doux naseaux, avant de dériver et de disparaître peu à peu derrière leurs plumets noirs.

La profonde étrangeté de ce moment revenait à Thorne tandis qu'il regardait les employés des pompes funèbres glisser le cercueil hors d'un fourgon presque identique aux vitres latérales teintées. S'il y avait quelqu'un qu'il ne souhaitait pas voir revenir le hanter, c'était bien Billy Ryan.

Le cimetière de St Pancrace était le plus grand de Londres. Moins connu que ceux de Highgate et de Kensal Green, et doté de moins de monuments imposants et de résidents célèbres, c'était pourtant un lieu impressionnant et chargé d'atmosphère. Thorne observa les porteurs hisser le cercueil sur leurs épaules et commencer à s'éloigner lentement de l'avenue principale. Le vaste terrain, partagé avec le cimetière d'Islington, s'étendait sur le site de la commune de Finchley, tristement célèbre pour avoir été autrefois le centre des méfaits des bandits de grand chemin Dick Turpin et Jack Sheppard. L'endroit rêvé, songea Thorne, pour que Billy Ryan aille pourrir dans la terre.

Le corbillard ne pouvait pas aller au-delà. À l'entrée du cimetière, les parterres de fleurs joliment entretenus cédaient rapidement la place à un taillis luxuriant qui, par endroits, était impénétrable. Les élégantes plates-bandes de jonquilles, de tulipes et de pensées étaient remplacées par des orties, des ronces et une jungle de lierre grimpant sur les tombeaux et s'agrippant aux ailes d'anges souriants.

– Excusez-moi, monsieur...

Thorne se poussa pour laisser passer un employé des pompes funèbres qui, avec trois autres, pressait le pas pour rattraper leurs collègues. Chacun portait d'énormes hommages floraux : croix, couronnes, corbeilles portant les mots PAPA et BILLY. Des dizaines d'autres étaient d'ores et déjà alignées sur le bord de la route. Un bon jour pour Interflora...

Au moment où la procession franchissait le portail, Thorne avait lancé un coup d'œil au panneau d'affichage à l'entrée. Cinq ou six autres enterrements avaient lieu ce matin-là. Trois étaient listés comme étant ceux de bébés, avec les mots « Plus Stricte Intimité » écrits à la main sous leurs noms tapés à la machine sur le planning.

Le raout des Ryan était, nul doute, le grand événement.

Bien sûr, les temps avaient changé pour la famille Ryan et consorts. Ils tiraient toujours des profits substantiels de la prostitution et des jeux, mais le gros de leur fric venait de la drogue. C'était un sale boulot par excellence, devenu encore plus sale depuis que la main-d'œuvre étrangère était entrée en scène et avait osé réclamer sa part du gâteau. Les règles du jeu avaient bel et bien été mises au rancart ; mais, si l'âge d'or des truands « réglo » où on pouvait laisser sa porte ouverte dans l'East End et où les malfrats « ne se tuaient qu'entre eux » était révolu depuis belle lurette, certaines choses demeuraient immuables.

Ils aimaient toujours autant leurs mères et ils appréciaient tout autant un bel enterrement à l'ancienne : mini-sandwichs, bière tiédasse, et souvenirs de vieux combattants, de séjours en taule et d'arrachages de dents pour le fun et le profit.

La mousse brune était humide et souple sous les pieds tandis que le cortège avançait vers le centre du cimetière. La foule s'était éclaircie. Seuls les parents proches, les amis et certains policiers seraient présents devant la tombe. Thorne regarda ces gens avec qui il avait passé une grande partie de la journée : étouffant leurs sanglots pendant les hommages émouvants à l'église ; formant un cortège pour traverser lentement Finchley ; se disant à voix basse que Billy serait ravi de voir autant de monde.

Thorne avait regardé depuis l'intérieur de la Rover noire banalisée qui fermait le cortège. Il avait observé les passants qui inclinaient la tête ou se découvraient, ignorant à qui ils présentaient leurs respects. Il avait trouvé cela amusant. Le respect, c'était, après tout, très important pour un certain type de patrons...

Ceux qui portaient la dépouille de Billy Ryan avançaient tant bien que mal dans l'étroit bosquet, bataillant pour maintenir un semblant de dignité et d'équilibre tandis qu'ils enjambaient des racines noueuses et contournaient des pierres tombales penchées. L'un des opérateurs funéraires marchait devant le cercueil pour écarter les branches tombantes. Les parents et les proches, en file indienne, suivaient prudemment.

Thorne n'était pas le seul policier présent. Tughan se trouvait un peu plus loin devant lui, et pas mal de gars de la SO7 traînaient dans les parages. Thorne reconnaissait aussi une multitude d'autres visages. Les traits étaient un peu plus durs, les regards un brin plus froids. Il se demanda combien de personnes étaient armées ; combien d'années les porteurs avaient dans les pattes. Il se demanda si l'assassin de Muslum et de Hanya Izzigil était l'homme qui marchait à côté de lui.

Il se fit la réflexion que, à l'exception du pasteur et des types en chapeau noir, il ne devait y avoir là aucun homme qui n'ait une carte de police ou un casier judiciaire. À la réflexion, même le pasteur semblait louche...

Ils négocièrent un virage, puis le chemin s'élargit vers une tombe fraîchement préparée. Un tissu vert était tendu tout autour du trou, couleur criarde contre l'argile. C'était une assez grande concession, coûteuse, procurant assez de place pour un mémorial approprié. D'autres fleurs attendaient, déjà disposées. Il y avait là quelques tombes occupées depuis peu, parmi d'autres bien plus anciennes, les pierres tombales luisantes et les gravillons de marbre aux couleurs vives semblant déplacés à côté des pierres usées par le temps. Le lettrage doré des épitaphes faisait vulgaire à côté des prénoms d'un autre âge : Maud, Florence, Septime...

Le pasteur prit la parole pour commencer le service.

– Oh, mon Dieu...

Ce qui résumait assez bien l'état d'esprit de Thorne.

De l'autre côté de la tombe, Stephen Ryan serrait le bras de sa mère. Il avait les yeux injectés de sang, soit à cause de la cocaïne, soit à cause du chagrin ; pour Thorne, c'était difficile à dire. Des yeux qui lui lancèrent un regard intense et chargé, mais indéchiffrable.

Merci d'être venu...

Qu'est-ce que je vais faire maintenant ?

Qu'est-ce que tu fous là, putain ?

Prépare-toi...

Thorne détacha le regard du fils pour le poser sur la mère. L'épouse de Ryan fixait, sans ciller, le cercueil. Thorne n'avait pas eu le plaisir de faire sa connaissance. Il se souvint d'une chose que lui avait dite Tughan : à en croire la rumeur, on ne comptait plus les jardiniers et les entraîneurs personnels qui, eux, avaient eu ce plaisir. Le botox et les seins en plastoc faisaient assurément illusion, et désormais, elle aurait encore plus de fric à claquer pour rester désirable. Quand elle leva les yeux vers lui, puis plus haut, vers les arbres derrière, Thorne vit qu'ils étaient foncés et secs sous l'épaisseur du maquillage.

Le pasteur continuait à soliloquer d'une voix monocorde, ses mots rendus parfois inaudibles par le cri d'une corneille ou le vrombissement d'un avion.

Thorne se demanda si Billy Ryan avait entretenu ses talents de boxeur en continuant à s'entraîner sur sa deuxième épouse comme il l'avait fait sur la première. Il décréta que c'était sans doute peu probable. De toute façon, cet enculé avait fini par payer pour tout ce qu'il avait fait endurer à Alison Kelly.

Mais avait-il réellement payé pour Jessica Clarke ?

Thorne ne quitta pas des yeux la veuve et le fils tandis que le cercueil était descendu dans la fosse. Il n'aurait pu l'affirmer, mais il trouvait que la femme de Ryan avait l'air de vouloir être certaine qu'il n'en sortirait jamais. Stephen éclata en sanglots, et Thorne prit alors conscience qu'il tenait sa mère pour qu'elle le soutienne, et non l'inverse.

Quand plusieurs voleurs à main armée commencèrent à s'avancer pour jeter de la terre sur le couvercle du cercueil, Thorne décida qu'il était largement temps de quitter les lieux. Il se retourna et repartit lentement en sens inverse le long du chemin ardu et étroit vers l'allée principale. Tout en marchant, il lisait les inscriptions sur les pierres tombales, de la même façon qu'il est impossible de ne pas regarder à travers une fenêtre où brillait de la lumière quand on se promène dans une rue. Un grand nombre de ceux qui avaient élu domicile sous ses pieds semblaient « s'être endormis », ce qu'il trouvait à présent ni si naïf ni si bête que ça. Mais il était peut-être compréhensible qu'il y ait là presque autant d'euphémismes que de corps. « Nous a quittés » et « parti pour un monde meilleur » étaient, même Thorne devait bien l'admettre, un peu plus acceptables que « renversé par un camion » ou « tombé dans une cage d'ascenseur ». Toujours mieux que « poignardé à plusieurs reprises dans son entrée, puis de nouveau dans sa cuisine ».

Thorne émergea dans la large allée qui courait jusqu'aux grilles du cimetière. Il s'arrêta à hauteur du fourgon funéraire pour caresser les naseaux d'un des chevaux. Un frisson parcourut le flanc de l'animal qui hennit et lâcha du crottin qui éclata sur le goudron.

Un mauvais souvenir exorcisé en beauté...

Avançant le long de la file de voitures, Thorne passa devant plusieurs individus à l'air grave vêtus de longs manteaux noirs, dont beaucoup, il le savait, avaient signé des biographies de criminels devenues des best-sellers. Ils devaient sans doute être profondément honorés de surveiller le service funèbre de Billy. La sécurité, au même titre qu'un échantillonnage non négligeable de stars de sitcoms et de sous-vedettes du sport, était une figure imposée des obsèques traditionnelles du milieu.

Thorne s'arrêta à côté d'une grosse poubelle en métal. Elle débordait de sacs en plastique, de pots de fleurs et de bouquets fanés. Quelqu'un qu'il ne s'était pas attendu à voir là s'y appuyait.

– Votre présence ici est-elle vraiment nécessaire ? demanda-t-il.

Ian Clarke serrait contre lui une grosse couronne de lys. Il portait un jean et une veste bleu foncé par-dessus un polo marron. Manifestement, il trouvait la question de Thorne extrêmement amusante.

– Absolument pas, répondit-il. J'étais allé aux obsèques de Kevin Kelly. C'était le moins que je pouvais faire...

Thorne en vint à se demander si Clarke pouvait se douter du rôle joué par Ryan dans ce qui était arrivé à sa fille. Il repoussa cette pensée, se demanda plutôt s'il devait le lui dire. Il envoya balader cette idée encore plus vite. S'il s'était gardé d'ouvrir la bouche un certain soir, ils ne seraient pas dans ce cimetière.

Il porta le regard sur la maison du gardien à l'entrée. Un jardinier progressait lentement le long d'un parterre de fleurs. D'une main, il maniait un taille-haies ; de l'autre, il plaquait un téléphone portable contre son oreille.

Lorsque Ian Clarke reprit la parole, ce fut d'une voix si basse et si dénuée d'émotion qu'il fallut à Thorne plusieurs secondes pour se rendre compte qu'il ne parlait pas pour lui-même. Mais dès qu'il commença à l'écouter, il se rendit compte que c'était tout comme.

– Ce sont les quelques jours juste après les brûlures qui sont les pires. Pas seulement... émotionnellement, mais c'est alors que les vrais dégâts ont lieu, les dégâts record. L'évolution des blessures peut être dix fois pire que les brûlures en soi. Vous le saviez ? C'est ce qui provoque les stigmates... Dans les jours qui ont suivi, elle ne pouvait pas ouvrir les yeux. Elle ne pouvait pas mordre. Les cris passaient entre ses dents, je n'avais jamais rien entendu de tel. Un bruit qui coulait comme du sang de ce qu'il restait de sa peau. Il y a eu beaucoup de cris pendant les premiers jours... Elle devait porter un masque, un masque transparent pour garantir une compression constante des chairs endommagées. Il sert, en gros, à réduire le relief final des cicatrices. À les assouplir. Toute une année, elle a porté cette foutue horreur. Toute une année, elle a porté ce masque et l'a haï vingt-quatre heures sur vingt-quatre. Inutilement, en définitive, car il n'avait pas été positionné correctement, et les dégâts étaient déjà faits. Elle devait rester immobile, voyez, parfaitement immobile, ne pas faire le moindre putain de mouvement pendant qu'on lui étalait de la Vaseline sur le visage, puis un gel. Elle ne devait pas bouger un seul muscle jusqu'à ce qu'il se solidifie... J'aurais pu les autoriser à l'anesthésier. J'aurais dû. Mais je ne voulais pas qu'elle subisse une autre opération. Vous comprenez ? Elle avait déjà eu six greffes de peau et vingt-cinq transfusions sanguines. Des jeunes médecins en plaisantaient, voyez ? Ils disaient qu'elle passait plus de temps qu'eux dans ce fichu hôpital... Ce masque dont je parlais, le masque de compression, ils le font au laser maintenant. Ils font un scanner du visage, ainsi il est toujours parfaitement adapté. Plus de médecins ni de parents pour se planter. Le traitement des grands brûlés a fait d'énormes progrès. Il y a eu de grandes avancées. Maintenant, on peut réduire l'ampleur des cicatrices grâce à l'oxygénothérapie hyperbarique. Sans arrêt, des choses étonnantes, des nouvelles techniques, des nouvelles découvertes voient le jour : microdermabrasion, relissage de la peau au laser, peeling chimique, j'en passe et des meilleures. Il existe des sites que j'ai mis dans mes favoris, chez moi, vous voyez ? Des bases de données médicales, des groupes de discussion auxquels on peut adhérer. On trouve tout sur le Net quand on est assez motivé, ou assez obnubilé par un sujet, tout dépend comment on voit la chose, et qu'on a du temps. Je suis assez au fait des tout derniers progrès en la matière.

– C'est la bonne période pour être brûlé vif...

– Les greffes sont incroyables de nos jours, vraiment incroyables. Les greffes de feuillets épidermiques, voilà ce qui fait une vraie différence. À l'époque, on ne réalisait que des greffes en filets prélevés sur le patient. Vous voyez ce que je veux dire ? Ils faisaient des prélèvements dans différentes parties du corps et il était pratiquement impossible d'empêcher les tissus de se contracter. De se resserrer. Maintenant, ils disposent de peau artificielle qui sert de greffons provisoires. C'est étonnant, vous savez. C'est fait à partir de peau de requin et de silicone. À l'époque... Mon Dieu, écoutez-moi, je parle comme si ça datait d'un siècle... À l'époque, ils se servaient de greffons provenant de cadavres. Ce mot à lui seul fait un peu drôle, hein ? De la peau recueillie sur les morts... De la peau de cadavres. Sur le cou de ma fille. Étalée sur son visage... De nos jours, ils peuvent même mettre de la peau en culture dans leurs labos. Ils peuvent en faire pousser ! De la peau qui est carrément pareille à celle qu'on a en naissant. Aussi épaisse que la peau humaine, voilà le véritable pas en avant. On appelle ça de la « peau immortelle ». Immortelle parce que les cellules ne cessent jamais de se reproduire. Jamais. Vous savez qu'il n'existe qu'une cellule humaine pour laquelle on considère que cette immortalité soit normale ? Je vous laisse deviner ? C'est la cellule cancéreuse... Et maintenant, on a trouvé la peau immortelle...

Enfin, il se tut.

Thorne esquissa un pas vers lui.

– Ian...

– Ce sont les méchants qui ont des cicatrices. Les monstres et les assassins au cinéma et à la télé. Le foutu

Fantôme de l'Opéra de mes deux, le Joker et Freddie Krueger.

– Peut-être que, nous aussi, nous avons dépassé ce genre de vieilleries, dit Thorne.

Si Clarke entendit ce que Thorne avait dit, il choisit de l'ignorer.

– C'est comme porter un masque qu'on ne peut jamais enlever, reprit-il. Jess a écrit cela dans son journal.

– Je l'ai lu...

Clarke leva la tête, le regard brillant, la voix soudain brisée et éraillée.

– Ce qu'elle a dit sur la fête ? Vous vous souvenez de ce qu'elle a écrit en ce dernier jour, sur le discours que quelqu'un ne manquerait pas de prononcer pour son anniversaire ? C'était exactement mon intention. Ex-ac-te-ment. Jusqu'aux blagues merdiques...

Thorne avait du mal à soutenir le regard de cet homme, comme la première fois dans la maison de la commune de Wandsworth. Il baissa lentement les yeux vers le sol. Au-delà des poings qui s'étaient serrés sur les bords de la couronne mortuaire, des phalanges aussi blanches que les pétales tombés aux pieds de Ian Clarke.

23

– Tu es complètement timbré, Tom.

– Ah, ben, je te remercie...

– Oh, putain, tu es complètement timbré !

– Dis donc, Carol...

Le choc d'entendre Chamberlain jurer – ce qui n'arrivait pas tous les jours – adoucit quelque peu le coup porté par la remarque elle-même.

Cette vigoureuse critique eut l'effet simultané de tuer la conversation dans l'œuf et d'accroître la distance entre eux. Au bout de quelques minutes passées à déchiqueter des dessous de verre et à éviter tout échange de regard, Thorne leva son verre vide. Sans complètement détacher les yeux de la nuque d'un inconnu, Chamberlain hocha la tête, et fit glisser sur la table son verre à vin vide.

Thorne traversa la salle jusqu'au bar, commanda une Guinness et un verre de rouge.

Ils se trouvaient à l'Angel, dans St Giles High Street. Le pub, agréablement miteux et désuet, se dressait sur, ou non loin de l'emplacement d'une taverne qui, des siècles plus tôt, était située sur l'itinéraire reliant la prison de Newgate au gibet de Tyburn. L'ultime trajet du condamné, qui le faisait passer par l'Oxford Street actuelle, incluait l'arrêt dans cette taverne pour un dernier verre. Il était offert par la maison, la tradition voulant que le client le paierait « au retour ».

Thorne tendit son billet de dix livres, sachant qu'il ne lui reviendrait pas grand-chose en monnaie. Le concept de boire gratuitement appartenait assurément à un autre âge, comme la variole ou les recruteurs de l'armée. De nos jours, celui qui entrerait en rampant dans un pub en n'ayant plus que deux minutes à vivre aurait de la chance de trouver ne serait-ce qu'une soucoupe de cacahuètes à disposition sur le comptoir.

Ceux qui connaissaient l'histoire du pub savaient aussi que la coutume pour laquelle il était autrefois célèbre était à l'origine de la formule chère aux tenanciers et aux ivrognes.

– Un dernier pour la route, dit-il.

Chamberlain comprit la référence. Son sourire sut allier l'indulgence à la réprobation.

– Ouais, dit-elle, et on sait tous qui risque fort de se retrouver pendu haut et court, n'est-ce pas ?

Le visage de Thorne, hormis la moustache de mousse, était l'innocence même.

– Ah bon ? Je ne vois pas pourquoi.

Il voyait très bien pourquoi, mais il avait envie de défendre son point de vue. Il ne savait plus trop pourquoi il avait raconté à Carol Chamberlain ce qu'il avait dit à Alison Kelly. En fait, il avait décidé de se confier à elle bien avant ce soir-là. Et même bien avant qu'Alison ne tue Billy Ryan. Alors, il pouvait difficilement le mettre sur le compte de la bière...

– Le côté sexe, je comprends, dit-elle.

– Oh, super...

– Tu es un homme, après tout.

– Exact. Je ne suis qu'une brute épaisse qui se laisse mener par le bout de sa queue.

Chamberlain piqua un fard.

– Tu le dis toi-même.

Thorne sourit en la voyant rougir.

– Ce n'est pas parce que j'ai couché avec elle que je le lui ai raconté.

– Et pour quelle raison, alors ?

Elle répondit elle-même à sa question.

– Parce que tu es timbré.

– Ne recommence pas avec ça...

Elle secoua la tête, exaspérée, et but une gorgée de vin.

Thorne se demanda si les choses que Chamberlain avait vues, qu'elle avait sûrement entendues, la faisaient rougir à l'époque où elle était encore en service. Peut-être n'était-ce qu'un réflexe pavlovien qui surgissait dans certaines situations, comme la commisération du bookmaker ou le haut-le-cœur de la pute. En tout cas, elle affectait nettement moins d'ouverture d'esprit que de coutume.

– Tu es furax parce que ça n'a pas été toi, dit Thorne. Parce que tu as été hors du coup.

– Je suis furax pour beaucoup de raisons.

Il n'y avait là rien d'une invitation à lui tirer les vers du nez, ni d'une envie de se confier. Thorne tint sa langue et attendit de voir où elle voulait en venir.

– Mais tu as raison, dit-elle. Je savais que je n'aurais aucun rôle à jouer dans l'arrestation de Ryan. Même si tu as la faiblesse de me tolérer...

– Carol, jamais je...

D'un petit geste de la main, elle coupa court à sa protestation.

– Le fait de savoir que je ne serais pas impliquée ne m'a pas empêchée d'imaginer certains... scénarios.

– La mort de Ryan, tu veux dire ?

– Pas seulement sa mort. J'ai envisagé de le zigouiller moi-même. J'y ai souvent pensé.

Thorne arqua le sourcil.

– C'était comment ?

– C'était super.

– La façon dont tu le tuais ou ce que tu éprouvais ?

– Les deux.

– Et la réalité n'est pas aussi bien que tu l'imaginais...

Elle tira un mouchoir en papier de sa manche, tamponna un cercle vineux laissé sur la table.

– C'est contre-productif, que Ryan soit mort.

Thorne avait tourné et retourné la même chose dans sa tête, l'avait considérée sous divers angles, examinée sous tous les éclairages possibles.

– Tu ne penses pas qu'il a payé pour ce qu'il a fait ?

Chamberlain ne répondit pas.

– Écoute, la justice aurait pu suivre son cours, et Tughan, ou un autre comme lui, aurait, qui sait, eu de la chance, et peut-être que dans cinq ans, Billy Ryan aurait été le roi de la basse-cour à Belmarsh ou Parkhurst. Je ne suis pas en train de te dire que ce qui s'est passé est nécessairement bien ou qu'il n'a eu que ce qu'il méritait. Comment le pourrais-je, bon Dieu, sachant... la part que j'y ai prise ? C'est juste que, j'ai beau faire, je n'arrive pas à être touché le moins du monde par sa mort.

La lueur qu'il avait vue dans le regard de Chamberlain quand elle avait parlé de tuer Billy Ryan avait disparu. Remplacée par quelque chose de plus chaud, de plus atténué.

– Moi non plus, je n'ai pas vraiment le cœur brisé, dit-elle.

Thorne leva son verre.

– Ne dédaignons pas les économies substantielles de l'argent du contribuable. De notre argent. Ni le fait que des avocats surpayés devront peut-être attendre un peu plus longtemps que prévu pour s'offrir des voitures de petit frimeur et des vacances de luxe...

Chamberlain ne fit même pas l'effort de lui rendre son sourire.

– C'est contre-productif, parce que Ryan étant mort, nous ne l'arrêterons jamais, n'est-ce pas ? Comment pourrons-nous savoir à qui Ryan avait donné cet argent ? Comment pourrons-nous savoir qui a brûlé Jessica ?

La bière prit soudain un goût infect dans la bouche de Thorne. Il l'avala vite, sentant son épaisseur et son amertume au fur et à mesure qu'elle coulait dans sa gorge. Il la sentit se poser dans son ventre, noire et lourde, comme le doute. Comme la culpabilité.

– Pourquoi le lui avoir dit, Tom ? Si ce n'était pas seulement un élan post-coïtal ?

Thorne hocha la tête.

– Franchement, je n'en ai aucune idée.

Et c'était la stricte vérité.

– À part un sentiment simple et fort qu'il fallait qu'elle sache.

– Il « fallait qu'elle sache », ou il fallait que tu le lui dises ? Tu as pu confondre les deux sur le moment.

– Ça m'a fait du bien de le lui dire. Je ne vais pas le nier.

– Et maintenant ?

« Maintenant » lui paraissait à des années-lumière de ce moment-là, alors que moins de trois semaines s'étaient écoulées depuis qu'Alison et lui avaient couché ensemble. Dix jours depuis qu'elle avait enfoncé à plusieurs reprises la lame d'un couteau dans le corps de Billy Ryan. « Maintenant » semblait infiniment plus confus et incertain. À ce moment-là, tout semblait clair. À ce moment-là, il n'y avait que la lumière et l'ombre, qu'un choix simple à faire entre la brûlure, l'âpreté du fait de savoir, et une ignorance qui paraissait tout sauf douce.

Thorne cligna des yeux avant de répondre à la question de Chamberlain, se souvenant d'une inscription sur une pierre tombale devant laquelle il était passé à l'enterrement de Billy Ryan quelques heures plus tôt.

Dans la vie, dans la mort, dans l'obscurité, dans la lumière, Dieu veille sur nous...

Quoi de plus simple. La vie, c'était la lumière, et la mort, l'obscurité. Mais pour quelques âmes, la situation serait toujours plus ambiguë. Il ne faisait guère de doute que Ryan avait vécu sa vie dans l'obscurité. D'un bout à l'autre et pleinement. Pour l'heure, Thorne n'était pas aussi certain de la place où lui-même se trouvait...

– Maintenant ? dit-il. Je donnerais tout pour ne pas avoir ouvert ma gueule. Pas pour le bien de Ryan...

– Pour celui d'Alison Kelly ?

– Elle va passer beaucoup de temps en prison.

– Il y a plusieurs choses que le tribunal peut prendre en compte...

Thorne secoua la tête.

– Beaucoup de temps. Et elle n'est pas taillée pour ça, tu sais ? Elle doit croire qu'elle l'est. Elle a décidé en connaissance de cause. Elle a choisi la prison.

– Comme ton ami Gordon Rooker. Peut-être que nous ne rendons pas ces endroits assez terrifiants.

– Ouais, dit-il.

Une réponse réflexe qui ne signifiait rien. Alison y trouverait la vie assez dure.

Chamberlain posa son verre, s'inclina vers l'avant.

– « Elle a choisi la prison. » Tu le dis toi-même. Ce n'est pas toi qui as armé sa main, Tom...

– En un sens, si.

Il but une gorgée de Guinness. Elle n'avait pas vraiment meilleur goût.

– Il n'y a pas quelqu'un qui a dit que la connaissance est une chose dangereuse ?

Sentant que ses idées commençaient à se brouiller. Que sa respiration devenait un peu plus laborieuse.

Songeant : la connaissance est un couteau...

– Probablement, répondit Chamberlain. Un petit roublard.

Son air morne, la douceur de son accent du Yorkshire qui habillait si bien le mot firent rire Thorne. Un trou creva l'opacité qui s'était installée au-dessus de leurs têtes et aspirait la gaieté qui, d'habitude, passait entre eux.

– Comment va ton affaire classée, au fait ? Celle du patron de pub qui s'est fait refroidir...

– Ce n'était pas le patron d'un pub, ça s'est passé sur le parking d'un pub, et « refroidir », ce n'est rien de le dire : des stalactites pendent de tous les côtés de cette fichue histoire. Bah, je dois reconnaître que je n'y accorde pas toute mon attention.

– Peut-être que dorénavant, tu pourras un peu mieux te concentrer.

– Peut-être...

Thorne lui toucha la main avec son verre.

– Billy Ryan. Jessica Clarke. Tu dois les lâcher.

Lentement, elle écarquilla les yeux.

– « Les lâcher » ? Tu en as de bonnes. Les noms de Bishop, Palmer et Foley ne signifient plus rien pour toi... ?

Thorne dirigea sa main vers sa barbe rugueuse et ses pensées vers les affaires que Chamberlain venait d'évoquer. Des affaires qui avaient laissé leurs marques en lui. En profondeur, mais toujours aussi fraîches, toujours aussi à vif. Comment une gamine de quinze ans l'avait-elle formulé ? « Comme un masque qu'on ne peut jamais ôter. »

– Je pense, dit-il au bout de quelques instants, que j'aime encore mieux quand tu m'insultes...

Pour rentrer, la station de métro de Tottenham Court Road était la plus pratique pour tous les deux. Thorne prendrait la Northern Line jusqu'à Kentish Town. Chamberlain pourrait changer à Oxford Circus, à deux stations seulement de Victoria Station et du dernier train pour Worthing.

Ils passèrent devant l'église St Giles in the Field. Elle avait été bâtie au début du XIIe siècle comme léproserie, et ses registres paroissiaux contenaient les noms de Milton, Marvell et Garrick. Le cimetière, derrière les grilles pointues, abritait beaucoup de ceux qui avaient trouvé la mort pendus au Tyburn Tree et dont le dernier verre avait coûté nettement moins cher que ce que Thorne et Chamberlain venaient de claquer.

Ils traversèrent la rue à Denmark Street et tournèrent en direction de Charing Cross Road. Au nord, Centre Point dominait l'horizon. Cet immeuble de bureaux – autrefois élégant et même plus qu'étrange, très haut – était resté complètement vide un certain temps après sa construction, et un foyer d'hébergement pour sans-abri avait, par ironie, pris son nom. Il se dressait dans un secteur qui, cent cinquante ans plus tôt, était le quartier le plus pauvre et le plus mal famé de la ville. Le Rookery était alors un dédale de ruelles crasseuses, d'allées servant de raccourcis et de courettes où les pauvres vivaient dans la misère la plus noire, et où le crime proliférait de manière endémique. Un réseau tentaculaire de « repaires de voleurs et de receleurs » dickensiens en faisait pratiquement une zone de non-droit pour la police de l'époque.

Tandis qu'ils marchaient, Thorne repassait dans sa tête les grandes lignes de l'histoire de ce lieu. Il avait prospéré, pour ainsi dire, pendant plus d'un siècle avant d'être démoli – vers le milieu du XIXe siècle, Thorne ne se souvenait plus de la date exacte –, pour tracer la rue qui portait aujourd'hui le nom de New Oxford Street.

– Il me semble que nous parlons souvent du passé, toi et moi, dit Chamberlain.

Thorne éclata de rire.

– Dont une partie est très obscure et très lointaine.

– Comment cela se fait-il, à ton avis ?

Thorne réfléchit à la question quelques instants.

– Peut-être parce que nous pensons qu'il a des choses à nous apprendre.

– Tu crois ?

– Je le crois. Mais je ne suis pas certain que nous en ayons tiré des leçons. Que les choses aient beaucoup changé.

Chamberlain dit quelque chose, mais ses paroles furent noyées par le gémissement de la sirène d'un fourgon de police qui fonçait en direction de Leicester Square. Thorne hocha la tête. Chamberlain attendit que le bruit se soit tu pour répéter ce qu'elle avait dit.

– C'est peut-être rassurant.

Tout en regardant à travers les vitrines des cybercafés et des magasins d'informatique, Thorne ne pouvait s'empêcher d'imaginer les caniveaux débordant d'eaux usées, les familles entassées dans des caves. Des hommes et des femmes contraints à la prostitution et au vol pour maintenir un niveau de vie qu'on ne pouvait décrire que comme inhumain.

– Tu as lu *Oliver Twist* ? demanda Thorne.

C'était l'iniquité de la vie dans des lieux tels que le Rookery que Dickens avait décrite en créant des personnages romanesques comme Bill Sikes, Fagin et sa bande de petits voyous...

Chamberlain secoua la tête.

– Mais j'ai vu la comédie musicale, dit-elle. Une honte, non ?

Thorne fit quelques pas avant de se décider à lâcher sa confession.

– J'étais dans la production de *Oliver !* au lycée. Je jouais Parfait Coquin...

Chamberlain le prit par le bras.

– Alors, ça, j'aurais payé cher pour le voir.

– Tu te serais sentie volée comme dans un bois...

Thorne, en réalité, s'était beaucoup amusé. Il avait fait son numéro, frimé, loin de se douter que les vraies personnes qui avaient inspiré ces personnages allaient bien plus loin que vider une ou deux poches.

– Tu te souviens des chansons ? demanda Chamberlain.

Elle se mit à fredonner *Consider Yourself*, mais Thorne ne joignit pas sa voix à la sienne.

– Je me souviens que je portais un vieux gibus. Et de ma grand-mère qui m'a fait un petit signe le premier soir où je suis entré en scène. Je me souviens d'avoir passé mon temps à essayer de peloter la fille de première qui jouait Nancy.

Ils s'engouffrèrent dans la station de métro. Descendirent les marches vers les tourniquets.

– Ouais, dit Chamberlain. Donc, à l'époque, tu n'étais déjà qu'une brute épaisse qui se laissait mener par le bout de la queue...

Arrivé chez lui, Thorne s'assit à la table de la cuisine pendant que l'eau chauffait. Il appela son père, mais la ligne était constamment occupée...

Il en était toujours à s'habituer à se réapproprier l'espace. Hendricks avait réintégré son appartement depuis une semaine et, s'il devait être honnête, Thorne regrettait sa présence. Mais c'était « sympa » d'avoir la paix, et, c'était sûr, il ne regrettait pas les baskets traînant ici et là, ni les commentaires désobligeants sur sa collection de CD.

Au bout de cinq minutes, il appela les réclamations et demanda à l'opérateur de vérifier la ligne de son père. Le téléphone était décroché.

C'était chouette d'avoir retrouvé son intimité aussi. Même si Hendricks n'avait montré aucune inhibition sur ce point, Thorne s'était senti un peu gêné de se retrouver moins que complètement habillé devant son ami. C'était idiot, il le savait, ou, pire, mais le trajet de la salle de bains à la chambre avait pris des airs un peu périlleux.

Il porta son thé au salon. Il mit de la musique, et, tant qu'il y était, prit sur ses étagères une encyclopédie de Londres aux pages écornées.

Le Rookery du quartier de St Giles avait été démoli en 1847.

Il but le thé en écoutant Laura Cantrell, et, entre les morceaux, le bourdonnement du trafic lointain. Assis, il lisait...

Tandis que divers George se succédaient sur le trône, que la science et la révolution changeaient la face du monde, la dépravation et le crime atteignaient des niveaux incroyables dans les pires quartiers de la capitale. Les indigents et les malades se volaient et se tuaient les uns les autres, et vendaient leurs enfants pour acheter du gin pendant que la loi les laissait plus ou moins faire.

Deux siècles plus tard, les addictions étaient différentes. Le calibre avait remplacé le gourdin et le coupe-chou. Les nids de voyous s'appelaient des cités.

Thorne se souvint de ce que Chamberlain avait dit quand la sirène de police avait arrêté de brailler.

« Rassurant » n'était pas vraiment le mot...

24

– Bon, alors ? dit Rooker. À quel niveau de protection j'ai droit ?

Ses yeux firent un aller-retour de Thorne à Holland, scrutant leur visage en quête d'une indication. Les deux policiers se regardèrent, savourant ce moment.

Dire que l'affaire confiée au SO7 – plus particulièrement la partie impliquant le témoignage de Gordon Rooker – s'abîmait dans la confusion était un euphémisme. La notion de protection de témoin devenait, après tout, un peu inutile quand l'individu qui justifiait ladite protection était retrouvé lardé de coups de couteau par son ex-femme. Ainsi que Thorne l'avait expliqué à Rooker un peu plus tôt, il existait plusieurs niveaux de protection, chacun d'eux étant adapté à la menace potentielle. Rooker avait parfaitement pigé le concept, et, le téléphone arabe de la zonzon s'affolant un max, il avait appelé avant même que la mort de Ryan ne soit relayée par la presse. Il avait pesté, tempêté et exigé de savoir ce qu'il adviendrait de lui. Il lui avait été expliqué par les voies officielles que, dans l'immédiat, sa tranquillité d'esprit figurait au plus bas de la liste des priorités de tout le monde.

À présent, face à face avec Thorne pour la première fois depuis le meurtre de Billy Ryan, il attendait toujours une réponse.

– Hein ? À quel niveau j'ai droit ?

Thorne renifla, hocha la tête d'un air songeur.

– Peut-être à une forme de déguisement plus basique, je pense, répondit-il, pas à une nouvelle identité, peut-être à des moyens de donner l'alerte si jamais vous vous sentiez menacé.

– C'est-à-dire ?

Holland se marra.

– Une perruque et un sifflet.

– Oh, putain ! vous faites chier...

D'un point de vue pratique, il n'avait même pas encore été décidé où Rooker irait. Il se trouvait toujours dans l'aile des témoins protégés de la prison de Salisbury, ce qui ne voulait plus dire grand-chose. On pouvait lui faire réintégrer l'aile des D.V. à Park Royal, ou même, comme cela avait été suggéré, le transférer ailleurs au milieu de la population carcérale lambda, maintenant que plus aucune menace provenant de Billy Ryan ne pesait sur lui. Cette perspective avait mis Rooker dans une panique si furibonde que l'avocat qui avait relayé l'information avait, l'espace d'un instant, craint pour son intégrité physique. Au bout du compte, une décision rapide s'avérant impossible, il avait été décidé de le laisser là où il était. C'était là où Rooker voulait être, pourtant il semblait toujours loin d'être satisfait...

– Je ne comprends pas, dit Holland. J'aurais cru que vous seriez ravi que Billy Ryan soit six pieds sous terre...

Rooker creusa les joues.

– Dix pieds, je préférerais. Ouais, si j'en avais un, j'aurais levé mon verre à Alison Kelly pour la remercier d'avoir planté ce connard, ça, c'est sûr. Dommage qu'elle ne se soit pas servi d'un couteau de peintre...

– Alors, pourquoi sommes-nous ici ? demanda Thorne. Franchement, on a mieux à faire.

– Qu'est-ce qui vous fait dire que je ne suis plus une cible ?

Thorne fit semblant de se creuser les méninges.

– Je ne sais pas. Peut-être parce que Billy Ryan mange les pissenlits par la racine dans le cimetière St Pancrace...

– Et Stephen ?

– Quoi, Stephen ?

– Personne ne sait ce qu'il est capable de faire.

Thorne lança un coup d'œil à Holland. Il devait admettre que Rooker n'avait pas tort. Depuis le meurtre, beaucoup de temps avait été consacré à spéculer sur les diverses façons dont Stephen Ryan allait réagir.

– Il pourrait décider de jouer au caïd, dit Rooker. De chercher à me faire la peau à cause de son père.

Holland se curait un ongle.

– J'ai du mal à l'imaginer, Gordon. Je suis conscient que Steve n'a pas inventé le fil à couper le beurre, mais même lui sait que ce n'est pas vous qui avez buté son vieux.

Rooker plissa les paupières.

– Vous m'avez parfaitement compris, putain !

En un instant, l'humeur de Holland changea du tout au tout.

– Faites gaffe à ce que vous dites !

– Désolé. Hé, c'est juste que j'ai dans l'idée qu'il pourrait très bien choisir ce moment pour régler quelques comptes, voyez ? Et la prochaine fois, je pense qu'ils prendront quelqu'un d'un peu plus fiable qu'Alun Fisher.

– J'ai des doutes, intervint Thorne. Nous ne sommes pas les seuls à avoir mieux à faire. Stephen Ryan a assez de sujets d'inquiétude comme ça pour le moment...

Le motard s'arrêta au bord du trottoir et attendit. Il laissa la circulation s'écouler à côté de lui, faisant monter le régime de son moteur sans raison. Il laissa sa respiration se stabiliser.

C'était une chaude journée, largement de quoi transpirer sous sa combinaison, mais là où le cuir touchait la chair, les deux peaux glissaient l'une sur l'autre carrément sur un vernis de sueur.

Il releva un tout petit peu sa visière sombre et prit quelques goulées d'air qui était tout sauf frais. Il avala des émanations d'essence et de goudron chaud. Il sentit les odeurs graisseuses provenant de la succession apparemment sans fin de fast-foods dans cette partie de Seven Sisters Road.

La moto, qui n'était la sienne que depuis le matin, s'était faufilée aisément et il était largement en avance. Il envisagea de la garer et de boire un Coca vite fait, mais, il le savait, c'eût été courir un risque inutile. Il avait une bouteille d'eau à l'arrière – entre autres choses. Il trouverait, un peu plus loin, un meilleur endroit où s'arrêter. Peut-être qu'il pourrait se balader dans Finsbury Park pour tuer le temps avant de transmettre le message.

C'était un gros coup, son plus gros à ce jour. Il avait dit à sa femme de faire les valises pour des vacances de printemps. Toutes les affaires pour se baigner et plein de crème solaire à indice de protection élevé pour les gosses. Il lui avait promis une surprise, sachant qu'elle serait enchantée par l'endroit incroyable où il avait réservé pour eux tous aux Maldives. Quatre semaines, en pension complète, voilà qui ferait un gros trou dans ce qu'il toucherait pour ce boulot, mais il lui resterait tout de même une somme rondelette pour d'autres trucs. Ils avaient parlé de casquer pour envoyer leur aîné dans le privé. Dans cette partie d'Islington, les écoles publiques étaient une honte, et aller dans le privé revenait vachement moins cher que de prendre ses cliques et ses claques et déménager. Ils seraient en mesure de couvrir les frais pendant trois ou quatre ans au moins, et il leur resterait encore quelque chose pour retaper la maison. Un jardin d'hiver, peut-être, ou un aménagement en loft. Il connaissait plusieurs entrepreneurs en bâtiment, des gens qui lui feraient un bon prix et un travail tip top.

Faire du bon boulot sans demander une somme folle. C'était tout simple, vraiment. Il se dit qu'il pourrait acquérir une chouette réputation en s'appliquant la règle à lui-même. Il savait qu'il y en avait d'autres que lui, des étrangers notamment, qui exigeaient plus, mais il pensait que se situer dans la bonne moyenne serait la meilleure politique à long terme.

Il mit son clignotant, orienta la roue avant de la moto vers la rue.

Pas le meilleur marché, mais un des meilleurs : voilà ce qu'il voulait que les gens pensent. Ce que tout le monde désirait en priorité, c'était de croire qu'ils en avaient pour leur argent, non ? On aimait tous faire une bonne affaire.

Le klaxon d'un camion beugla en passant. Le motard se glissa dans le flot de la circulation, accéléra et le doubla en quelques secondes.

Rooker s'était levé. Il s'imaginait peut-être que cela lui conférait une certaine autorité.

– On avait passé un accord, dit-il.

Thorne s'enfonça dans sa chaise. Il savait pertinemment, lui, de quelle autorité il disposait.

– Je suis un officier de police et, sauf erreur de ma part, vous êtes un criminel condamné. Nous sommes dans une prison, pas au cercle, et la seule chose que j'envisagerais de vous serrer, c'est le cou. C'est clair ?

Rooker serra les dents.

– Tout accord que vous avez pu penser avoir passé vaut très exactement que dalle, dit Holland.

Thorne haussa les épaules.

– Désolé.

Rooker traversa la pièce en traînant les pieds, tira sa chaise et s'y laissa tomber. Il frotta sa paume sur les poils blancs de sa barbe naissante, son double menton tremblotant légèrement.

– Y a des choses que je sais, dit-il. Sur plein de gens. J'en ai dit un peu aux gars de l'inspecteur-chef Tughan, mais y en a d'autres. Des trucs que j'ai gardés pour moi.

– Tiens donc, dit Thorne. Et pourquoi ça ?

– Je n'étais pas sûr que vous seriez complètement réglo avec moi, vous autres...

Holland s'esclaffa.

– Réglo avec... vous ?

– Et j'avais raison, non ?

Rooker eut un petit sourire. Il fit glisser sa langue sur sa dent en or, chassant de la salive.

Thorne pouvait aisément croire que Rooker ne leur avait pas tout dit. Il pouvait tout aussi facilement penser que Tughan avait caché certaines informations à l'équipe. Et il n'en avait strictement rien à battre.

– Quoi que vous ayez pu dire ou ne pas dire à la SO7, l'accord reposait sur l'aide que vous alliez nous apporter pour mettre Billy Ryan à l'ombre...

– Maintenant qu'il est à l'ombre pour de bon, renchérit Holland, vous ne nous êtes plus d'aucune utilité.

– Je veux parler à Tughan.

– Vous pouvez parler à qui vous voudrez, dit Thorne. J'en ai marre de vous entendre...

Il tendit le bras derrière lui pour prendre le blouson en cuir posé sur le dossier de la chaise.

Rooker fit glisser sa main devant lui et tapa avec la paume sur le plateau métallique balafré de la table.

– Il faut que je sorte. J'étais censé être libéré.

– Vous sortirez toujours assez tôt, dit Holland.

Rooker parla comme s'il avait la bouche pleine d'une chose au goût amer, d'une chose brûlante.

– Non. Jamais assez tôt.

– Formulation malheureuse, Holland, dit Thorne en enfilant son blouson.

– Sans votre feu vert, je ne serai pas entendu par le DLP la semaine prochaine. Ces petits salauds feront en sorte que je meure derrière les barreaux.

– Vous finirez bien par sortir, dit Holland. Imaginez à quel point vous en profiterez encore plus. On apprécie d'autant plus les choses qu'on a attendu longtemps pour les obtenir.

Thorne essaya de croiser le regard de Rooker. Ses iris, verts sur du blanc sale, partaient dans toutes les directions comme des rats pris au piège.

– Surtout maintenant que vous n'avez plus à vous inquiéter de savoir si Billy Ryan va payer quelqu'un pour vous tirer une balle dans la colonne vertébrale.

– En tout cas, vous, c'est sûr que ça ne vous inquiétera pas.

Holland se leva, remit sa chaise en place.

– Vous devriez encore avoir le temps de faire quelque chose d'utile, dit-il. Pourquoi ne pas préparer un petit diplôme vite fait ? Que vous sortiez avec quelques lettres à la suite de votre nom... ?

Rooker jura dans sa barbe.

Thorne le regarda soulever d'un geste sec le couvercle de sa boîte de tabac, plonger les doigts dedans.

– Pourquoi êtes-vous si pressé de sortir, Rooker ? Vous avez un petit pécule de côté ?

Rooker cracha sa réponse sans même daigner lever la tête.

– Je vous l'ai déjà dit.

– Exact. Des salades à faire pleurer dans les chaumières sur l'envie de goûter à l'air pur et de voir votre petit-fils jouer au foot.

– Je vous emmerde, Thorne.

– On ne sait jamais, Gordon. Si vous évitez les blessures tous les deux, il se pourrait que vous sortiez à temps pour le voir marquer le but gagnant du championnat d'Angleterre. Mais bon, vu qu'il joue pour West Ham...

Il laissait tourner le moteur de la moto, calée contre le bord du trottoir, attendant la dernière minute.

S'obligeant à se concentrer. Se décidant à y aller une demi-minute plus tôt que prévu, à prendre en compte l'attente probable d'une ouverture dans la circulation de la fin de l'après-midi. S'efforçant de s'éclaircir les idées. Des pensées futiles s'en venant jouer les intruses, souillant le blanc immaculé de son horizon mental en ces derniers instants. Ils leur faudrait prévoir d'économiser suffisamment pour les uniformes scolaires. Ils revenaient cher quand il fallait les acheter en quatre ou cinq exemplaires. La formule Tout Compris aux Maldives incluait-elle l'alcool ? Il allait falloir vérifier. Cela pouvait faire une sacrée différence...

Il laissa passer une, deux voitures, un vélo, avant de s'éloigner du trottoir d'un grand coup d'accélérateur et de couper les deux voies en exécutant un large demi-tour. Il s'arrêta devant un pressing, à deux portes de l'adresse où il se rendait. Puis, en quinze secondes, exécuta l'enchaînement qu'il avait répété plus d'une centaine de fois dans sa tête depuis quelques heures.

Mettre la moto sur sa cale sans couper le moteur.

Marcher rapidement jusqu'à la boîte derrière. Il ne l'avait pas verrouillée.

Plonger la main dedans, la retirer dès qu'elle s'était refermée autour de la crosse caoutchoutée du pistolet et tourner le dos à la rue.

Il marchait le bras ballant, vite mais sans plus, allant du bord du trottoir jusqu'à la devanture. Sans ralentir le pas, il tourna à droite et franchit la porte ouverte de l'agence de minicabs.

Il avait fait deux grandes enjambées vers le comptoir en bois quand l'homme qui s'y trouvait leva les yeux et, à ce moment-là, le pistolet était déjà pointé sur lui. Dans un coin, un type dans un fauteuil abaissa son journal et y regarda bien à deux fois avant de crier. Hassan Zarif cria, lui aussi, quand la balle le traversa. Le plumet de sang qui éclaboussa le calendrier derrière lui était un tantinet trop spectaculaire comparé au doux sifflement de l'arme qui l'avait causé.

Le motard fit de nouveau feu, et Zarif tomba à la renverse, s'écroulant derrière le comptoir. Le pistolet tressauta dans sa main, mais très légèrement. Sans plus de recul qu'il n'en aurait eu s'il avait effleuré une surface chaude pour en tester la température.

Tandis qu'il s'élançait en avant, sa cible ayant disparu de sa vue, la porte à la droite du comptoir s'ouvrit brusquement, et le motard se tourna juste au moment où le pistolet que tenait Tan Zarif commençait à faire son œuvre. La balle pulvérisa la visière fumée du casque en la traversant. Le temps que le premier passant ait renversé ses courses sur le trottoir, et que d'autres – ayant compris qu'aucune voiture n'était en train de pétarader dans le coin – prennent leurs jambes à leur cou, l'homme en cuir s'était effondré, presque sans bruit, sur le lino crasseux.

Pendant quelques secondes, dans la minuscule officine, on n'entendit plus que la résonance du coup de feu tiré sans silencieux. Ce son haut perché domina le vrombissement sourd d'un bus qui passait dehors en direction de Turnpike Lane.

Tan Zarif cria quelque chose à l'adresse de l'homme assis dans le fauteuil, qui bondit sur ses pieds et franchit au pas de course la porte qui donnait sur le fond de la salle. Zarif avança vivement jusqu'au cadavre. Car c'était bien un cadavre, cela au moins, c'était évident : le trou déchiqueté dans la visière et le sang qui coulait abondamment sur le protège-nuque rembourré du casque et au-delà attestaient que l'homme au sol ne se relèverait pas.

Cela semblait n'avoir aucune importance...

L'homme qui s'était levé du fauteuil, l'homme qui, à présent, se trouvait derrière le comptoir penché sur le corps ensanglanté de Hassan Zarif, plaqua ses mains poilues contre ses oreilles tandis que le plus jeune frère de Hassan vidait son pistolet dans la poitrine d'un mort.

La première partie du trajet de retour avait été plutôt agréable. Ils avaient roulé vite dans la campagne du Wiltshire et du Hampshire, tout en s'accordant le temps d'admirer le paysage, de rire des noms de villages tels que Barton Stacey et Nether Wallop. Mais une fois qu'ils eurent atteint la M3, c'était devenu plus agaçant : les conducteurs avaient décidé de se la couler douce, d'avancer comme des fourmis à cent dix à l'heure maxi sur les trois voies. Comme d'habitude, Thorne roulait sur la voie extérieure, grommelant tout son soûl et maudissant la bande de crétins égoïstes qui était devant lui. Pas un seul instant, il n'envisagea qu'il pouvait faire partie du lot.

Le printemps avait deux semaines, et l'été semblait vouloir prendre de l'avance. Les ventilateurs de la BMW avaient beau souffler tout l'air frais qu'ils pouvaient, même en chemisette, on étouffait dans la voiture.

Holland but à la bouteille une longue rasade d'eau.

– Toujours content d'avoir acheté ça ?

Thorne fredonnait doucement. Il tendit le bras, baissa le volume du premier album des Highwaymen, et dit :

– Comment ?

– La voiture, dit Holland en s'éventant à outrance. Tu penses toujours que ç'a été une bonne décision ?

Thorne haussa les épaules, comme si le fait qu'ils soient presque collés aux sièges en cuir le laissait indifférent.

– À l'époque de celles-là, la climatisation n'existait pas dans les voitures. C'est le prix à payer pour un modèle de collection.

– Je suis étonné que le volant ait été déjà inventé quand cette chose a été fabriquée...

– Bravo, Dave.

– Et avec ce que tu raques en un an pour qu'elle tienne la route, tu pourrais t'acheter une voiture avec la clim.

Thorne arriva près d'une camionnette, et fit un appel de phares. Quand il vit que son signal était ignoré, il tapa sa paume contre le volant et leva le pied.

– Difficile de trouver Rooker sympathique, hein ? dit Holland.

– Sans doute la réaction logique vu que tu es un des fins limiers de la police de Londres et que son gagne-pain à lui, c'est de tuer des gens. Remarque, j'ai rencontré pas mal d'assassins avec qui j'aurais pu descendre une ou deux bières... et plus d'un flic que je me serais fait un plaisir de tabasser à mort.

– C'est sûr, mais Rooker est un gros con, quel que soit l'angle sous lequel on l'envisage.

– Tu sais que, dans ma bouche, « fin limier » était une plaisanterie, hein... ?

Holland entrouvrit sa vitre, tourna son visage vers elle.

– Évidemment.

– Rooker était un brin plus aimable quand j'avais quelque chose à lui offrir, dit Thorne. Et il dirait sans doute la même chose à mon sujet.

Il se déporta sur la voie médiane mais ne put toujours pas doubler la camionnette qui arborait à l'arrière un autocollant : « Vous trouvez que je conduis comment ? » Thorne envisagea d'appeler le numéro qui y figurait et de se défouler un bon moment sur la personne qu'il aurait en ligne...

– Parle-moi de certains d'entre eux, dit Holland. De ces assassins avec qui tu t'es bien entendu.

Thorne lança un coup d'œil dans le rétro. Il vit la file de voitures qui serpentait loin derrière lui. Il vit la tension, réelle ou imaginaire, autour de ses yeux.

Il pensa à un certain Martin Palmer ; un homme qui, au bout du compte, avait tué parce qu'il était terrifié à l'idée de ce qui se passerait s'il ne le faisait pas. Palmer avait étranglé et poignardé, et il avait payé au prix fort son ultime et maladroite tentative de rachat. Il avait changé la façon de penser de Thorne, sans parler de son visage, à jamais. Thorne ne s'était pas « bien entendu » avec Martin Palmer. Il l'avait méprisé et utilisé. Mais il avait aussi éprouvé de la pitié, et de la tristesse en se faisant une idée de l'homme que cet assassin aurait pu si facilement être. Thorne avait été troublé, et l'était toujours, par les sentiments qui s'étaient imposés à lui ; et par ceux qui étaient complètement absents pendant qu'ils se soufflaient leur haleine au visage.

Puis il y avait eu l'année précédente : l'affaire Foley...

Les assassins avec qui tu t'es bien entendu...

– Je ne sais vraiment pas par où commencer, dit Thorne. Dennis Nielsen était réglo quand on le connaissait, et Fred West était un déconneur de première, avant qu'il ne se foute en l'air. En parlant de ça, je me souviens d'un soir où je jouais aux fléchettes avec Harold Shipman. Moi, je l'appelais Harry...

Holland laissa échapper un long soupir exaspéré.

– Si tu tiens absolument à être drôle, tu pourrais remonter le volume de la musique.

Ils roulaient, jamais en quatrième plus de quelques minutes d'affilée. Il s'en fallut de peu pour que la monotonie cède la place au drame quand Thorne, passant trop de temps à observer une crécerelle qui planait au-dessus de la bande d'arrêt d'urgence, faillit emboutir l'arrière d'une Audi.

– Comment vont Sophie et le bébé ? demanda-t-il.

– Bien.

– Quel âge elle a maintenant ?

– Bientôt sept mois. On a l'impression de retrouver un peu notre rythme de vie, tu vois ce que je veux dire ?

Thorne secoua la tête. Il n'en avait pas la moindre idée.

– On panique moins, expliqua Holland. Je veux dire, ça fiche toujours une super trouille, on est tout le temps crevés, mais on sait plus ou moins ce qu'on fait.

Il se tut, lança un coup d'œil à Thorne.

– Enfin, Sophie l'a toujours su, mais maintenant, moi aussi je sais plus ou moins ce que je fais. Il faudra venir la voir...

– Donc, tout baigne, alors ? Le côté papa. Je sais que tu as eu quelques soucis.

Thorne se rappelait une de leurs conversations de l'été précédent. Bizarrement, elle avait eu lieu le jour même où il avait acheté la BMW. Holland avait bu, avoué être terrifié. Il avait raconté à Thorne qu'il craignait d'en vouloir au bébé quand il naîtrait, que Sophie puisse le mettre en demeure de choisir entre le bébé et son travail.

– J'étais idiot, dit Holland.

Il tourna la tête vers Thorne, hilare.

– Chloé est géniale. Elle touche à tout, mais elle est géniale, putain...

– Je suis ravi que ça marche.

– Pour tout te dire, depuis deux ou trois semaines, tout se passe super bien. L'occasion de recharger les batteries, tu sais ce que c'est ? Le seul problème, c'est que Sophie commence à se réhabituer à m'avoir dans les pattes...

Tous les policiers qui étaient sur l'enquête passaient plus de temps avec leurs proches depuis la quinzaine de jours suivant le meurtre de Ryan. Dernièrement, le travail impliquait énormément de paperasserie, beaucoup concernant d'autres affaires, et pas mal d'heures à rester sur son cul en attendant que quelqu'un – Stephen Ryan, notamment – se bouge le sien. Prenne une initiative. L'enquête était au point mort, ou carrément en plein chaos, selon le point de vue.

– Tu crois que Stephen Ryan va faire quelque chose ? demanda Holland.

Thorne gémit, mais seulement de plaisir quand la camionnette Transit mit enfin son clignotant et se rabattit. Thorne se déporta dans la voie rapide et la doubla pleins gaz, gagnant une dizaine de mètres pour rien, mais tout de même au comble de la joie.

Il ne pouvait pas se douter qu'à une trentaine de kilomètres de là, des policiers en tenue installaient un périmètre de sécurité autour d'une agence de minicabs de Green Lanes. D'autres rassemblaient les témoins et commençaient à prendre les dépositions. Phil Hendricks était déjà en route pour la scène de crime, tandis qu'une ambulance roulait dans la direction opposée, service clairement superfétatoire.

Stephen Ryan avait pris une initiative.

25

Mercredi matin, salle des enquêteurs, deux jours après la fusillade mortelle dans l'agence de minicabs des Zarif : une équipe de nouveau sur pied, mais toujours en attente de prendre le sien...

– Nous avons eu des nouvelles des services de l'Immigration, annonça Brigstocke. Ils pensent en savoir un peu plus sur le camion. Je dis « pensent » parce que les individus concernés ne sont pas très loquaces.

– Où ? demanda Thorne.

Brigstocke baissa les yeux sur la feuille de papier qu'il tenait en main.

– Une laverie automatique de voitures à Hackney. Une de celles où une escouade de gars se précipite tout de suite sur votre bagnole, vous savez. Avec des éponges, des peaux de chamois et des aspirateurs pour l'intérieur...

Stone acquiesça.

– Il y en a une près de chez moi. L'extérieur et l'intérieur pour un billet de dix. Plus un pourboire...

– On est en train d'interroger le propriétaire, dit Brigstocke. Jusqu'à présent, surprise, surprise, il plaide l'ignorance. On finira bien par trouver un lien avec les Ryan, mais je ne pense pas qu'il sera très différent des autres...

Un homme et une femme, que l'on avait découverts travaillant dans la cuisine d'un restaurant, étaient soupçonnés d'avoir voyagé dans le camion. On les avait placés en détention la semaine précédente à Tottenham. Quelques jours auparavant, deux hommes avaient été arrêtés à Manor House chez un grossiste en matériel pour agencement de magasins. Dans les deux cas, une étonnante crise d'amnésie semblait avoir frappé tous les protagonistes. On avait procédé à des interpellations qui, toutes, n'avaient mené qu'à des arrêtés d'expulsion pour les clandestins et à des amendes pour leurs employeurs. Il s'accumulerait suffisamment de paperasses pour remonter au pays d'origine des gens transportés dans le camion, mais rien qui puisse permettre d'incriminer les grosses pointures de l'organisation des Ryan ou de celle des Zarif.

– Passons à la fusillade de Green Lanes, intervint Tughan. *Quid* des témoins, Sam ? Est-ce que ç'a donné quelque chose ?

Karim fit non de la tête.

– Difficile à croire, je sais, mais on n'a toujours pas trouvé une seule personne ayant vu quoi que ce soit qui contredise la version de Memet Zarif. On en a même deux qui, comme par hasard, ont remarqué un homme encagoulé portant un pistolet s'enfuir en courant tout de suite après les coups de feu.

– Ouais, c'est ça, dit Thorne.

Holland grommela un rire.

– En voilà deux qui seront en fonds pour Noël...

Selon Memet Zarif et ses acolytes présents dans l'agence de minicabs au moment des faits, l'homme en tenue de motard qui avait tiré sur Hassan Zarif, le blessant, avait lui-même été abattu par un autre tireur mystérieux qui l'avait suivi à l'intérieur et s'était enfui immédiatement après le meurtre. La police savait que cette histoire ne tenait pas debout. Elle supposait que le « deuxième » tireur était Memet ou Tan Zarif, mais sans arme du crime et sans témoignages concordants, on pouvait difficilement le prouver.

– On est au moins sûrs d'une chose, dit Tughan.

Quelques rires fusèrent, rires qu'il reçut avec une bonne humeur inaccoutumée.

– Je sais, j'ai déjà alerté les médias, reprit-il. Nous avons l'identité de la victime : je parle du mort. Un certain

Donal Jackson, trente-trois ans. Un comparse connu de Stephen Ryan.

Ce qui ne surprit personne.

– Ce serait lui qui aurait buté les Izzigil, alors ? demanda Stone. Même arme... ?

Tughan voulut répondre, mais Thorne le devança.

– Aucun risque. C'est le même type d'arme, c'est tout. Celui qui a été engagé pour tuer les Izzigil est un pro. Clinique, voyez. Cet imbécile s'est fait tuer, sans même réussir à en emmener un avec lui...

Il laissa sa phrase en suspens, son esprit soudain concentré sur l'échec de la tentative de tuer une innocente fillette de quatorze ans. Aujourd'hui, vingt ans plus tard, le fils de celui qui avait commandité ce crime avait foiré un contrat lancé par lui.

– L'inspecteur Thorne est sans doute dans le vrai, dit Tughan. On raconte que ce Jackson était un nouveau venu dans le monde des contrats. Il a accepté ce boulot parce qu'il était pote avec Stephen Ryan, et que Ryan voulait suivre un chemin différent de celui de son vieux. En outre, selon les gens avec qui nous avons parlé, Jackson était assez bon marché.

– Payez des cacahuètes, et vous aurez des singes, éructa Stone.

– On aurait pu penser que casquer pour un bon tueur à gages, c'était le minimum, fit remarquer Kitson.

D'autres embrayèrent sur son sarcasme et marmonnèrent leur assentiment.

– Ces gens-là n'ont-ils jamais entendu parler de fausses économies ?

– C'est très difficile de trouver du bon personnel.

– Il va payer au final, dit Thorne. Ce qu'il a fait, ce qui a été raté, va lui coûter cher.

– Tu penses que c'est un coup d'envoi ? demanda Holland.

– Je pense que Ryan aurait dû casser sa tirelire et engager un trio de tueurs, dit Thorne en ne plaisantant qu'à moitié. Un pour chaque frère. Il aurait dû procéder correctement et les faire descendre tous les trois.

– Le moment serait peut-être bien choisi pour annoncer que, en termes d'opération conjointe, on va mettre la pédale douce, dit Tughan.

Thorne le considéra. Assurément, il blaguait.

– On quoi ?

– On a obtenu des résultats, dont certains très bons, mais le fait est que les Hautes Instances ne nous voient pas en tirer grand-chose de plus.

Thorne se tourna vers Brigstocke, éberlué. Le regard qu'il reçut en retour lui indiqua qu'il serait inutile d'argumenter. Il s'agissait d'une information, pas d'une proposition.

– Billy Ryan, une de nos cibles principales, n'est plus un souci, même si, c'est triste à dire, nous ne pouvons nous prévaloir de ce succès. En fait, dorénavant, il n'y aura guère de choses en matière de résultats que nous ne devrons partager avec la bande de l'Immigration ou des douanes. Il nous reste une ou deux boucles à boucler, et il y aura quelques autres arrestations, mais les moyens affectés actuellement à la dynamique de la chose ne se justifient plus...

– Nous retirer maintenant ? se récria Thorne. Après ce qui vient de se produire ?

Tughan rangeait déjà des documents dans sa serviette.

– C'était le dernier coup d'éclat de Stephen Ryan. Il s'est planté. C'est une guerre qu'il va perdre, il ne reste plus qu'à espérer que les choses se tassent de nouveau...

– À l'espérer ?

– Les choses se tasseront, je te dis.

– En attendant, on regarde ailleurs. On fait du travail de bureau, on chope quelques petites pointures et on les laisse s'entretuer...

Tughan se tourna vers Brigstocke.

– Russel, je tiens à vous remercier, toi et ton équipe, pour votre coopération et votre accueil. On a bien fait les choses ensemble. Nous avons atteint de nombreux objectifs, vraiment, et je pense que ça va me porter dans les semaines et les mois qui viennent. Bref, je suis sûr qu'il vous tarde de retourner travailler sur vos propres dossiers. Au moins, de retrouver votre bureau.

Quelques rires peu enthousiastes se firent entendre.

– Nous irons boire une bière plus tard, bien sûr, pour marquer le coup. Évidemment, nous n'allons pas disparaître du jour au lendemain. Comme je le disais, il reste quelques boucles à boucler...

Et le voilà qui s'éloignait vers la porte.

Brigstocke s'éclaircit la voix, fit quelques pas en direction de Tughan, puis se retourna. Il regarda Thorne, Kitson et les autres policiers.

– Je verrai le sergent Karim plus tard, dit-il. Pour une nouvelle répartition des tâches.

Ses dernières paroles avant qu'il ne sorte furent proférées sur le ton d'un entraîneur de troisième zone essayant de stimuler une équipe qui perdait six-zéro à la mi-temps.

– Il nous reste encore à arrêter pas mal de criminels « non organisés »...

Durant quelques secondes après son départ, personne ne moufta. Un de ces silences gênés qui suivent un discours. Peu à peu, le volume augmenta, mais pas trop, les corps changèrent de position, de telle sorte que, en quelques mouvements subtils, des demi-pas et de légers déplacements d'épaule, l'équipe unique se scinda en deux groupes nettement séparés. Les policiers de chaque antenne se regroupèrent et se tournèrent les uns vers les autres, leur conversation, sans être secrète, était loin d'être partagée.

Les membres de l'Équipe 3 de la Section des crimes graves (Ouest) demeurèrent silencieux un peu plus longtemps que leurs homologues de la SO7. Ce fut Yvonne Kitson qui, brisant le silence, tenta de détendre l'atmosphère.

– Comment se porte la philo, Andy ? Cette semaine, c'est Nietzsche ou Jean-Paul Sartre ?

Stone s'efforça de ne pas réagir, mais il fut trahi par le fard qu'il piqua.

– Hein ?

– Pas de problème, Andy, dit-elle. Tous les hommes ont leurs petites ruses. Toutes les femmes aussi, d'ailleurs.

Stone haussa les épaules, son sourire s'élargissant.

– Et ça marche...

– Bah, il faut se servir de ses atouts, soupira Holland en s'avachissant contre un bureau. Sauf que certains d'entre nous préfèrent se reposer sur le bon vieux charme et le physique.

– Le fric, ça marche pas mal non plus, intervint Karim avec un sourire. Et, à défaut, les supplier à deux genoux.

– Nous supplier, c'est excellent, dit Kitson.

Holland regarda Thorne. Il se tenait à deux mètres d'eux, l'incompréhension barbouillant toujours son visage, comme une tache.

– Eh bien, chef ? demanda Holland. Des conseils dont tu aimerais faire profiter le groupe ?

Stone riait à sa vanne avant même d'avoir commencé à parler.

– Je suis sûr que le docteur Hendricks devrait pouvoir mettre la main sur du Rohypnol si vous êtes vraiment en manque...

Mais Thorne s'éloignait déjà vers la porte.

– Tu ne pourrais pas être prévisible au moins une fois dans ta vie, dit Tughan. Je pensais que tu serais content de me voir partir.

– Écoute, on ne peut pas se piffer. Dont acte. Ça ne nous empêche ni toi ni moi de dormir, j'en suis sûr, et une ou deux fois, oui, j'ai dit des trucs rien que pour t'emmerder. D'accord ? Mais là – il fit un geste vers la Salle des enquêteurs, vers ce que Tughan avait dit peu avant –, c'est com-plè-te-ment con. Je sais que tu n'es pas personnellement responsable de cette décision...

– Non, en effet. Mais je l'approuve.

– « Nous ne sommes pas là pour comprendre pourquoi[1]. » C'est ça ?

1. L'auteur fait référence au poème de Tennyson « La charge de la brigade légère » publié en 1854, en hommage aux soldats anglais engagés dans la guerre de Crimée : « [...] Theirs not to reason why, Theirs but to do and die [...] » – « Ils ne sont pas là pour comprendre pourquoi, il ne sont là que pour agir et mourir. »

– Pas si tu veux aboutir à quelque chose.

– En termes de plan de carrière, tu veux dire ? Ou de résultats ?

– À ta guise...

Thorne s'adossa au chambranle de la porte. Tughan et lui se tenaient de part et d'autre du seuil, le regard fixé de l'autre côté du couloir sur le mur opposé. Sur un panneau d'affichage festonné de lettres d'information de la Fédération de la Police, et sur des photocopies écornées de graphiques sans intérêt. Sur un tract de prévention contre le sida, la liste manuscrite des rencontres des équipes de rugby de la Police de Londres lors de la saison précédente, sur un gros titre de la une déchirée d'un *Standard* qui proclamait : « Déchaînement des crimes par armes à feu dans la capitale », sur des cartes postales publicitaires pour des produits divers et variés : un costume Paul Smith, un scooter, une PlayStation d'occasion...

– C'est le timing que je ne comprends pas, dit Thorne. Tu vois ce que je veux dire, après...

– Je crois que la décision a été prise avant la fusillade dans l'agence de minicabs.

– Et, depuis, personne n'a songé à reconsidérer la question ?

– Apparemment pas.

Richards, l'homme des cercles concentriques, apparut dans le couloir, portant un dossier qui, sûrement, ne pouvait attendre. Tughan le prit en lui parlant à peine. Thorne attendit que le Gallois soit parti.

– Quand nous avons trouvé le chauffeur du camion mort et les deux autres dans le bois avec des balles dans la nuque, ça t'a remonté à bloc. « Ça doit cesser », disais-tu. Tu étais furax à cause des Izzigil, et de Marcus Moloney. Tu voulais foncer. Inutile de prétendre le contraire...

Tughan ne dit rien, serrant le dossier qu'il tenait un peu trop fort contre sa poitrine.

– Comment ces gens-là décident-ils de ce que nous allons faire, nous ? demanda Thorne. Qui nous allons cibler, qui nous allons ignorer ? Quels quidams auront la chance que nous mettions tout en œuvre pour arrêter ceux qui ont tué leurs maris ou leurs pères, et quelles pauvres andouilles feraient aussi bien de demander à une contractuelle de s'en charger ? Comment ces gens-là définissent-ils notre politique ? Ils la jouent aux dés chaque matin ? Ils tirent une carte... ?

Tughan s'adressa au panneau d'affichage, gratta une petite tache sur le revers de son costume marron.

– Ils répartissent les effectifs et affectent les budgets à leur gré, là où ils pensent qu'ils seront les plus utiles et où ils savent pouvoir obtenir les meilleurs résultats. Ce n'est pas une science exacte, Thorne...

– Alors, quelle noble cause a été tirée du chapeau cette fois ?

– Nous changeons légèrement de direction, on regarde du côté des mœurs. Les Hautes Instances veulent serrer la vis contre les gangs étrangers qui s'invitent dans la partie : russes, albanais, lithuaniens. Ça craint, et quand un de ces gangs veut frapper une autre organisation, il a tendance à viser les cibles faciles. À tuer des gamines...

Thorne haussa les épaules.

– Donc, Memet Zarif et Stephen Ryan continuent leurs petites affaires ?

– Personne ne leur a donné des cartes « Sortie de Prison ».

– En parlant de ça...

– Gordon Rooker sera libéré en début de semaine prochaine.

Thorne s'en serait douté.

– Ouais. Il est une des boucles à boucler dont nous parlions ?

– Rooker peut nous donner des noms, et pas n'importe lesquels. Nous comptons bien les prendre.

– « Pas n'importe lesquels », tu peux préciser ?

– Écoute, on aura de meilleurs résultats, mais il y en aura beaucoup de moins bons. Pour l'instant, on a décidé de s'en tenir à ça.

Même le ricanement sarcastique de Thorne ne parvint pas à déstabiliser Tughan. Il était resté remarquablement calme depuis le début de cet échange.

– Tu es fan de foot, exact ? Que ressentirais-tu si ton équipe jouait comme des champions pendant toute la foutue saison et ne gagnait que dalle ?

Si Thorne s'était senti d'humeur à détendre l'atmosphère, il aurait volontiers demandé à Tughan s'il avait déjà vu jouer les Spurs.

– Tu ne te vexeras pas si je ne reste pas pour les adieux déchirants tout à l'heure ?

– Le contraire m'eût étonné...

Thorne se détacha du montant de la porte et s'apprêta à faire un pas.

– Je suis comme toi, dit Tughan. Vraiment. Je voudrais les choper tous, mais parfois... non, la plupart du temps, nom d'un chien, il faut se contenter de certains d'entre eux. Pas toujours les bons, en plus – loin de là, d'ailleurs –, mais que peut-on y faire ?

Thorne fit un pas, puis continua sur sa lancée.

En songeant : *Non, pas comme moi.*

Il n'avait rien trouvé de bien dans Kentish Town et ne s'en était pas mieux tiré dans Highgate Village où il n'y avait pas grand-chose à part une pléthore de magasins d'antiquités. Il avait poussé jusqu'à Hampstead et passé une demi-heure à chercher à se garer. Pour le moment, il tentait sa chance dans Archway, où il était assez facile de trouver une place, mais où il n'avait pas vraiment l'embarras du choix sur d'autres plans.

Ayant décidé – à défaut d'autres idées pour un bébé de sept mois – d'acheter des vêtements, Thorne n'aurait su expliquer pourquoi il traînait aux abords d'une pharmacie. En l'occurrence, cette pharmacie n'était pas ordinaire et, très vite, elle était devenue la boutique préférée de Thorne qui l'avait découverte quelques mois plus tôt. Oui, on pouvait acheter du shampooing et se faire délivrer une ordonnance, mais on trouvait aussi, pour des raisons qui échappaient complètement à son entendement, de gros sacs de cacahuètes de contenance commerciale à la date de péremption dépassée, de l'huile de graissage, des chips et des tas d'autres trucs dans un endroit où l'on se rend normalement pour acheter des cachets et des crèmes pour les hémorroïdes. C'était aussi ridiculement bon marché, comme si le pharmacien essayait de gratter un petit bénéfice sur des produits qu'on lui aurait livrés par erreur. Thorne se serait sans doute demandé si, ici ou là, il n'y avait pas des épiciers qui vendaient des boîtes de préservatifs et des pansements spéciaux pour les cors, s'il n'y avait eu autant de points de vente polyvalents dans le quartier.

Peut-être que le petit commerce ne pouvait plus s'offrir le luxe de la spécialisation. Ou que les commerçants cherchaient tout bonnement à pimenter leur existence. Quelle qu'en soit la raison, Thorne connaissait un certain nombre d'endroits où le chaland astucieux pouvait faire d'une pierre plusieurs coups, même si, pour sa part, ça ne lui serait jamais venu à l'esprit. L'un de ses préférés était un marchand de fruits, légumes... et de laine. Un autre se proclamait hardiment « bureau de change et épicerie fine ». Thorne avait du mal à imaginer quelqu'un demandant « cinquante livres en escudos et une tranche de cake aux carottes, s'il vous plaît », et était persuadé que ce magasin servait de couverture pour une activité douteuse. Il se souvenait d'une petite boutique, près du Nag's Head, qui ne vendait pratiquement rien pendant ses heures d'ouverture. Les propriétaires, deux joyeux drilles irlandais, semblaient indifférents à toute conception conventionnelle de « stock », et personne ne tomba des nues quand l'endroit ferma le lendemain du cessez-le-feu de l'IRA.

Thorne avait quelque facilité à ne pas se fier à l'apparence des lieux et des gens. C'était, chez lui, à la fois inné et acquis. C'était aussi, pour le meilleur et pour le pire, son travail.

Chez le pharmacien, Thorne en arriva enfin à la conclusion que, même si des couches jetables seraient utiles, ce ne serait vraiment pas un bon choix de cadeau.

Il consulta sa montre : les magasins n'allaient pas tarder à fermer. Après avoir échangé quelques mots avec la femme derrière le comptoir, sur laquelle il commençait à fantasmer sérieusement, Thorne ressortit dans la rue.

Il resta immobile une minute, puis une autre, laissant les gens passer autour de lui tandis que le jour commençait à faiblir. Il était loin d'avoir de grandes idées morales sur la notion de « service public ». Il n'imaginait pas une seule seconde que lui ou les milliers d'autres comme lui pouvaient réellement protéger tous ces gens.

Mais il devait être du côté de ceux qui traçaient une limite à ne pas franchir...

Il savait d'expérience que plusieurs d'entre eux pouvaient, un jour ou l'autre, devenir l'objet de sa traque. Certains ne trouvaient rien à redire à faire du mal à un enfant. D'autres pouvaient blesser, violer ou tuer pour obtenir ce qu'ils désiraient.

C'était un fait, indéniable et terrible.

En majorité, pourtant, ils savaient où s'arrêter. Ils traçaient une limite à peu près au même endroit que lui. La plupart se contenteraient de truander les impôts ou de rentrer en voiture en ayant bu quelques verres de trop. La plupart n'iraient jamais plus loin que hausser le ton ou bousculer un peu quelqu'un pour lui remettre les idées en place. Comme lui, la plupart avaient un seuil de comportement acceptable, de douleur et de fureur, de dégoût face à la cruauté.

C'était du côté de ces gens-là que Thorne se rangeait.

Leur vie, à plus ou moins grande échelle, était affectée à chaque instant par les Ryan et les Zarif qui existaient de par le monde. Par ceux qui franchissaient la limite pour le profit. Certains ne le sauraient même jamais, tendant de l'argent pour payer une course de taxi ou un hamburger sans se douter de qui ils remplissaient les poches. De qui ils finançaient l'exécution. Certains seraient blessés, directement ou par l'entremise d'un être cher, catapultés de l'autre côté de la ligne droite dans le laps de temps qu'il fallait pour qu'un enfant s'égare dans la drogue. Abusés par les quelques instants qu'il fallait pour signer un accord de crédit. Leur existence fracassée dans la seconde qu'il leur aura fallu pour être au mauvais endroit au mauvais moment.

Ils travaillaient dans des banques, des bureaux et dans les transports en commun. Ils avaient des enfants, le cancer, et croyaient en Dieu ou en la télévision. Ils étaient formidables, et ne méritaient pas de voir leur vie entachée tandis que Thorne et d'autres comme lui recevaient l'ordre de prendre du champ.

Je suppose qu'il y a pire comme crimes.

La vie de ces gens était salie par trop de traces de doigts...

Thorne se retourna quand le pharmacien sortit de sa boutique pour presser un bouton. Tous deux regardèrent une grille en métal renforcé descendre bruyamment devant la porte et la vitrine. Thorne consulta de nouveau sa montre et se souvint que le Woolworth's, de l'autre côté de la rue, vendait des vêtements pour enfants. Il ne savait plus s'il fermait à cinq heures et demie ou à six heures.

26

De l'embrasure de la porte, Carol Chamberlain regardait Jack qui s'activait devant la gazinière. Elle aimait chez son mari son goût du détail et de la routine. Que ce soit pour préparer un ragoût ou étaler du fromage sur un toast, il mettait le même tablier à rayures bleues. Ses gestes étaient précis, la cuiller en bois grattant en rythme le fond de la casserole.

Il surprit son regard et sourit.

– Encore une vingtaine de minutes. Ça ira, ma puce ?

Elle acquiesça et regagna lentement le salon.

Le papier mural venait de chez English Heritage – une reproduction d'un motif de la période georgienne – ; ils avaient dû économiser pour pouvoir se l'offrir. La moquette était épaisse et impeccable, lie-de-vin. Elle se laissa tomber sur les coussins bien rembourrés et se rappela que c'était le genre de pièce dont elle avait toujours rêvé ; qu'elle imaginait quand elle était assise dans des placards à balais sales et enfumés, essayant d'arracher des aveux à des assassins.

Son regard tomba sur l'aquarelle, au-dessus de la cheminée, au cadre surchargé vieilli artificiellement. Elle l'avait visualisée – ou quelque chose d'équivalent – voilà bien des années, pendant qu'elle fixait les photos d'une victime, de parties corporelles prises sous divers angles.

Elle replia les jambes, coinçant sous elle ses pieds gainés de bas, et songea qu'elle se sentait moins à l'étroit entre ces murs qu'elle avait tant convoités.

Qu'avait dit Thorne, déjà ?

Billy Ryan. Jessica Clarke. Tu dois les lâcher.

Elle essayait, mais elle avait les doigts collants...

Au train où allaient les choses, elle ne doutait pas que Ryan ne serait bientôt plus qu'un nom sur une tombe.

Elle avait beau faire, elle porterait toujours Jessica en elle.

Et l'homme qui s'était attardé, la tête levée vers la fenêtre de sa chambre – les flammes dansant sur l'obscurité de son visage –, deviendrait, s'il n'était pas réellement celui qui avait brûlé vive Jessica Clarke, un homme qu'ils n'arrêteraient jamais. Dans sa tête, c'était déjà lui qui avait approché la flamme d'une robe de cotonnade bleue, tant d'années plus tôt.

En l'absence de faits purs et simples, l'imagination œuvrait à combler les vides. À créer des vérités bien à elle.

– On ouvre une bouteille de vin, ma puce ? cria Jack de la cuisine.

Fait chier, songea Chamberlain.

– Et merde, dit-elle. Soyons fous...

À force de fixer l'écran depuis une heure qu'il écumait le Net en quête de conneries parfaitement inutiles, Thorne avait les yeux qui le picotaient. Il écrivit le nom d'un acteur dont il n'avait jamais entendu parler et tendit la main vers son café...

Son père avait appelé alors que Thorne, toujours indécis, était encore chez Woolworth's.

– J'ai un problème, avait dit Jim Thorne.

– Qu'est-ce qui se passe ?

Thorne avait dû paraître inquiet. L'impatience sur le visage de la caissière avait cédé la place, pendant quelques secondes, à de la curiosité.

– Des trucs pour des listes que je suis en train de faire, peut-être pour un... truc. Merde. Tu sais, ce qui se lit, ce qu'on trouve dans les putains de bibliothèques. Un livre ! D'autres trucs, des questions toutes bêtes me rendent dingue...

– P'pa, on pourrait en reparler dans quelques... ?

– J'étais encore réveillé à trois heures du matin à essayer de retrouver certains noms. Je garde toujours un stylo à côté de mon lit, tu sais, pour noter des trucs. Tu l'as vu la dernière fois que tu es venu. Tu t'en souviens ?

Thorne avait remarqué que la caissière lançait des coups d'œil à sa montre. L'heure de fermeture était passée depuis déjà cinq minutes, et il n'y avait pas d'autres clients dans le magasin. Il tenait toujours deux tenues différentes dans ses mains, incapable de se décider.

Il avait souri à la fille.

– Excusez-moi...

– Tu t'en souviens ou tu ne t'en souviens pas, de l'avoir vu, le stylo ? avait crié son père.

La fille avait fait un petit signe de tête assez sec en direction des vêtements pour bébé que tenait Thorne, puis son regard avait glissé jusqu'à un individu à l'air peu amène qui, près des portes, attendait de pouvoir fermer.

– Je ferais aussi bien de prendre les deux, avait dit Thorne.

Il lui avait tendu les vêtements et avait reporté son attention sur son père.

– Oui, je me souviens du stylo. Il est joli...

– Hier soir, ce fichu machin ne servait à rien. Faut un... nouveau stylo. Faut un nouveau bidule dedans. Merde, tu sais bien, le bidule tout fin qui contient de l'encre qu'on glisse dedans... quand cette saloperie est à sec...

– Une recharge.

– Il faut que j'aille chez un papetier. Il y a un Ryman en ville.

La fille avait tendu la main. Thorne y avait posé un billet de vingt livres.

– Je te rappelle dès que j'arrive chez moi, P'pa, d'accord ? Je pourrai me connecter et te trouver toutes les réponses.

– Tu es où, là ?

– Chez Woolworth's...

– Comme le tueur...

– Hein ?

– C'est le Tueur du Woolworth's qui a agressé Sutcliffe à l'hôpital psychiatrique de Broadmoor. Tu t'en souviens ? Il avait tué le directeur d'un Woolworth's je ne sais où, ce qui lui a valu son surnom, puis, quand l'Éventreur du Suffolk s'est retrouvé derrière les barreaux avec lui, il a crevé un œil à ce sale enfoiré. Avec un stylo, justement. Un putain de stylo !

– P'pa...

– On avait acheté ton vélo chez Woolworth's en 1973. Je ne me rappelle pas qui avait fait la pub de Noël cette année-là. Toujours des vedettes qui font les pubs de Noël pour Woolies, tu sais – des vedettes de la télé, des humoristes, tout ce que tu veux. Et toujours le même slogan. « Voilà la magie de Woolworth's ! » Avec une putain de musiquette agaçante, et tout. Je te parie que Peter Sutcliffe ne chantait pas ça quand le stylo allait et venait dans son œil.

Là, son père s'était mis à chanter :

– « Voilà la magie de Woolworth's... »

La caissière avait presque jeté la monnaie à Thorne. Le vigile avait ouvert grand la porte en le foudroyant du regard.

– « ... voilà la magie du bon vieux Woolies... »

Thorne s'était contenté d'écouter...

Il avait acheté l'ordinateur à bas prix l'année précédente et l'avait coincé sur une table sous la fenêtre du salon. Un ancien modèle iMac « blanc comme neige » devenu nettement crade. Thorne écouta le bourdonnement du moniteur et pensa à ce qui se passait dans la tête de son père.

Les mots s'égaraient-ils en chemin entre le cerveau et la bouche ? S'ils réussissaient à se former dans son cerveau, prenaient-ils tout simplement une mauvaise direction ? Si son père entendait le mot qu'il voulait dans sa tête, s'il le voyait distinctement, alors sa frustration devait être insupportable. Il l'imagina au pied de gigantesques haut-parleurs beuglant le mot qu'il était incapable de prononcer. Minuscule à côté de lettres lumineuses de quinze mètres de haut.

Des insultes, des cris, et une certaine gêne dans le public – dans ces circonstances, on ne pouvait s'attendre à moins. Bon Dieu, Thorne n'en revenait pas que son père ne se soit pas fait éclater la tête contre un mur. Pour, se courbant, tripoter la matière gluante qui suinterait de son crâne, essayant d'attraper dans cette bouillie les mots insaisissables...

Une nouvelle page se téléchargeait. Thorne attendit qu'une liste apparaisse sur l'écran, puis nota les noms des dix plus hauts buildings du monde. Il appellerait son père le lendemain matin, et lui donnerait toutes les informations inutiles qu'il lui avait demandées.

« Les Hautes Instances ne nous voient pas en tirer grand-chose de plus. »

Thorne se carra dans sa chaise, serra sa tasse de café dans sa main et pensa à l'équipe qui arrosait la soirée à l'Oak. Tughan aurait fait un discours, un peu plus élogieux que celui qu'il lui avait servi dans le bureau. Ils auraient trinqué aux résultats obtenus, bras passés autour des épaules en levant les verres de bière blonde et de whisky pur malt, et bu aux mensonges. À ce à quoi on leur avait dit de s'en tenir.

Il imagina d'autres verres levés, ailleurs, par ceux qui avaient de réelles raisons de se réjouir. Ceux qui seraient ravis de savoir – et il y avait de bonnes raisons de penser qu'ils le sauraient – que, pour le moment, la police les laisserait tranquilles.

Thorne n'avait qu'une tasse de café tiédasse, mais il la leva tout de même.

À une certaine police...

Il tendit la main pour éteindre l'ordinateur, mais arrêta son geste. Il tapa « peau immortelle » dans le moteur de recherche et attendit. Finalement, un site apparut, sur lequel il trouva tous les détails que Ian Clarke lui avait expliqués. La page était bourrée d'informations, tapées serré, difficiles à lire.

Les yeux de Thorne se fermèrent et il rêva quelques minutes, pas plus, de chairs trouées qui se refermaient. De cicatrices s'effaçant comme des mots écrits sur du sable, de lignes creusées dans la peau qui disparaissaient, le X remplacé par une peau veloutée et lisse à l'odeur de bébé...

Quand il se réveilla en sursaut, l'écran s'était bloqué. Il pesta contre l'ordinateur pendant quelques secondes, puis le débrancha.

Et il alla se coucher.

27

La voiture transportant Memet et Hassan Zarif redémarra au feu à la gare de Stoke Newington et accéléra dans Stamford Hill Road.

Assis au volant, trois voitures derrière eux, Thorne ne voyait toujours pas où les frères se rendaient. Ils avaient pris la direction générale du restaurant et de l'agence de minicabs, mais ce n'était pas l'itinéraire qu'il aurait choisi. Ils roulaient un peu trop au sud.

Thorne franchit le feu, profita de quelques secondes de battement pour augmenter le volume de *O Brother, Where Art Thou ?* et se renfonça dans son siège. Où qu'aillent les Zarif, il était partant pour les suivre jusqu'au bout.

Il avait d'abord essayé l'agence de minicabs, mais aucun des frères ne s'y trouvait. Le même individu revêche sur lequel il était tombé lors de sa première visite avait nié de la tête et invité Thorne à fouiller les lieux. Au moment où Thorne s'était tourné pour ressortir, l'homme avait haussé les épaules et aspiré de la salive dans sa bouche.

Dehors, Thorne s'était planté sur le trottoir un moment, se demandant où aller. Une élégante Omega noire s'était alors arrêtée devant lui et l'un des chauffeurs des Zarif lui avait demandé s'il cherchait un taxi. Thorne avait refusé d'un signe de tête sans un autre regard pour le chauffeur. Une fois sa décision prise, il avait marché d'un bon pas vers sa voiture. Regardant au passage par la vitrine du restaurant, Thorne avait vu Arkan Zarif et sa femme évoluer dans la pénombre, dressant les tables pour le déjeuner.

Les voitures traversèrent Seven Sisters Road au bas de Finsbury Park, repartant vers le nord.

La BMW de Memet Zarif était plus récente que celle de Thorne qui, à présent, une quinzaine de mètres derrière, se demandait si ses occupants s'étaient rendu compte qu'ils étaient suivis. Sa voiture était assez repérable – tant à cause du modèle que de la couleur –, et s'ils savaient où il habitait, ils n'ignoraient pas ce qu'il conduisait.

Thorne décida que, de toute façon, cela ne faisait pas grande différence. Ils finiraient bien par s'arrêter quelque part, et il voulait seulement leur dire un petit mot...

Après son départ de l'agence de minicabs, Thorne avait roulé pendant deux ou trois kilomètres vers l'est, jusqu'au domicile de Memet Zarif. C'était une maison jumelée tout ce qu'il y avait de plus ordinaire, à Clapton, avec une vue sur la rivière Lea et, au-delà, le marais de Walthamstow. Il y avait beaucoup de maisons bien plus chères dans les environs, mais Thorne se disait que Zarif devait posséder, ailleurs, d'autres propriétés dont ils n'avaient pas connaissance.

Thorne avait planqué à peu près trois quarts d'heure avec un journal, puis il avait vu la porte d'entrée s'ouvrir enfin et Hassan Zarif sortir. Il avait un bras en écharpe, seul signe visible de la balle qui lui avait fracassé la clavicule. Pendant que Hassan attendait dans l'allée à côté de la voiture, son frère aîné était apparu sur le seuil avec femme et enfant. Au moment où Memet embrassait sa famille, Thorne s'était éloigné vers la rue transversale où il s'était garé.

Lorsque, quelques minutes plus tard, la BMW bleu foncé était passée devant lui, Thorne s'était lentement immiscé à sa suite dans le flot de véhicules.

La circulation avait été dense jusqu'à Stroud Green, puis un peu moins quand ils avaient pris la direction du quartier plus préservé de Crouch End, un coin qui avait la cote auprès de personnalités créatives qui ne jouaient pas dans la même cour que celles qui habitaient à Highgate ou à Hampstead. Malgré l'absence de station de métro, les prix de l'immobilier avaient crevé le plafond ces dernières années, et le quartier regorgeait de restaurants et de bars branchés. La plupart des consommateurs nettement mieux chaussés que la moyenne avaient tendance à éviter la poignée d'établissements moins respectables : le vendeur de revues pour adultes, le snack pour ouvriers, le salon de massage...

La rue principale partait en fourche de chaque côté du beffroi, et Thorne vit Zarif tourner à droite puis braquer brutalement et s'arrêter en stationnement interdit. Thorne dépassa la voiture au moment où les frères en descendaient, et s'engagea dans une rue latérale tandis qu'ils traversaient, se dirigeant vers une porte.

L'enseigne dans la vitrine clignotait en rouge dès la tombée du soir. À onze heures et demie du matin, le mot « sauna » apparaissait en lettres crasseuses. La fille à l'accueil devait elle-même avoir meilleure allure après la disparition de la lumière du jour ; la mine un peu moins terreuse et un peu plus réjouie. Le sourire qu'elle s'était collé sur la bouche se mua en rictus dès que Thorne lui présenta sa carte de police.

– Oh, bordel ! gémit-elle.

– Rien de tel ici, hein ?

Thorne se dirigea vers la porte dans l'angle du fond, en penchant la tête d'un côté puis de l'autre.

– Je me sens un peu raide, dit-il. Vous n'avez pas quelqu'un qui pourrait faire quelque chose pour moi ?

– Vous m'excuserez de ne pas trouver ça à pisser de rire.

Thorne tendit la main vers la poignée. La fille était soit trop je-m'en-foutiste, soit trop absorbée par son magazine pour tenter de l'arrêter.

La porte s'ouvrait sur une pièce clairement conçue pour servir de petit salon, mais sa déco était minable. Thorne se dit que cela ne devait pas gêner la majorité de la clientèle, étant donné que l'œil se détachait très vite de la moquette bigarrée, attiré par les activités hard diverses et variées qui se déroulaient sur le grand écran télé. Pour l'heure, une blonde en mi-bas se livrait avec enthousiasme à une fellation. L'étalon permanenté qui en profitait, les yeux bien fermés dans les plans de coupe, exprimait une reconnaissance de bon aloi...

Hassan Zarif était assis, du même côté que la porte, dans un fauteuil de velours. Un peignoir en éponge rouge béait à hauteur de son torse, et il se servait de son bras valide pour feuilleter un *Daily Mirror*. Il laissa échapper un son, entre grognement et gémissement quand, levant les yeux, il s'aperçut qu'il avait de la compagnie.

– Quel dommage..., dit Thorne en montrant le bandage du doigt. Vous pourriez vous branler et lire le journal si vous n'aviez pas pris une balle...

Hassan remua inconfortablement dans le fauteuil, tiraillé entre le désir de se lever et la nécessité de dissimuler son érection.

– Restez assis, dit Thorne.

Il ne fallut pas trop longtemps à Hassan pour reprendre contenance. Il croisa les jambes, referma les pans du peignoir sur sa poitrine.

– Si vous êtes venu pour un service gratis, je vais voir ce que je peux faire. Je suis persuadé que pas mal de policiers ont des traitements de VIP ici...

Thorne traversa la pièce sans se presser. Il prit la télécommande sur une table au plateau en verre, et éteignit la télévision.

– Excusez-moi, mais les bruits d'aspiration ne facilitent pas la concentration.

– Vous n'êtes pas venu ici pour rien, je présume...

– C'est à vous, ça ?

– Pardon ?

Thorne écarta les bras.

– Cet endroit fait partie de l'empire des Zarif ?

Hassan se fendit d'un sourire.

– Non. Cet établissement est tenu par une connaissance, mais, pour tout vous dire, nous envisageons d'investir dans des services similaires...

– Mouais. Et vous êtes venu pour... quoi ? Faire une étude de marché ?

– Pour ce que vous voyez, ni plus ni moins. Je ne suis pas sûr que vous puissiez m'arrêter pour ça, mais vous pouvez toujours essayer, si ça vous chante. Je serais ravi de vous permettre de vous ridiculiser.

Thorne hocha la tête.

– Et si je vous cassais l'autre bras, vous seriez ravi ? Si quelqu'un devait vous torcher le cul pendant un moment, vous seriez ravi ?

Hassan redressa son menton proéminent en direction du plafond. Thorne leva les yeux vers la minuscule caméra fixée bien au-dessus d'un pan décollé de papier à peindre Anaglypta.

– Vous n'imaginez pas la facilité avec laquelle peut disparaître une preuve comme une cassette vidéo, dit-il.

Il avança vers le fond voûté de la pièce, s'adossa à un pilier en plastique et avança la tête par l'ouverture. À sa gauche, plusieurs pièces – des « suites », proclamait une affiche à la réception – se succédaient le long d'un couloir moquetté.

Thorne retourna à l'accueil, considéra Hassan en se disant qu'il avait compris le rapport de force entre les trois frères : Tan, le plus jeune, était le gros dur, celui qui pétait les plombs ; Hassan, celui qui planifiait les affaires et trouvait où planquer le fric. Aucun des deux n'était celui à qui Thorne avait besoin de parler.

Il fit un signe vers le fond voûté de la salle.

– Le grand frère est par là, hein ?

– Je suppose que vous nous avez suivis, alors vous savez bien que oui.

– Vous attendez qu'il ait fini pour en tirer une, c'est ça ?

Hassan ne répondit pas, mais sa mâchoire se crispa quand il serra les dents.

– Vous supposez ? reprit Thorne. Donc, vous ne m'aviez pas vu. Bonne nouvelle. Ça faisait un bail que je n'avais pas fait de filature, et je craignais d'avoir perdu la main.

Avant de franchir la voûte, Thorne prit la télécommande et fit redémarrer le film. La blonde reprit sa performance.

– Celui-là, c'est un classique, dit-il. Ne vous inquiétez pas, je ne vais pas vous raconter la fin, au cas où vous ne l'auriez pas vu...

Rooker faisait tourner la télécarte dans sa main en attendant son tour pour passer un coup de fil. Il lui restait pas mal d'unités qu'il n'avait pas encore eu l'occasion d'utiliser. Les télécartes étaient toujours très recherchées en prison, elles étaient aussi précieuses que de la monnaie pour ceux qui avaient des gens à qui parler. Il avait obtenu celle-ci contre quelques clopes.

Il avait passé plus de coups de fil que d'habitude ces deux derniers mois, mais avant, il n'y avait pas vraiment beaucoup de gens avec qui il avait envie de parler. Et encore moins qui avaient envie de lui parler.

L'homme devant lui poussa un juron et raccrocha violemment le téléphone. Rooker évita de croiser son regard en s'avançant pour prendre son tour. Il inséra la carte et composa le numéro.

Quand on finit par répondre, la réaction fut sèche, directe.

– C'est moi, dit Rooker.

– Je suis occupé. Fais vite.

– Tu sais que je vais sortir dans deux jours...

L'homme à l'autre bout de la ligne ne dit rien, attendit que Rooker développe.

– C'était juste pour vérifier, quoi, pour confirmer que notre accord tenait toujours...

Un ricanement guttural se fit entendre.

– La donne a un peu changé.

– Exact, et ça profite à qui ? Tu vas avoir plus de fric que prévu, pas vrai ?

– Espérons-le.

– Bien sûr que oui. La concurrence a été écartée, non ?

Rooker s'éclaircit la voix, s'efforça de la jouer indifférent, copain copain.

– Écoute, on va me transférer. J'ignore encore où, mais je te préviendrai dès que je le saurai.

Il s'ensuivit un long silence. Rooker entendait des voix en fond sonore. L'homme avec qui il parlait s'adressa à quelqu'un d'autre, puis reprit le téléphone.

– C'est bien. Espérons que tout marchera, d'accord ?

– Attends, je veux être sûr que tu me garantis une protection.

– Contre qui ?

– Contre qui que ce soit...

Rooker prenait sur lui pour garder son calme. Il avait déjà eu cette conversation avec Thorne, bordel de Dieu ! Pas croyable...

– Ne t'en fais pas. On a passé un accord, comme tu dis.

– Bon. Super.

Rooker vit son propre sourire ; un reflet de guingois dans la plaque métallique cabossée au-dessus du téléphone.

– Tu plaisantais, alors, hein ?

– Je ne faisais que plaisanter...

– Parce que, tout pourrait arriver, non ? Notre accord, c'était que tu veilles sur moi. Que tu prennes des initiatives...

– Ça, je te le garantis.

La voix de Rooker devint dure comme de l'acier.

– S'il devait m'arriver quoi que ce soit...

À l'autre bout du fil, la voix de l'autre homme prit les mêmes inflexions. En répétant ses paroles avant de mettre un terme à la conversation.

– Je te le garantis.

Ce qui, à l'accueil, était décrit comme la « Suite VIP » n'était ni plus ni moins qu'une grande salle de bains pourvue d'un canapé dans un coin. Un lambris de pin verni, orangé, dévoré par de la moisissure, recouvrait les murs. Des peignoirs rouges étaient accrochés à des patères, et un jacuzzi en plastique rouge occupait la plus grande partie de l'espace. Le téléviseur fixé en hauteur, sans doute pour diffuser le même film que celui qui passait dans le petit salon, était éteint. Memet Zarif n'avait pas besoin d'un tel stimulus visuel. La chose lui était fournie en *live* et avec enthousiasme par la femme qui partageait l'eau de son bain, même si, en l'absence d'un scaphandre, elle assurait le soulagement en mode manuel et non buccal.

Dès qu'elle avisa la présence de Thorne, la femme, dont les seins améliorés flottaient sur l'eau comme des bouées, cessa toute activité.

Memet lui prit le poignet et le ramena sous l'eau de force.

– Continue, lui dit-il sans quitter Thorne des yeux.

Pendant quelques secondes insipides, personne ne fit grand-chose, puis, plouf, la femme libéra sa main et sortit du bain. Dégoulinante d'eau, elle passa derrière Memet et récupéra un peignoir, son absence de pudeur aussi visible que ses cicatrices et ses vergetures. Elle chaussa des sandales et se retourna vers Zarif.

– Tu veux que j'aille chercher quelqu'un ?

Indifférent, Memet secoua la tête.

La femme toisa Thorne comme si elle s'interrogeait sur la grosseur du bâton qu'il lui faudrait pour le décoller de la semelle de sa sandale.

– Suis-je flic ou tueur à gages ? demanda Thorne. Ou bien les deux ? Je devine que vous avez du mal à vous décider.

Il fit un signe de tête vers Memet.

– Votre ami ici présent m'apporte son aide dans le cadre de mon enquête, alors pourquoi n'en profiteriez-vous pas pour aller vous laver les mains...

La femme arracha l'élastique qui nouait ses cheveux, les libérant et secouant la tête en traversant la pièce. Elle ne s'arrêta qu'une seconde pour cracher au visage de Thorne, avant de sortir dans le couloir :

– Petit branleur...

– Ça vous va bien de dire ça.

Lorsque Thorne reporta le regard sur Memet, celui-ci avait disparu sous l'eau. Thorne patienta, le regarda faire émerger son crâne dégarni puis s'ébrouer comme un chien.

– Navré de vous avoir interrompus...

– Elle a raison, dit Memet. C'est vous le branleur.

Son accent conféra au mot beaucoup plus de sens que lorsque la femme l'avait prononcé.

– Je me disais juste que ça vous ferait peut-être plaisir d'apprendre que nous avons retrouvé deux autres de vos lecteurs DVD manquants, dit Thorne.

Memet sourit, mais son effort était manifeste.

– Félicitations !

– On en retrouve un peu partout. Cette bande travaillait dans la restauration et le lavage de voitures. Peut-être qu'un jour on saura exactement d'où ils venaient. Qu'en pensez-vous ?

– Bonne chance...

– Où est Tan, au fait ?

Memet chassa l'eau de ses yeux, marmonna qu'il ne comprenait pas où Thorne voulait en venir.

– Bah ! reprit Thorne, Hassan est là, attendant son tour en bon petit garçon, et comme je sais à quel point vous êtes proches tous les trois, je me demandais juste où était passé le petit dernier.

– Mon frère est en vacances...

– Oh, je vois !

Donc, Tan était presque à coup sûr celui qui avait criblé de six balles Donal Jackson. Thorne n'en était pas autrement surpris.

– Un besoin soudain de changer d'air, c'est ça ? On peut trouver de très bons tarifs de dernière minute en cherchant bien.

– Il est bouleversé par ce qui s'est passé. La fusillade.

– Je ne doute pas que ça ait été très traumatisant pour vous tous...

Le visage de Memet s'assombrit tout à coup.

– Hassan a failli se faire tuer. En plein jour, un homme entre armé d'un pistolet.

– Je sais. Pas très sport, hein ? Une chance qu'un mystérieux deuxième tireur ait surgi sur les lieux. Vous êtes sûr que c'était bien un tireur, au fait ? Ça ne pouvait pas être Batman ou Wonder Woman, par hasard ?

Memet garda le silence. Il faisait aller et venir son bras dans l'eau. La plaisanterie avait assez duré.

Le sol plastifié couina sous les chaussures de Thorne quand il fit un pas en direction du jacuzzi.

– Je vais vous dire : je pense que Stephen Ryan est un petit con, et je ne vous tiens guère en plus haute estime. En fait, si Ryan partageait votre bain en ce moment même, je serais le premier à jeter un radiateur électrique dans...

– Je suis censé flipper ?

– Vous êtres censé é-cou-ter. Il n'y aura pas de représailles pour ce qui s'est passé dans l'agence de minicabs, c'est compris ? C'est terminé. Vous pouvez déposer les armes, les gars.

– Vous ne savez pas de quoi vous parlez.

– Je me fiche de ce qu'est la « politique » en pareil cas. J'en ai rien à foutre qu'on concentre les efforts ailleurs, qu'on redistribue les moyens ou même que les enculés que vous êtes nous rendent service à tous en s'entretuant. Je vous dis juste une chose : si d'autres cadavres font surface, ou même si le beau-frère du meilleur pote de la tante du cousin de Stephen Ryan se tord la cheville, j'en appellerai à ma grande capacité de nuisance. Quelle que soit la position « officielle » là-dessus, moi, je ne marcherai pas...

Il y avait de l'amusement dans la voix de Memet, mais aussi une vraie perplexité et une vraie curiosité.

– Pourquoi prenez-vous tout cela tant... à cœur ?

Soudain, Thorne se sentit désemparé, comme le personnage faible et désarmé que son père était dans son imagination. Les mots qu'il avait envie de prononcer étaient vastes et assourdissants. Ils étaient faits pour être rugis ou hurlés. Pour être crachés comme un poison puissant. Au lieu de quoi, Thorne les entendit sortir de sa bouche, à peine plus forts que des murmures, atones et mornes.

– Parce que vous ne vous arrêtez pas là où d'autres s'arrêtent, dit-il.

Il regardait par terre en parlant, la transpiration lui picotait les yeux. Il fixait la bande de lino crasseux là où les dalles rejoignaient le bord du jacuzzi.

– Parce que vous n'avez pas de limite...

Il y eut un moment de silence, de calme, avant que Memet ne se hisse sur le rebord du bassin. L'eau se rassembla en gouttes épaisses qui se concentrèrent sur ses épaules rondes. Elle coula dans les poils foncés qui s'accrochaient au gras de ses pectoraux et de son ventre.

– Je vais parler aux membres de la communauté qui ont de l'influence...

– Épargnez-moi les conneries au sujet de « piliers de la communauté ».

Thorne ne murmurait plus.

– J'en ai assez entendu, l'autre jour, dans cet hôtel.

– Ma famille a fait tout ce qu'on lui a demandé...

– Au fait, Mme Zarif est au courant pour ces branlettes pendant la pause déjeuner ?

– Vous êtes de plus en plus pathétique.

– Je ne suis pas à ça près.

Memet s'assit, dégoulinant.

– Racontez-moi ce que vous faites, dit Thorne. Tout de suite, allez-y. Racontez-moi les meurtres, et le pied que vous prenez ou je ne sais comment vous appelez le sentiment qu'éveille en vous le fait de contrôler la vie d'autrui. Le fric, ça n'explique pas tout...

Il se tut tandis que Memet se dressait sur les pointes en le fixant du regard, avec de l'arrogance dans sa pose, un étrange défi dans sa nudité.

– Il n'y a personne dont il faille se méfier ici, hein ? dit Thorne.

L'eau refroidissait, mais on aurait dit que, d'une seconde à l'autre, il faisait de plus en plus chaud dans la pièce.

– Il n'y a que nous deux. Je ne prends rien par écrit, ma mémoire n'est plus ce qu'elle était et je n'ai pas de magnéto dans ma poche, alors rien ne filtrera de cette pièce. Racontez-moi tout ça franchement. Juste une fois...

Lentement, Memet tendit le bras vers la serviette qui drapait l'accoudoir du canapé et commença à se sécher.

– L'autre jour, dans le restau de mon père, dit-il, vous m'aviez dit de faire des vœux, vous vous rappelez ?

Thorne revit les lanternes accrochées au plafond, la fumée de cigarette dansant autour d'eux comme un génie. Il se souvint de la flèche du Parthe qu'il avait décochée juste avant de sortir.

– Et alors, vous en avez fait ?

– J'en ai fait un, mais il ne s'est pas réalisé...

Thorne vola la chute à Memet. Il sourit, mais sentit sa transpiration se glacer sur sa nuque.

– Parce que je suis toujours là, c'est ça ?

28

– J'en étais sûr : j'aurais mieux fait de prendre un jouet ou alors autre chose.

– Ce n'est pas grave, on devrait pouvoir échanger.

– Avec de la chance. J'ai balancé le foutu ticket de caisse.

Ils parlaient doucement, conscients de la présence du bébé endormi dans un couffin sous la fenêtre.

– On peut aussi les conserver, on ne sait jamais...

Dès qu'il avait posé les yeux sur le bébé, Thorne avait vu que tous les vêtements qu'il avait achetés seraient beaucoup trop petits. Holland brandissait les tenues minuscules, cherchant, en vain, quelque chose de positif à dire à leur sujet.

– Vous comptez peut-être en avoir un autre ? demanda Thorne.

– Bah...

Holland rit, leva sa cannette de bière et but une gorgée.

Thorne, furieux contre lui-même, finit par l'imiter.

– Sophie a dû filer voir une copine, dit Holland. Elle est navrée de t'avoir raté. Elle te donne le bonjour...

Thorne acquiesça, se sentant rougir légèrement. Il savait pertinemment que Holland mentait, que sa petite amie s'était empressée de s'éclipser lorsqu'elle avait appris sa visite. Elle pouvait tout aussi bien être planquée dans la chambre, attendant son départ.

Ils étaient assis sur le canapé du salon. Le désordre rendait l'appartement situé au premier étage encore plus petit qu'il ne l'était. Thorne regarda autour de lui, songeant que si les autres pièces étaient aussi exiguës, Sophie ne devait pas vraiment avoir d'endroit où se cacher...

Holland lut dans ses pensées.

– Sophie dit qu'on devrait chercher un appart plus grand.

– Et tu en penses quoi ?

– Elle a raison, on devrait. Mais en avons-nous les moyens, c'est une autre question...

– Décroche des heures sup, mon gars.

– Bah, j'en faisais. Reste à savoir s'il y en aura encore à l'horizon.

Thorne avait apporté la bière, pourtant il n'avait pas très soif. Il inclina le buste, posa sa cannette par terre à côté du canapé.

– Ne t'inquiète pas pour ça, Dave. L'affaire avec la SO7 est peut-être bouclée, mais il y aura bien un barjot quelque part qui ne tardera pas à nous filer du travail.

Hollan acquiesça.

– Tant mieux. J'espère que ce sera un vrai psychopathe. Ça nous arrangerait d'avoir trois chambres...

La vanne n'était drôle qu'à cause de la sombre vérité qui l'alimentait. Thorne ne savait que trop bien que, dans un monde d'incertitudes, dans une ville de contrastes choquants et d'idées changeantes, il existait des choses atrocement fiables. Les prix de l'immobilier grimpaient ou chutaient ; les Spurs connaissaient de mauvaises ou de moyennes saisons ; le maire était un visionnaire ou un imbécile.

Et le taux de criminalité montait, montait, montait...

– Que penses-tu du fait que l'opération ait été arrêtée comme ça, d'un coup ? demanda Holland. Je sais bien que l'inspecteur-chef et toi n'êtes pas exactement les meilleurs amis du monde, mais tout de même...

Thorne n'avait pas envie de rabâcher sa conversation de la veille avec Tughan. Il préféra raconter à Holland à quoi il avait consacré sa matinée.

– Ils avaient réservé le salon de massage entier pour eux tout seuls, j'imagine.

– Comme lorsque Harrod's ferme pour qu'une star de cinéma puisse aller y faire du shopping, dit Holland. Sauf que, là, c'est auprès de prostituées...

Thorne rapporta les confrontations qui s'étaient déroulées dans le salon et la suite VIP, rejouant les situations en assumant tous les rôles dans ses échanges avec Hassan et Memet Zarif. Il amplifia les moments qu'il avait vécus comme de petites victoires et glissa rapidement sur ceux qu'il jugeait un peu plus ambigus.

La peur, il la laissa complètement de côté...

– Cela servira à quelque chose, tu crois ? demanda Holland.

– Sans doute que non.

Thorne tourna les yeux vers le bébé. Il le regarda quelques secondes, compta ses respirations au rythme de son tout petit dos qui se soulevait et redescendait.

– Mais on ne peut quand même pas laisser ces enculés se pavaner de la sorte, pas vrai ? Souvent, ils dirigent des réseaux sous notre nez, ça, je le sais, mais de temps à autre, nous devons les tacler un bon coup, histoire de nous rappeler à leur bon souvenir...

Thorne leva les yeux vers la fenêtre, vit que, dehors, le soir tombait déjà.

– J'ai pensé que ça me ferait du bien, dit-il.

Le bébé commença à remuer, piaillant doucement, ses jambes grassouillettes pédalant au ralenti. Holland se précipita vers le couffin et s'accroupit à côté. Thorne le regarda retirer la tétine de la bouche de sa fille, la renfoncer tout doucement, et répéter le mouvement jusqu'à ce qu'elle se soit calmée.

– Tu m'impressionnes, dit Thorne.

Holland regagna le canapé. Il prit sa bière.

– Je peux te poser une question ?

– Tant que ça ne concerne pas les couches.

– Il y a une rumeur qui circule...

Thorne n'avait pas pris la peine d'ôter son blouson. Il faisait chaud dans l'appartement, mais il ne savait pas trop combien de temps il resterait. Soudain, l'air lui sembla devenir aussi étouffant que lorsqu'il se trouvait à côté du jacuzzi quelques heures plus tôt.

– Ouais..., dit Thorne.

– Tu es sorti avec Alison Kelly ?

Une succession d'images, des dénis construits à la hâte et des mensonges purs et simples se bousculèrent dans l'esprit de Thorne durant les quelques secondes qui s'écoulèrent avant qu'il ne réponde. D'où venait cette rumeur ? Cela n'avait pas vraiment d'importance. Il ne gagnerait qu'une migraine à s'en inquiéter, ou à essayer de le découvrir...

Thorne n'avait pas envie de tricher avec David Holland. De le regarder en face en lui sortant des bobards. Il choisit donc de lui dire la vérité parce que, avant tout, il n'avait pas envie de se faire chier à mentir.

– J'ai couché avec elle, oui.

L'expression de Holland passa rapidement du choc à de l'amusement. Puis à autre chose, à quelque chose de plus moche, et ce fut à ce moment-là que Thorne décida de lui raconter tout le reste. Il n'aurait pas supporté que Holland en reste à son air *impressionné*.

Lorsque Thorne eut terminé l'histoire, lorsque les mots furent passés de la simple répétition de ce qui s'était dit autour d'une table dans un pub à ceux qui décrivaient le mieux le corps de Billy Ryan, se vidant de son sang sur le sol d'une cuisine, ils regardèrent pendant une ou deux minutes Chloé Holland dormir.

Holland éclusa sa cannette, puis la serra très lentement jusqu'à la déformer.

– Ceci est une simple conversation ? On n'est pas en service, hein ?

– Si tu veux dire : « Pouvons-nous oublier les grades », alors oui.

– Exact, c'était ce que je voulais dire.

La nausée qui accompagna la pensée qu'il aurait mieux fait de se taire devenait, pour Thorne, horriblement familière.

– Mais n'oublie pas que ce n'est que temporaire, et que je peux m'emporter très facilement, d'accord ?

Il souriait en parlant, mais espérait qu'il était assez clair qu'il ne plaisantait pas. Il savait que Holland pensait, à l'instar de Carol Chamberlain, qu'il était *complètement timbré*, mais il n'avait pas envie de l'entendre à nouveau...

Holland pesa le pour et le contre, et saisit l'occasion que Thorne ratait à répétition : celle de se taire.

Thorne pensa à Alison Kelly pendant la plus grande partie du trajet de retour depuis l'Elephant and Castle. Curieusement, il n'y avait encore jamais réfléchi, mais à présent il commençait à s'inquiéter de savoir si elle en parlerait à quelqu'un. À se demander ce qui pourrait bien se passer dans ce cas-là...

Si jamais elle informait son avocat de la conversation qu'elle avait eue avec un certain inspecteur, on lui conseillerait sûrement de rendre la chose publique. Après tout, cela ne pourrait qu'étayer une plaidoirie en faveur d'un jugement avec circonstances atténuantes. N'était-il pas raisonnable de conclure que l'équilibre psychologique d'une personne pouvait être altéré lorsqu'elle venait d'apprendre que son ex-mari avait essayé de la tuer en la faisant brûler vive quand elle avait quatorze ans ? Que c'était sur son ordre qu'on avait mis le feu à sa meilleure amie ? Cela ne pousserait-il pas la plupart des gens à en venir aux pires extrémités ?

Chuchotements dans l'assistance et acquiescements parmi les membres du jury...

Mais pourquoi diable l'accusée a-t-elle cru à une histoire aussi singulière ?

Eh bien, monsieur le président, elle lui a été rapportée par l'un des officiers de police qui enquêtaient sur son ex-mari. Rapportée, soit dit en passant, sur l'oreiller de l'officier de police en question...

Souffle coupé à la ronde...

En réalité, Thorne n'avait pas la plus petite idée de ce qui pourrait lui tomber dessus si jamais la vérité devait éclater au grand jour. En tout cas, il sentait intuitivement qu'une action, sous une forme ou une autre, serait engagée contre lui, qu'il donnerait sans doute sa démission avant que cela se produise. Une autre part de lui-même ne voyait pas trop quelle loi il avait enfreinte. Peut-être y avait-il des consignes dans ce fameux manuel qu'il n'avait jamais pris la peine de lire ? Il se voyait mal aller le demander à Russel Brigstocke.

Plus il y réfléchissait, plus cela devenait simple. Allait-elle le répéter à quelqu'un ? Alison Kelly, soit d'elle-même, soit sur des conseils, allait-elle le sacrifier au profit d'une sentence plus clémente, voire d'un petit job peinard dans un hôpital ?

Il se dit, en traversant Waterloo Bridge, qu'elle en serait bien capable.

En faisant le tour de Russell Square, il en vint à la conclusion qu'elle ne le ferait sans doute pas.

Quand il se gara devant chez lui, la seule chose dont il était certain, c'était que, de toute façon, il ne lui en voudrait pas.

Alison Kelly lui sortit de la tête dès qu'il s'avança vers sa porte d'entrée, puis se figea, ses clés à la main. Il fixa la peinture balafrée et revit le visage de Memet Zarif, l'eau coulant lentement dans ses sourcils épais et foncés. Il scruta les entailles dans le panneau de bois aux rebords hérissés d'esquilles capturées par la lueur d'un réverbère tout proche. Il sentit de nouveau le frisson glacé sur sa nuque en comprenant que Memet avait pris une décision. Quand faire un vœu ne suffit pas, il faut passer à l'action.

Thorne fixait sur sa porte d'entrée le X irrégulier qu'on y avait profondément gravé.

29

Après un demi-tour poussif, Thorne mit le pied au plancher et repartit vers la rue principale, conduisant en crachant sa rage à haute voix vers le pare-brise. Dans sa poitrine, son cœur avait la danse de Saint-Guy. Il respirait aussi rapidement que le bébé qu'il avait regardé, à peine une heure plus tôt.

Il était essentiel d'essayer de garder son calme, d'arriver entier là où il se rendait. Il devait contenir, économiser, canaliser sa colère contre Memet Zarif pour le moment où il coincerait enfin cet enculé...

Il cria de frustration et pila, sa voix noyant le crissement des pneus quand les roues se bloquèrent et que la BMW s'arrêta au feu en faisant une très légère embardée. Il regarda ses phalanges blêmir autour du volant, attendant que le rouge cède la place au vert.

Suivant des yeux un taxi qui passait. Sentant sa poitrine faire pression encore et encore contre la ceinture de sécurité. Écoutant le frottement du cuir contre le nylon, les pulsations spasmodiques de son rythme cardiaque...

L'illumination fut brutale et soudaine, comme une gifle, et Thorne sentit les picotements de la certitude s'installer et se diffuser en lui. Lentement, il se pencha en avant et alluma ses warnings, indifférent aux voitures qui, pour l'éviter, faisaient un écart pour franchir le feu.

Un taxi... un minicab...

Il revit le visage qu'il avait à peine remarqué l'autre matin, celui de l'homme au volant de l'Omega noire – le chauffeur devant l'agence des Zarif dans Green Lanes qui lui avait demandé s'il cherchait un taxi. Il se rappelait où il avait déjà vu ce visage.

Thorne attendit que le feu change de nouveau, tourne sur place et repartit lentement vers son appartement.

Pourquoi cet homme conduisait-il un taxi pour Memet Zarif ? Serait-il encore au travail, à une heure si tardive ? En tout cas, cela valait toujours la peine d'essayer...

Les idées de Thorne se bousculaient toujours dans sa tête, l'adrénaline pétillant dans son organisme, mais à présent un calme signalait sa présence, aussi, se répandant là où le besoin s'en faisait sentir.

Le calme de la décision, de la détermination.

La BMW ne s'était pas totalement immobilisée devant chez lui qu'il composait déjà le numéro. Il écouta la tonalité de recherche en posant le pied sur le trottoir.

La grande gueule qui décrocha n'était pas plus polie au téléphone que *de visu*.

– Service minicab...

– Je voudrais un taxi pour Kentish Town le plus vite possible.

– Quelle adresse ?

– J'ai besoin d'un beau modèle, une belle caisse, voyez. Je veux en mettre plein la vue à quelqu'un. Vous avez une Mercedes ou un truc comme ça ?

– Non, mon gars, rien de tel.

Thorne s'appuya contre sa voiture.

– Vous devez bien avoir un modèle sympa. Une Scorpio, une Omega, ce genre. Je me fiche de payer un petit supplément...

– On a deux Omega.

On aurait dit que l'homme avait du mal à supporter chaque syllabe de la conversation.

– Ouais, super. Une des deux. Qui est le chauffeur ?

– Quelle différence ?

N'y avait-il pas l'ombre d'une suspicion dans la question ? Thorne décida que ce n'était sans doute rien de plus qu'une acrimonie naturelle.

– Celui que j'ai eu il y a deux semaines n'arrêtait pas de jacter...

Thorne écouta le nom du chauffeur et sentit que le coup de fil avait payé.

– C'est parfait, dit-il.

– C'est quoi ton adresse, mon gars ?

Thorne regarda le X sur sa porte d'entrée. Il n'était pas question qu'il leur donne une adresse qu'ils ne connaissaient, à l'évidence, que trop bien. Il ne voulait surtout pas que le chauffeur sache qui il allait chercher. Il indiqua une boutique de Kentish Town Road, dit au standardiste qu'il attendrait devant.

– Dans un quart d'heure, mon gars...

Thorne était déjà en route.

Le quart d'heure avoisina les vingt-cinq minutes, mais le temps passa vite. Thorne avait beaucoup de choses en tête. Comment être certain que, lorsque le chauffeur lui avait parlé l'autre matin devant l'agence de minicabs, il ne savait pas pertinemment à qui il s'adressait ? Thorne pouvait juste espérer que l'homme qu'il attendait à présent avait seulement tenté de grappiller une course, et qu'il n'avait vu en lui qu'un client potentiel.

Lorsque l'Omega s'arrêta, Thorne dévisagea le chauffeur. Il ne perçut chez lui aucune dissimulation...

Thorne monta à l'arrière de la voiture, sachant très bien qu'il lui était déjà arrivé de se tromper sur ces choses-là.

– Vous allez où ? demanda le chauffeur.

C'était la seule chose à laquelle Thorne n'avait pas réfléchi.

– Hampstead Garden Suburb.

C'était à trois ou quatre kilomètres de là, après Highgate. Thorne espérait que c'était assez loin, qu'il obtiendrait ce dont il avait besoin bien avant d'y arriver...

Le chauffeur grommela en glissant l'Omega dans la circulation de Kentish Town Road en direction du nord.

Ils roulèrent pendant cinq bonnes minutes dans le silence le plus complet. Peut-être le standardiste avait-il signalé que le client n'était pas causant. Ou bien le chauffeur n'avait rien à raconter. Dans tous les cas, cela convenait parfaitement à Thorne. Cela lui laissait un peu de temps pour rassembler ses idées.

Il avait reconnu Wayne Brookhouse, s'était enfin rappelé où il avait vu son visage : sur la bande de vidéosurveillance montrant les visiteurs de Gordon Rooker. Il revit Stone et Holland étalant sur son bureau les clichés noir et blanc. Brookhouse, à supposer que ce soit son vrai nom, ne portait plus de lunettes et ses cheveux étaient plus longs que lors de sa dernière visite à Rooker. Il était censé être le petit copain de la fille, non ? Ou l'ex-petit copain, peut-être...

Qu'avait dit Stone sur lui, déjà, après l'avoir interrogé ? *« Pas très net »* ? Thorne avait de bonnes raisons de croire que le jeune homme qui lui servait de chauffeur était encore moins net que tout le monde ne l'avait cru.

Le cuir souple soupira quand Thorne s'y relaxa.

– Dure journée, Wayne ?

Brookhouse tourna la tête le plus longtemps qu'il le put sans risquer l'accident.

– Excuse, mon gars, on se connaît ?

– Ami d'un ami, répondit Thorne.

– Oh...

Thorne vit les yeux de Brookhouse passer sans arrêt de la route au rétro. C'était tout juste s'il n'entendait pas grincer les engrenages de ses méninges qu'il creusait pour tenter de savoir qui donc était son client. Thorne décida de le mettre au parfum...

– Comment vont les amours, Wayne ? Tu te tapes toujours la fille de Gordon Rooker ? Comment elle s'appelle déjà ?

Thorne le vit se raidir, sentit qu'il débattait avec lui-même pour déterminer quelle serait la « bonne » réponse étant donné les circonstances. Thorne commençait à douter que Brookhouse ait même jamais rencontré la fille de Gordon Rooker.

– Vous êtes qui, putain ? dit Brookhouse.

Apparemment, il avait décidé que l'agressivité serait la meilleure solution.

– Tu ne verras pas l'ombre d'un pourboire si tu persistes dans une telle attitude...

– Ouais, c'est ça...

Il mit le clignotant et commença à se déporter vers le trottoir.

– Continue de rouler, dit Thorne.

Le ton de sa voix indiquait clairement qu'il réagissait mal à l'agressivité.

Brookhouse redressa vers le milieu de la route et ils passèrent devant les courts de tennis au bas de la colline du Parlement.

– Qui t'a mis sur le coup ? demanda Thorne. Je me demande si tu étais déjà un des janissaires de Memet et si c'est lui qui t'a envoyé à Rooker, ou bien si tu étais déjà lié à Rooker et si c'est lui qui t'a trouvé ton boulot de chauffeur de taxi.

Il attendit la réponse. Qui ne vint pas.

– Ce n'est pas une info capitale, reprit-il. C'est de la simple curiosité de ma part. Quoi qu'il en soit, il est clair que tu transmettais des messages dans un sens et dans l'autre. Tu fais une petite visite à Rooker, tu joues le rôle de la gentille petite frappe qui tirait sa fille et tu en profites pour lui passer des messages de Memet...

Il restait encore beaucoup de questions qui exigeaient des réponses, mais Thorne avait au moins établi une chose : quel que le soit le deal que Rooker avait essayé de passer avec lui, il s'efforçait en même temps d'en conclure un autre avec Memet Zarif. Il aurait peut-être fait tomber Billy Ryan, mais il avait décidé de jouer la sécurité à fond.

– Rooker nous a dit que tu étais mécanicien. C'est des conneries, Wayne ? Tu ferais la différence entre une tête de bielle et une tête de veau ? En tout cas, tu as convaincu mon constable quand il t'a interrogé...

– Vous êtes Thorne.

– En plein dans le mille. Et toi, tu es baisé...

Par l'intervalle entre les sièges, Thorne vit la main de Brookhouse se tendre vers quelque chose sur le siège passager. Thorne se pencha en avant, empoigna Brookhouse par les cheveux et tira violemment sa tête en arrière.

– *Aïe, 'de Dieu !*

Thorne regarda et vit que Brookhouse avait voulu prendre un téléphone portable.

– Écoutez, je me faisais juste passer pour un visiteur, dit-il.

Sa voix avait grimpé d'une ou deux octaves.

– Comme vous le disiez, je transmettais juste quelques infos, rien d'important, je vous jure. Je sais que dalle à que dalle, c'est la vérité.

Thorne fixait l'appareil, petit et luisant, niché dans les plis d'un anorak bleu foncé étalé avec soin sur le siège. Wayne Brookhouse s'était fait passer pour un mécanicien et pour l'ex-petit ami de la fille de Gordon Rooker. Soudain, Thorne se demanda s'il n'aurait pas joué un autre rôle.

– Maintenant, tu peux te garer, dit-il. N'importe où...

– Pourquoi ?

Thorne entendit à peine le cri poussé par Brookhouse quand il tira encore un peu plus sa tête en arrière.

– Parce que c'est moi qui dois passer un coup de fil...

Chamberlain tendit la main vers le téléphone sans détourner les yeux de l'émission de télévision sur laquelle elle essayait de concentrer son attention.

La voix de Thorne lui cala les idées.

– Oh, bonjour, Tom...

Thorne parla vite, avec calme, et Chamberlain changea d'expression dès qu'elle perçut la détermination dans sa voix. De son fauteuil, Jack l'interrogea du regard, l'inquiétude visible sur les rides de son visage. Il brandit la télécommande, baissa le volume du téléviseur.

Thorne dit à Chamberlain de bien écouter.

Elle sourit à son mari et secoua la tête. Ce n'était rien...

Thorne plaqua le combiné contre l'oreille de Brookhouse au point qu'il gémisse de douleur.

– Maintenant, tu le redis, avec plus de conviction...

Brookhouse tressaillit, inspira à fond.

– C'est moi qui l'ai brûlée vive...

Thorne éloigna le combiné, son autre main agrippant toujours Brookhouse par les cheveux. Quelque chose dans le silence presque total sur la ligne, une horreur dans son léger sifflement, lui indiqua que Carol Chamberlain avait reconnu la voix.

– Carol... ?

– Il y a un train dans moins d'un quart d'heure. Je peux être là d'ici une heure et demie...

Thorne connut une ou deux secondes de doute, mais pas plus. Dès qu'il avait pris la décision de passer le coup de fil, il s'était attendu à la réaction de Carol Chamberlain.

– Appelle-moi quand tu entres en gare, dit-il.

Il tourna violemment son poignet, projetant la tête de Brookhouse contre la vitre.

– Un taxi t'attendra.

30

Le visage de Wayne Brookhouse – ouvert et charmant sous sa tignasse brune – s'éclaircit d'un sourire. Il semblait détendu et joyeux. Seules la rougeur écarlate autour de son oreille droite et l'expression du visage des deux personnes assises face à lui indiquaient qu'il se passait peut-être quelque chose de pas ordinaire.

– Ça va durer encore longtemps ? demanda Brookhouse.

Il n'était pas loin de minuit, et au cours des deux heures pendant lesquelles Thorne avait été en tête à tête avec lui, le temps que Chamberlain arrive et qu'ils fassent le trajet jusque chez Thorne, Brookhouse avait repris confiance.

– Je n'y ai pas vraiment réfléchi, dit Thorne.

– Ah, c'est évident, putain...

Chamberlain tourna la tête vers Thorne. Ils étaient assis l'un à côté de l'autre sur des chaises de cuisine. Brookhouse était devant eux, au milieu du canapé.

– Je ne pense pas qu'on ait un temps réglementaire, si ? demanda-t-elle.

Thorne secoua la tête, dévisagea Brookhouse avant de parler :

– Explique-nous comment ça fonctionnait entre toi, Rooker et Zarif.

Le sourire de Brookhouse ne vacilla pas.

– Vous n'êtes pas assez bien payé, c'est clair, dit-il en regardant autour de lui. C'est merdique, ici.

– Pourquoi avoir prétendu être l'auteur de l'agression contre Jessica Clarke ?

Thorne savait que ce ne serait pas facile. Pendant que Brookhouse affûtait sa frime, Thorne avait mis en place quelques pièces du puzzle. À présent, il préparait le terrain pour les questions réellement importantes en en posant certaines dont il connaissait déjà les réponses.

– Et en plus, il y a une odeur, dit Brookhouse. Ça pue le curry...

L'intention de l'instigateur de ce plan – et, pour l'heure, Thorne pariait sur Gordon Rooker – avait été de mettre la balle dans le camp des policiers. De les attirer à lui. Et, en bonnes poires, ils étaient venus. Brookhouse avait passé les coups de fil, envoyé les lettres et, évidemment, un imbécile avait fini par aller dire un mot à Rooker et par lancer la machine. Ils avaient cuisiné Rooker jusqu'à ce que, finalement, il avoue son innocence et leur parle de Billy Ryan. Puis il leur...

Quel crétin...

– Donc, Rooker passe un accord avec nous, et, en même temps, il s'assure de bénéficier d'une protection un peu différente par Memet Zarif, c'est ça ? C'est bien ça, Wayne ?

– Vous êtes venu chez moi, dit Chamberlain qui croisa les jambes et lissa sa jupe.

Thorne lui lança un coup d'œil, imaginant l'espace d'un instant bizarre que tous deux faisaient passer un entretien d'embauche à Brookhouse.

– Vous vous êtes planté à l'entrée de mon jardin et vous m'avez regardée, n'est-ce pas ?

Brookhouse tendit les jambes, cogna les bouts de ses baskets l'un contre l'autre.

– C'est trop naze, dit-il.

Il fit un signe de tête vers Chamberlain.

– Regardez-la. Elle n'est pas flic. On dirait ma tantine de mes deux, je rêve...

– Moi, je suis flic, dit Thorne.

– Et alors ? Vous ne seriez pas avec elle si tout ça, c'était officiel. C'est évident que vous n'allez pas m'arrêter. Là, c'est un truc... perso. Hein ?

Thorne haussa les épaules.

– Alors, qu'allez-vous faire, Wayne ? Vous voulez appeler la police ?

Brookhouse inclina le buste en avant, ses avant-bras noués autour de ses genoux.

– Je pourrais bien appeler un avocat, ouais.

– Le téléphone est à côté de la porte d'entrée...

L'homme assis sur le canapé regarda Thorne dans les yeux pendant quelques secondes, puis, lentement, le sourire refit son apparition.

– Vous ne me la ferez pas.

Il se mit à rire doucement en brefs éclats haut perchés, et Thorne se rendit compte que son amusement était sincère. Ce petit con trouvait réellement que la situation était drôle. Il pensait sincèrement qu'ils ne pouvaient rien contre lui, qu'il était protégé.

– Tu as complètement raison, Wayne. C'est personnel, ce qui signifie que je ne perdrai pas ma place si je me lève et te fais remonter les couilles dans ta gorge à coups de latte.

La menace de Thorne, ou, peut-être, son expression quand il la formula, suffit à couper court au rire, mais rien de plus.

– Bon, dit Brookhouse. C'est sans doute la seule façon dont ça peut se terminer, hein ?

– Tout dépend de toi...

Brookhouse se redressa.

– Ça me va, si ça signifie qu'on en aura fini avec cette connerie. Je veux bien me prendre une raclée s'il le faut, mais vous aussi vous le sentirez passer, je vous jure.

Autre signe de tête vers Chamberlain.

– Elle compte participer ? Parce que je préfère vous dire que ça me posera aucun problème de lui filer une dégelée à elle aussi, putain.

Son assurance s'envola à la seconde où Chamberlain bondit sur ses pieds et s'avança vers lui en criant :

– Et foutre le feu à une gamine à un arrêt de bus, ça non plus, ça ne t'a posé aucun problème, hein ?

– Je vois pas de quoi vous parlez...

Thorne savait que l'agression à Swiss Cottage avait été faite dans le but de faire monter la mise, seule solution quand tout semblait indiquer que la proposition de Rooker avait été rejetée. Elle avait emporté le morceau, ne laissant à la police d'autre choix que d'accepter l'offre de Rooker.

– Ça aussi, c'était vous, n'est-ce pas, Wayne ? À l'arrêt de bus ?

Chamberlain, cramoisie, s'était campée devant lui.

– C'est une tentative de meurtre, et vous êtes bon pour la même peine que celle dont Rooker a écopé...

Brookhouse la regardait, il leva calmement la main pour essuyer les postillons sur sa joue.

– Jack bon à tout faire, hein ? dit Thorne. Tu es donc le seul à qui Memet puisse faire appel pour exécuter ses basses besognes ? Ou est-ce que la famille claque tout son fric sur les putes et les tueurs à gages qui demandent cher ?

Brookhouse garda le silence...

Thorne se pencha vers lui. Là, c'était important.

– Qui a tracé le X sur ma porte, Wayne ?

La réponse lui parvint à la toute fin d'un bâillement.

– Allez vous faire voir...

Thorne serra les poings au moment précis où Chamberlain se retournait vers lui, soudain redevenue maîtresse d'elle-même.

– Tu n'aurais pas une paire de menottes qui traîne, par hasard ? demanda-t-elle.

Gordon Rooker faisait des emplettes.

Il avait déjà claqué pas mal de fric. Il avait fait des folies pour de nouvelles fringues très classe et plusieurs paires de chaussures très chic. Il avait payé une tournée dans un bar à plein d'inconnus devenus ses meilleurs potes. Il s'était acheté le tout dernier modèle de téléphone portable, une radio sympa, et une télé écran plat et géant qu'il avait repérée dans un magazine et qu'il comptait installer dans un angle de son nouveau salon. Il ne savait pas encore où ce salon serait, ni quelle somme d'argent il aurait à sa disposition pour acheter tout ça quand il en aurait réellement la possibilité, mais il prenait son pied en y pensant. Il savourait le rêve de posséder à nouveau, le plaisir de sentir les billets glisser entre ses mains.

Étendu sur sa couchette, il essaya d'imaginer l'avenir. Il l'avait déjà fait un nombre incalculable de fois, bien entendu, dès le moindre soupçon d'une sortie possible, mais, là, c'était différent. Il sentait le goût, le parfum, le contact de la liberté à seulement quelques jours devant lui.

Il mangeait un menu cher – trois plats et une bouteille de vin haut de gamme – dans un restaurant qui n'existait sûrement plus. Il laissait un pourboire généreux et sortait de là avec le sentiment que sa merde aurait des allures de dessert...

Ils avaient abordé la question du fric alors que Ryan était encore en vie. Elle faisait partie du deal, même s'ils étaient restés assez vagues sur le montant exact. Il y avait de fortes chances qu'il récolte un peu moins que prévu au départ, mais ils devraient tout de même lui filer quelque chose, aucun doute là-dessus. Ils ne pouvaient pas se contenter de le lâcher dans une ville inconnue, grande ou petite, lui indiquer le chemin le plus court pour l'agence pour l'emploi la plus proche et lui souhaiter bonne chance, hein ?

Il avait bien essayé d'obtenir des réponses précises de ce connard de Thorne, mais c'était comme s'il pissait dans un violon. Il y avait encore tant de choses à mettre au point, ce qui était déconcertant au bout de vingt ans de routine, mais gérable. Une date de mise en liberté, écrite noir sur blanc : il ne lui en fallait pas plus.

Il acheta des livres, par dizaines : des romans d'espionnage et des biographies. Il avait appris à s'oublier en les lisant et il lui tardait de pouvoir les choisir lui-même.

Il acheta un abonnement pour Upton Park. Où qu'il se retrouve, il reviendrait ni vu ni connu de temps en temps pour voir jouer son petit-fils.

Et il s'acheta une femme. Derrière les barreaux, c'est à la force des poignets, mais donner des espèces pour se coucher et regarder une pute s'activer pour soi ne pouvait être que de l'argent bien placé.

Dans sa cellule, Rooker dériva vers le sommeil en rêvant de grands lits profonds, et d'une chair sous ses doigts qui ne serait pas la sienne.

31

Thorne ne connaissait pas Wayne Brookhouse depuis longtemps, et pour cause, mais il ne lui avait encore jamais vu cette tête-là. Les yeux exorbités. Les traits crispés, le teint aussi jaunâtre qu'un vieux journal.

Thorne connaissait beaucoup mieux les traits de Carol Chamberlain, mais eux aussi étaient déformés par une expression qui lui était tout autant inconnue.

– Putain... mais ce n'est pas du tout... légal, haleta Brookhouse.

Il tournait la tête d'un côté puis de l'autre, le lit tremblait comme il se débattait contre ses liens.

Un de ses poignets était menotté au cadre métallique, l'autre y était attaché à l'aide d'une cravate noire que Thorne débusquait habituellement pour les enterrements. Thorne était assis sur les jambes du prisonnier, s'agrippant à la barre transversale au pied du lit pour éviter de se faire éjecter quand Brookhouse se contorsionnait comme un beau diable.

Chamberlain, ayant fini de déboutonner la chemise de Brookhouse, tendit la main vers la table de chevet. L'ustensile qu'elle prit était branché à une rallonge qui courait jusqu'à une prise murale dans l'angle de la pièce. Elle la poussa sur le côté en faisant un pas vers la tête de lit.

– C'est marrant, dit-elle, parce que, normalement, j'ai horreur du repassage...

Brookhouse cracha un chapelet d'injures. Il faisait de son mieux pour donner l'impression qu'il n'avait pas peur, pour que sa peur ait l'apparence de la rage, et il s'en sortait plutôt bien. Peut-être aurait-il eu plus de mal à la dissimuler si c'était Thorne qui tenait le fer. Peut-être que, même s'il se débattait, il trouvait la vision d'une quinquagénaire jouant au tortionnaire amateur relativement drôle.

Ce que Thorne, lui, trouvait drôle, c'était que Brookhouse n'ait pas nettement plus peur. Il distinguait dans les yeux de Carol Chamberlain quelque chose qu'il n'y avait encore jamais vu. Ou qui, peut-être, n'y était plus...

– Parle-nous de Monsieur X, dit-il.

Brookhouse ferma les yeux très fort.

– Je ne peux pas...

Chamberlain baissa le bras. La semelle du fer n'était plus qu'à une quinzaine de centimètres de la poitrine de Brookhouse.

– C'est lourd, dit-elle.

Thorne la regarda. Ils faisaient un numéro, non ? Il n'aurait su dire si elle bluffait ou pas, alors Brookhouse encore moins.

– On t'écoute, Wayne...

Brookhouse tressaillit. Il était évident que, si le fer ne le touchait pas, il commençait à chauffer.

– Il est parti, il est parti.

Il se mit à crier, à bafouiller.

– Il a quitté le pays. D'accord ?

– Pour aller où ? demanda Thorne.

– Mais j'en sais rien, moi ! En Serbie, peut-être. Je crois qu'il était serbe...

– Donne-moi un nom...

– Je ne connais pas son nom, je ne l'ai jamais vu...

Il se contracta quand le fer s'abaissa de nouveau de deux ou trois centimètres.

– Écoutez, je l'ai aperçu une fois dans un café, c'est tout. Il était là, assis seul dans un coin, il souriait, et voilà. Brun, voyez, le même look que tout le monde, putain. Un sourire de star de cinéma, des dents plein la gueule, ça, je m'en souviens...

Thorne revit l'homme en faction dans la voiture devant chez lui. Il revit ce sourire-là. Il se demanda à quel point il avait été proche de sentir une lame dans son dos ; l'éclat de son tranchant, joueuse avant l'obscurité de la balle...

– Quand est-il parti, Wayne ?

– Ça fait un moment. Quelques semaines après son dernier coup. Après le flic.

Moloney...

Donc, Thorne s'était planté en pensant que c'était Billy Ryan qui avait fait tuer Moloney. Ainsi, c'était Memet qui avait commandité le meurtre, sans savoir qu'il ciblait un policier infiltré. La mort de Moloney avait été, dans la tête de Thorne, une chose de plus que Ryan avait payée de sa propre mort. Un élément supplémentaire qui avait justifié que Thorne raconte à Alison Kelly ce qu'il lui avait raconté. À présent, il devait rayer la mort de Moloney de cette liste, mais cela ne faisait pas grande différence. Il restait encore beaucoup de choses que Billy Ryan avait dû payer...

– S'il est parti, dit Thorne, qui a tracé le « X » sur ma porte ?

– Ça peut être n'importe qui.

La transpiration laissa une tache sur les draps de Thorne quand Brookhouse tourna la tête.

– C'était juste pour vous flanquer une bonne trouille, c'est tout.

– Qui a ordonné ces meurtres ? demanda Chamberlain. Memet ?

Brookhouse secoua la tête.

– Ça veut dire « non » ?

Chamberlain fit passer le fer dans sa main gauche, secoua la droite quelques instants, puis y remit le fer.

– Ou « sans commentaires » ?

Thorne dut se rétablir lorsque Brookhouse le déséquilibra en relevant brutalement les genoux dans son derrière. Il remporta la lutte, pensant aux morts et à ceux qui avaient touché de l'argent pour planifier leur mort. Ceux pour qui couteaux et pistolets étaient des outils de travail : le boucher qui avait assassiné Mickey Clayton, Marcus Moloney et les autres ; l'homme qui avait tiré sur Muslum et Hanya Izzigil ; celui qui avait abattu Francis Cullen et les deux immigrés encore non identifiés qu'on avait forcés à descendre de l'arrière du camion et qui avaient tenté de fuir pour sauver leur peau.

Les hommes qui s'en étaient tirés.

Comme celui dont les outils avaient été une flamme nue et une recharge d'essence à briquet...

Thorne regarda Brookhouse, se demandant à quel point il avait été proche de Gordon Rooker. Rooker lui avait sûrement accordé sa confiance bien plus qu'il ne l'avait jamais accordée à un policier. Thorne s'interrogea sur l'ampleur réelle des révélations que Rooker avait dû faire, des informations qu'il avait dû lâcher avant que soit finalisé l'accord passé avec Memet Zarif.

– Qui a cramé Jessica Clarke, Wayne ?

Thorne surprit une lueur vaciller un dixième de seconde dans les yeux de Brookhouse. Une étincelle qu'il fit, tout de suite, de son mieux pour dissimuler, comme un gamin surpris en train de voler qui enfoncerait vite fait son butin au fond de sa poche. Thorne lança un coup d'œil à Chamberlain et sut aussitôt qu'elle aussi l'avait vue.

– Tu le sais, hein ? dit-elle.

Sous le regard de Thorne, elle abaissa le fer un peu plus encore. Il voyait les tendons saillir dans la partie interne de son avant-bras tandis qu'elle le soupesait, la concentration de son visage tandis qu'elle le bougeait le plus lentement possible.

– Vous ne le ferez pas..., dit Brookhouse.

Thorne regarda, captivé, Chamberlain tendre son autre main et régler la température au maximum. Une goutte d'eau tomba sur la poitrine de Brookhouse. Il tressaillit comme si elle était brûlante.

– Tu t'imagines que la douleur sera de courte durée, dit Chamberlain. Un petit moment de souffrance quand j'appuierai le fer avant de le retirer. Juste un gros coup de chaud d'une ou deux secondes et terminé, hein ? D'accord, je voudrais que tu penses à ce que ça ferait si je posais le fer et le laissais là, sur ton corps. Brûlant sur ta poitrine, Wayne. À ton avis, ça lui demanderait combien de temps avant qu'il s'enfonce...

Quand Brookhouse détacha le regard du fer et le porta sur le visage de Chamberlain, il se mit à parler :

– Bon Dieu, vous êtes carrément bouchés à l'émeri, vous autres ! Il n'y a pas d'autre homme. Il n'y avait que moi, moi me faisant passer pour lui.

– Pour l'homme qui a réellement cramé Jessica... ?

– Pour lui ! Rooker. L'homme, c'est Rooker.

Alors, Thorne le vit : aussi lumineux qu'une flamme, aussi indéniable qu'une cicatrice. Dans la démarche, dans le sale clin d'œil et dans les doigts de ce salaud quand il les passait dans ses cheveux gras et jaunis. Dans sa langue qui glissait sur une dent en or et dans son sourire fourbe avant qu'il ne se penche pour ouvrir le couvercle de sa boîte de tabac...

Dès qu'il avait reconnu Brookhouse, Thorne avait compris que Rooker avait menti. Mais pas là-dessus. Il était évident que Brookhouse n'avait pas pu brûler Jessica, et Thorne n'avait jamais supposé que l'homme qui passait les coups de fil – l'homme que Chamberlain avait vu sur sa pelouse – était le véritable agresseur. Il avait toujours cru que c'était quelqu'un d'autre, quelqu'un dont Rooker connaissait sans doute l'identité...

– Tom... ?

Tout s'était bâti sur la conviction, sa conviction que Rooker était innocent. N'était-ce pas lui qui, de son propre chef, avait fait pression sur Rooker, l'avait forcé à admettre que ce n'était pas lui ?

Chamberlain avait relevé le fer et le regardait, attendant la suite. Un conseil, peut-être.

Il reçut en plein bide l'énorme et déplorable pierre de sa propre bêtise. Son poids égalait très exactement la joie de savoir, d'avoir enfin obtenu le nom. Il se sentait vide et plein – dépossédé...

Presque tout ce que Gordon Rooker lui avait dit était vrai. Il n'avait modifié qu'un petit détail de rien. Lorsque Billy Ryan lui avait demandé de tuer Alison Kelly, il avait dit oui.

– Il a été génial...

Chamberlain n'avait toujours pas percuté.

– Quoi ?

Rooker était très certainement impliqué dans la tentative antérieure de se débarrasser de Kevin Kelly. Billy Ryan, en tant que numéro deux de Kelly, avait une excellente raison de vouloir la mort de Rooker. Cela faisait de lui l'homme idéal pour exécuter un contrat sur la fille de Kelly...

– Peut-être que Ryan a proposé de lever un contrat qu'il avait lancé sur Rooker, dit Thorne. En échange de quoi Rooker lui rendait un petit service.

Chamberlain ne paraissait pas convaincue, mais, de toute façon, cela n'avait plus vraiment d'importance. Ce qui était incontestable, c'était que Rooker avait peur de Billy Ryan, une peur qui s'ancrait dans la certitude que Ryan ne pardonnait pas à ceux qui se plantaient. Elle avait poussé Rooker à avouer, à se condamner à la prison et à une vie passée avec la peur pour seule compagne. Elle avait grandi à chaque agression, à chaque passage à tabac sous les douches, jusqu'à imposer à Rooker la voie qu'il avait suivie. La peur était sa conseillère. C'était elle qui avait fini par donner corps à un plan susceptible d'assurer sa sécurité le jour où il recommencerait sa vie hors de prison.

Ce qu'il ferait d'ici quelques jours à peine...

Thorne décida que Brookhouse pourrait se débattre autant qu'il le voudrait. Il fit basculer ses jambes d'un côté du lit et bondit sur ses pieds.

– Quel est le deal entre Rooker et Memet Zarif ?

À nouveau, une lueur vacilla dans les yeux de Brookhouse. Cette fois, aucun doute : c'était de la terreur à l'état pur.

– Il a beaucoup plus peur de Memet que de nous, dit Chamberlain.

Thorne vit les yeux de Brookhouse obliquer vers les siens. Il vit les larmes poindre. Il vit l'espoir que leur sens puisse ne pas être compris. Thorne commença à craindre de s'être trompé sur celui des frères Zarif qui tirait les ficelles.

– Pas de Memet, hein ? demanda-t-il.

Un gémissement parut monter du ventre de Brookhouse quand il se mit à s'agiter sur le lit.

– Hassan... ?

Thorne répéta le prénom, haussant le ton pour dominer le bruit que Brookhouse faisait pour ne pas l'entendre. Toujours pas de réponse. Thorne fit un signe de tête à Chamberlain qui remit le fer en position.

– Lequel, Wayne ?

Tandis que le fer descendait de nouveau vers sa poitrine, Brookhouse se calma peu à peu. Ses sanglots cessèrent, son corps se raidit et il ferma les yeux, très fort. Il était clair qu'il s'armait contre la douleur, qu'il l'attendait.

Quelque chose... ou quelqu'un lui faisait bien plus peur.

Chamberlain tenait le fer à quelques centimètres de sa poitrine. Thorne vit la peau commencer à rougir, vit le contour translucide de cloques gagner en définition.

– On dirait que tu es ravi de nous laisser aller jusqu'au bout, Wayne, dit Thorne. On devrait peut-être te conduire au poste. Tu serais peut-être moins ravi d'être incarcéré pour tentative de meurtre...

Brookhouse haleta ses mots en respirant par à-coups.

– La fille à l'arrêt de bus, c'était bidon. Pour que l'accord puisse se faire. Je ne serais jamais allé jusqu'au bout...

– Piètre défense...

– Aucune importance, hein ?

Brookhouse rouvrit les yeux. Il fixa d'un air dur la semelle du fer, puis regarda Thorne.

– Vous n'allez pas m'emmener au poste, hein ?

Thorne soutenait son regard. Aussi terrifié soit-il, Brookhouse savait très bien que tout cela ne donnerait même pas lieu à une déposition.

– Tu as raison, on ne va pas t'y emmener.

Thorne tourna la tête vers Chamberlain.

– Vas-y, chauffe-le...

La légèreté avec laquelle Thorne avait donné cette instruction contrastait violemment avec ce qu'il ressentait. C'était comme si son sang était sur le point d'exploser sous chaque centimètre carré de sa peau. Les tendons de son cou semblaient sur le point de claquer, et des choses remuaient, tournoyaient et dégoulinaient dans son estomac.

Chauffe-le...

Ils avaient uni leurs forces pour maîtriser Brookhouse, pour le traîner jusqu'à la chambre et le ligoter. Depuis lors, Thorne ne coïncidait plus avec lui-même et s'était enfoncé dans les ténèbres, impuissant, dans le sillage de Carol Chamberlain. Elle lui avait demandé d'aller chercher le fer à repasser, et il avait obtempéré. Il l'avait regardée peser le pour et le contre en un moment de rage, et avait été emporté par sa décision. Il s'était senti happé, grisé et horrifié, s'en remettant à quelque chose situé bien au-delà des prérogatives d'un grade qu'elle n'avait plus depuis longtemps.

Il regarda la vapeur jaillir de la semelle du fer tel le souffle de chevaux tirant un corbillard. Il entendit le frottement des menottes contre la barre métallique quand Brookhouse s'arc-bouta dans ses liens.

– Mets une serviette sous lui, dit Chamberlain. Quand le contact se fera, il va probablement pisser dans sa culotte...

Thorne n'aurait su dire si c'était un simple conseil pratique ou une dernière tentative d'effrayer Brookhouse pour le faire parler. Il regarda Chamberlain dans les yeux et comprit une chose : s'il ne parlait pas, elle appuierait le fer brûlant sur sa poitrine.

Brookhouse ne dit rien.

Le fer bougea au ralenti vers la peau écarlate...

Manifestement, Chamberlain en était au stade où elle pensait n'avoir plus rien à perdre. Thorne la regardait torturer un homme, et essayait de déterminer si ce qu'il savait valait la peine de s'y accrocher.

Il n'y avait presque plus d'air entre le métal et la chair...

Thorne savait que le bruit et l'odeur de la chose n'étaient plus qu'à quelques secondes de là. Il voulut parler, mais, une fois encore, il était devenu comme son père. Les mots « non » et « arrête » se dérobaient à lui. Il entendit que les poils de la poitrine de Brookhouse commençaient à grésiller. Il tendit la main.

– Carol...

Brookhouse hurla et rentra la poitrine, puis hurla plus fort quand le matelas le repoussa vers le haut, contre la semelle brûlante du fer.

Chamberlain recula comme si c'était sa peau que le métal chaud avait embrassée, et lorsque Thorne et elle eurent fini de crier, ils ne purent que demeurer immobiles, pâles et raides, deux cadavres, détournant le regard tandis que Brookhouse sanglotait et crachait des bulles de sons incohérents.

– Ba... ba...

Thorne écouta ce charabia. Regarda Brookhouse tendre une jambe, doucement, comme le bébé de Holland avait fait.

– Ba... ba... ba...

Thorne leva les yeux vers Chamberlain de l'autre côté du lit. Il était incapable de déterminer si l'horreur qu'il lisait sur son visage venait de qu'elle avait fait avec le fer ou de ce qu'elle voyait d'accroché sur la semelle.

Wayne Brookhouse était parti depuis près d'une heure. Tous deux étaient assis dans l'obscurité, incapables de boire assez vite quand, soudain, le mot dansa dans la tête de Thorne.

– Que va-t-on faire pour Rooker ? demanda Chamberlain. Avec ce que ce salaud a fait à Jessica ? On ne peut pas le laisser sortir...

Thorne l'écoutait d'une oreille distraite. Il essayait de replacer un mot, de se rappeler précisément où il l'avait vu sur une page. Non, sur un écran...

Brookhouse n'avait certainement pas prononcé des sons incohérents.

Thorne avait vu le mot à peu près un mois plus tôt sur le site Web du NCIS. Un soir où il n'arrivait pas à dormir, où il s'était installé devant son ordinateur et s'était plongé dans les déplorables réalités du trafic d'êtres humains. Ce même soir, il avait épluché des pages de documentation sur le crime organisé au Royaume-Uni et en Turquie. Il avait parcouru des paragraphes denses sur le fonctionnement des gangs turcs, les coutumes et la hiérarchie des plus puissantes familles d'Ankara et d'Istanbul...

Un mot qui pouvait faire penser à « bébé », mais qui, en fait, désignait l'opposé.

– Tom ? Et Rooker, alors... ?

Baba...

Thorne éprouva une sensation là où ses cheveux frôlaient sa nuque. Il se rendit compte que Gordon Rooker n'était pas la seule personne qu'il ait mal jugée.

32

Thorne attendit presque une semaine avant de retourner à Green Lanes.

Il avait passé ses journées à bosser, assurant le service minimum – remuant des papiers sur son bureau au gré des décélérations ou accélérations de telle ou telle affaire –, sans jamais cesser d'évaluer ce qu'il avait appris sur ce qui s'était passé et qui devait payer pour cela, attendant en vain que quelque chose change la réalité la plus déprimante de toutes : il ne pouvait rien faire...

Il était peu après onze heures et demie, il faisait plutôt chaud, c'était un mardi soir. Le restaurant venait de fermer lorsque Thorne pressa son visage contre la vitre de la porte. Il distingua Arkan Zarif seul à une table vers le fond de la salle. Il vit Sema qui allait et venait derrière le comptoir.

Thorne frappa à la vitre.

Zarif leva la tête, plissa les paupières pour voir qui c'était. De l'extérieur, Thorne ne put déchiffrer l'expression du vieil homme quand celui-ci le reconnut. Zarif fit un signe de tête à sa fille qui quitta le comptoir, déverrouilla la porte et ouvrit à Thorne sans un mot.

L'éclairage principal était éteint, mais plusieurs lanternes luisaient au plafond : l'orange et le rouge saignant à travers le verre coloré et les fentes dans le métal. De la musique passait en sourdine, une femme qui chantait en turc. Thorne n'aurait su dire si elle était au septième ciel ou au trente-sixième dessous.

Zarif leva son verre, cria quelque chose à sa fille pendant que Thorne approchait de sa table. Thorne se tourna vers la fille et fit non de la tête. Elle retourna derrière les rangées de tasses et de verres.

– Pas de vin ? dit Zarif. Café, alors... ?

Thorne se glissa dans le box sans répondre.

Durant quelques instants, les deux hommes se scrutèrent, puis Zarif vida son verre de vin. Sa main paraissait énorme autour du pied. Il prit la bouteille et se resservit.

– *Merhaba, Baba*, dit Thorne. Bonjour...

Zarif sourit et leva son verre.

– *Merhaba*...

– Nous étions assis ici même le jour où nous avons parlé de la signification des noms, vous vous rappelez ?

Zarif garda le silence.

– Nous avons plaisanté sur le double sens qu'ils pouvaient avoir. Comme le mot *baba*...

– Le sens de ce mot est très simple.

– Je sais ce qu'il signifie, et je sais aussi dans quelles circonstances on l'utilise. Je sais qu'en Turquie il inspire le respect. Et la peur.

– Baba, c'est « père », voilà tout.

– Père comme « chef de famille », hein ? Père de ses enfants, de ses amis, et de ceux qui vous font gagner de l'argent. Père de ceux qui tuent pour vous et père de ceux qu'on fait tuer sans y réfléchir à deux fois le moment venu...

– Moi, je veille sur ma femme et sur mes enfants...

– Je n'en doute pas. Vous ne faites que gérer une petite entreprise familiale pendant que d'autres sortent avec les pistolets et les couteaux que vous mettez entre leurs mains. Comment ça fonctionne, *Baba* ? Vous dirigerez jusqu'à ce que vous claquiez ou jusqu'à ce que vous ayez passé l'âge, et alors les garçons prendront la relève ?

Zarif fit tournoyer une gorgée de vin dans sa bouche, puis avala.

– Quand je ne m'intéresserai plus aux affaires, je prendrai ma retraite. Pour l'instant, les choses sont toujours intéressantes. C'est un bon arrangement...

– Et même un très bon arrangement. Memet et ses frères occupent le devant de la scène, focalisent l'attention des gens comme moi, ce qui vous permet de n'être que le vieux monsieur inoffensif en cuisine qui met la viande sur le gril.

Zarif croisa les mains sur sa bedaine. Il portait le même tablier crade à rayures que la première fois où Thorne était venu dans le restaurant.

– Ces derniers temps, je prends plus de plaisir à faire la cuisine qu'à... qu'aux à-côtés de mon travail. Il est facile d'être au cœur des choses ici. Je suis à la cuisine, on sait où me trouver.

Thorne se fit soudain la réflexion que l'accent de Zarif était moins prononcé que lors de leurs conversations précédentes. Il cherchait rarement, voire jamais, le mot juste. Il ne jouait plus la comédie.

Sema Zarif quitta le comptoir et passa à côté d'eux. Elle lança un coup d'œil à Thorne en se dirigeant vers l'escalier, et, pour la première fois, celui-ci surprit chez elle l'ombre d'un sourire. Comme s'il n'était plus quelqu'un dont il fallait se méfier...

– Vous avez dû me prendre pour un sacré imbécile, dit Thorne. M'asseoir à votre table, manger avec vous...

– Pas du tout. Si cela peut vous soulager, sachez que vous êtes un homme à l'opposé de celui pour qui je vous prenais.

Les poils blancs de la moustache fournie de Zarif étaient rougis par le vin. Thorne les fixait, songeant à l'air que Zarif avait d'avoir dévoré de la viande crue ; regrettant d'avoir refusé de boire un verre ; désireux de savoir de quoi diable parlait Zarif.

– Un homme capable de torturer pour obtenir ce qu'il veut, poursuivit Zarif. Le numéro avec le fer chaud, c'est... du grand art.

Thorne éprouva une forte contraction sous son sternum.

– Quand avez-vous parlé avec Wayne Brookhouse ?

Zarif leva son verre, répondit posément par-dessus son rebord.

– Il y a quelques jours, je crois...

Lorsque, le vendredi précédent, Brookhouse était reparti de chez Thorne aux petites heures du jour, les adieux avaient été plutôt rapides. Chamberlain était demeurée silencieuse pendant que Thorne dénouait les liens. Tous deux l'avaient regardé, muets, se précipiter, pestant et titubant, vers la porte. Ce ne fut qu'au tout dernier moment que Thorne avait attrapé Brookhouse et, le plaquant contre le battant de porte, avait essayé de lui inculquer un bon conseil :

– Ne retourne pas là-bas.

Ça n'avait pas été facile de se faire comprendre, d'être sûr que ses paroles étaient à la fois entendues et prises au sérieux, mais Thorne savait qu'il se devait de faire cet effort.

– Tu m'écoutes, Wayne ? Rentre chez toi, fais ta valise et décampe vite fait...

Thorne regarda Zarif boire une autre gorgée de vin. Wayne Brookhouse s'était cru plus malin qu'il n'était. Il avait pris la décision d'aller raconter à Zarif ce qui s'était passé, et Thorne se doutait qu'il n'avait pas dû recevoir les marques de sympathie ou de respect qu'il estimait mériter. Thorne imaginait Brookhouse montrant à Zarif la trace de brûlure sur sa poitrine, maudissant ceux qui en étaient responsables et assurant à son patron qu'il avait été à la hauteur, qu'il n'avait pas parlé.

Thorne imaginait la compassion savamment feinte sur le visage de *Baba*, sa résolution inébranlable quand il avait pris la seule décision possible.

– Où est-il maintenant ? demanda Thorne.

– Je n'ai pas revu Wayne depuis un ou deux jours. Il est peut-être parti.

– Si son cadavre surgit quelque part, vous savez que je reviendrai.

– Son cadavre ne surgira nulle part.

Zarif ne faisait aucun effort pour dissimuler son sourire ou le double sens de ses paroles. Il savait qu'il ne risquait rien, et voir cette certitude s'étaler sur son visage joufflu faisait à Thorne l'effet d'une scie qui lui trancherait le torse. Il ne dit rien, et essaya de nouveau de se convaincre qu'il avait fait la chose à faire. Ou, du moins, la seule qu'il ait pu faire.

Il était convaincu que s'il avait écouté la voix de la raison la semaine précédente – et demandé à Wayne Brookhouse de conduire son taxi jusqu'au poste de police le plus proche –, cela n'aurait rien changé. En l'espace de quelques heures, les avocats de Zarif lui auraient fait retrouver le chemin de l'agence de minicabs. La police se serait retrouvée avec tout juste quelques questions délicates à poser à Gordon Rooker, et encore moins d'éléments pour relier les Zarif à quoi que ce soit d'intéressant.

Même si Thorne déballait tout maintenant, s'il allait voir Brigstocke, Tughan ou Jesmond pour leur dire ce qu'il savait et comment il l'avait appris, il n'aurait pas grand-chose à y gagner. Il pourrait avouer avoir torturé un témoin et, dans la foulée, expliquer que ledit témoin avait disparu ; qu'il était, selon toute probabilité, mort et enterré. Le seul à se poser des questions gênantes après ça, ce serait encore lui.

Et il s'en posait déjà beaucoup.

– D'après ce que j'ai cru comprendre, M. Rooker a été remis en liberté hier.

– Vous le savez bien...

– Ça m'a étonné, dit Zarif en arquant ses sourcils gris et broussailleux. Même en sachant qu'il vous avait dit beaucoup de mensonges, vous avez décidé de le laisser sortir de prison.

Thorne eut bien du mal à saliver dans sa bouche sèche.

– J'ai choisi de ne pas prendre les mesures qui auraient pu l'y laisser...

J'ai choisi de ne pas révéler ce que j'avais découvert. J'ai choisi de ne dire à personne que j'avais kidnappé un suspect, que je l'avais séquestré et que je n'avais rien fait quand ces informations lui étaient arrachées avec une violence extrême. J'ai choisi de ne pas révéler l'étendue de la brutalité de Gordon Rooker, ni de la mienne.

J'ai choisi de taire la vérité pour me protéger...

– Je me demande ce que Rooker va faire ? dit Zarif.

– S'il a un peu de jugeote, il va numéroter ses abattis. Vous n'aimez pas trop laisser de traces, je me trompe ?

Zarif parut sincèrement vexé.

– Vous vous trompez. Rooker n'a rien à craindre de moi. Nous avions un accord, nous avions des intérêts communs.

– Exact. Il vous aide à vous débarrasser de Billy Ryan et, en échange, vous l'aidez à sa sortie. On parle de quoi ? D'argent, je suppose. De protection ? Quelque chose qui va bien au-delà de ce que nous pouvons fournir...

– Un accord, que j'ai bien l'intention de respecter.

Thorne gratta avec ses doigts la surface de la table, recueillant du sel dans le creux de sa main.

– Le respect, oui. C'est important, n'est-ce pas ? Je me souviens que vous avez trinqué avec moi au respect. À quel respect Marcus Moloney a-t-il eu droit ? Tailladé et buté dans sa voiture.

Il jeta le sel par terre.

– À votre avis, était-ce une façon respectable de mourir ?

– En faisant ce qu'il faisait, se comportait-il de façon respectable ?

Il tapota son verre avec un ongle.

– Et vous ? demanda-t-il.

Une des questions que Thorne s'était posées, et à laquelle il avait répondu des centaines de fois ces derniers jours.

– En me rabaissant à votre niveau, non.

Zarif leva les yeux quand sa fille lui cria quelque chose du haut de l'escalier. Il lui répondit, la regarda s'éloigner, puis reporta son attention sur Thorne. Il but les dernières gouttes de vin contenues dans son verre.

– Il est temps que vous partiez...

Thorne tendit le bras, attrapa le verre de vin et le planta avec force dans le visage du vieil homme. Il sentit que le verre se brisait et s'enfonçait dans les poils doux de la moustache de Zarif, le sang, écarlate, perlant à la surface et coulant au fur et à mesure que Thorne tournait le poignet en appuyant.

– Nous devons fermer.

Thorne cligna des yeux, chassant son fantasme, et se leva. Il marcha jusqu'au comptoir, s'y appuya.

– On vous a transmis la mise en garde que j'ai faite à Memet sur la possibilité de riposte policière après la fusillade à l'agence ?

Il insista sans attendre la réponse de Zarif.

– Oui, bien sûr, d'où votre propre avertissement sur ma porte d'entrée ?

Zarif écarta les bras. Sa transpiration laissait des taches sombres sur le nylon blanc de sa chemise.

– Je suis navré pour ça, vraiment. C'est une initiative de Hassan.

Là, ce fut une réelle surprise.

– Hassan ?

– Il est, d'habitude, le plus prudent de mes fils, mais vous l'avez fortement contrarié.

– Et là, c'est lui qui me contrarie fortement.

– Je ne manquerai pas de le lui dire.

– Je compte sur vous.

Zarif grommela en commençant à faire glisser sa masse sur la banquette.

– Vous avez remplacé votre porte ?

Thorne fit non de la tête.

– Je vous en prie, dit Zarif avec un vague geste de la main vers le comptoir, prenez de l'argent dans la caisse.

Il se leva et fixa Thorne avec la même expression vaguement amusée que celle que sa fille avait eue un peu plus tôt.

– Allez-y, servez-vous...

Thorne se demanda s'il ne lui offrait pas davantage qu'une poignée de billets de dix destinés à couvrir le coût d'une nouvelle porte. Zarif avait déjà exprimé clairement que Thorne n'était pas celui pour qui il le prenait. Poussait-il le bouchon encore un peu plus loin pour essayer de découvrir quel genre d'homme Thorne était vraiment... ?

Zarif ressortit son sourire grand format.

– Je pense que je vais vous laisser avoir une dette envers moi, dit Thorne.

Zarif haussa les épaules et se dirigea vers la porte. Il tendit le bras, invitant Thorne à partir. Thorne s'écarta du comptoir et s'éloigna à pas lents, éprouvant une titillation de fierté tout en ayant conscience de se la raconter. Il supposait que ce sentiment ne perdurerait pas au-delà du seuil du restaurant.

– Du sang et de l'argent, dit-il.

– Pardon ?

– Vous m'avez dit que vous étiez venu dans ce pays pour du pain et du travail. Pour du sang et de l'argent. Je pense que c'est un peu plus exact...

Zarif dépassa Thorne et ouvrit la porte. La brise agita les lanternes au-dessus de leurs têtes. Des losanges et des étoiles de couleur dansèrent doucement sur les murs.

– Cette fois-là, quand nous avons parlé des noms, de leur signification, nous avons aussi parlé du vôtre, dit-il. Thorne. Une épine, c'est petit, piquant, et on a du mal à l'ôter du pied.

Thorne s'en souvenait.

– Tout dépend à quel point on prend ces choses-là au sérieux.

– Je prends mes affaires très au sérieux...

– Tant mieux, parce que j'aimerais autant ne plus revoir votre gueule, sauf dans un tribunal, et ne pas revenir ici, aussi excellente que soit la bouffe.

Zarif acquiesça.

– Nous nous comprenons.

– Oh que non ! dit Thorne.

Il croisa le regard d'Arkan Zarif et le soutint.

– Jamais.

Thorne se tourna vers la rue, ouvrit la bouche pour aspirer une goulée d'air frais. Quelques instants plus tard, il entendait le petit déclic de la porte qui se refermait derrière lui.

Il ne s'était pas trompé sur son sentiment de fierté : il n'avait pas fait long feu. Il faisait chaud ce soir-là, pourtant Thorne frissonnait en regagnant sa voiture.

Il l'imaginait... il le sentait, c'était comme un gros rouleau de fil de fer barbelé entortillé quelque part au fond de lui. Chaque fois qu'il parvenait à en démêler un petit bout, il tirait dessus, plein d'espoir, ne réussissant qu'à serrer encore plus cet enchevêtrement, ne rendant les nœuds que plus difficiles à défaire...

Thorne avait mis de la musique, puis baissé le volume. Il avait débouché une bouteille de vin, mais n'y avait pas touché. Rien n'y faisait. Rien ne l'aidait à faire la part des choses, ou à comprendre le rôle qu'il avait joué pour créer ce désastre. Il y avait eu tant de cadavres et tant de chagrin, et si peu en contrepartie.

Il se demanda à quoi d'autre il aurait pu s'attendre. Ne savait-il pas depuis toujours que ceux de la trempe de *Baba* Arkan Zarif résistaient à l'épreuve du feu ? Ils avaient des mécanismes complexes qui les protégeaient, des guerriers prêts à se sacrifier et un certain nombre d'hommes et de femmes, du bon côté de la loi, qui veillaient à ce que leur réputation ne soit pas ternie. Pourtant, savoir que personne ne rendrait des comptes, que personne ne paierait pour sa part du carnage, était atrocement corrosif.

Quelques hommes de Ryan étaient morts et deux de Zarif. Dommages collatéraux des deux côtés. La vie continuait son cours paisible, excepté pour Ysuf Izzigil, qui avait perdu ses deux parents. Excepté pour la famille de Francis Cullen. Excepté pour la veuve de Marcus Moloney, dont Thorne ne s'était jamais donné la peine de demander le nom...

Et il y avait les autres morts desquelles, qu'il le veuille ou non, Thorne lui-même serait à jamais responsable.

Celles de Billy Ryan et de Wayne Brookhouse.

Thorne sentit le rouleau de barbelés se serrer encore un peu plus en lui. Il pensa à la limite à ne pas franchir. Il se demanda si, pour lui, elle ne se serait pas un peu éloignée, ou bien s'il ne l'aurait pas franchie depuis longtemps et continuait d'avancer. D'avancer vers un lieu bien plus sombre où les gens ne distinguaient plus vraiment son visage et où toute limite avait disparu.

Il regarda le téléphone...

Il ferma les yeux et vit le visage de Gordon Rooker. Il reprenait des couleurs, son arrogance revigorée par l'air frais. Thorne aperçut sa dent en or attraper la lumière quand il achetait des fruits au marché. Quand il s'asseyait avec d'autres hommes à la table d'un pub. Quand il souriait en lisant un truc dans un magazine.

Et il y avait toujours la fille brûlée vive.

Qui faisait des moulinets avec ses bras en basculant dans le noir vers la rue.

Son visage sur la photographie que son père lui avait donnée : les traits ravagés, la peau douce remodelée par des crevasses décolorées.

Sa voix dans son journal intime. Pleine de drôlerie et de fureur. Méritant d'être entendue...

Il composa un numéro à Wandsworth et échangea des politesses avec l'homme au bout du fil. Il prit des dispositions avec lui pour la restitution d'un journal intime et de quelques photographies. Puis il lui demanda de prendre un stylo.

Lui donna une adresse.

Ensuite, Thorne augmenta le volume de la musique et se servit un verre. Il se rassit sur le canapé, posa les pieds sur la table basse et s'interrogea sur le poids de son âme. Il se demanda s'il serait possible de faire travailler son âme, de l'étoffer, de la renforcer grâce à un entraînement spirituel. Si oui, alors les mauvaises actions devaient sûrement coûter une part de son poids. Les vrais méchants devaient finir avec des âmes qui ne pesaient presque rien.

Il prit la bouteille de vin.

En se demandant, à la lumière du coup de téléphone qu'il venait de passer, si son âme avait gagné un peu de poids. Ou si, au contraire, elle en avait perdu.

MAI

IGNORANCE

33

Ce fut le jour de la finale de la Coupe d'Angleterre – cela faisait un peu plus d'un mois que le dénommé Gordon Rooker avait été retrouvé assassiné par un inconnu à son domicile – que Thorne reçut l'appel...

Troisième semaine de mai, et il bruinait doucement. Tout le reste était pareillement prévisible.

Tandis que les enquêtes sur les Zarif et les Ryan se résumaient à guère plus qu'une vingtaine de cartons rangés sur des étagères en métal au Registre Général, d'autres affaires étaient venues combler le vide. D'autres victimes avaient imploré de l'attention, exigé de l'action. Il n'y avait jamais pénurie de rage, de concupiscence ou d'avidité. Ou de cadavres, quand l'alchimie qui contrôlait ces choses-là transformait les sentiments de tous les jours en pulsions de meurtre.

Les défigurait.

Tom Thorne avait lu le *Manuel d'enquête criminelle* en une heure et tout oublié presque aussi vite. Il se savait doué pour zapper ce qui n'était pas réellement important ; ce pour quoi il manquait tout bonnement de place. Chaque jour, des centaines de nouvelles informations avaient besoin d'un espace bien à elles – besoin de la chance, aussi mince fût-elle, de pouvoir avancer côte à côte, se compléter, et s'imbriquer les unes dans les autres afin d'allumer une étincelle et de créer l'idée, ou le fantôme d'une idée qui puisse, peut-être, aider à arrêter un tueur.

Mais beaucoup d'autres choses ne s'oubliaient pas, loin de là. Elles ne faisaient que se déplacer, s'entasser dans de plus petits espaces de la tête et du cœur de Thorne. Et dans cet endroit pour lequel il n'existait pas vraiment de nom, où le rouleau de barbelés s'entortillait encore un peu plus serré...

Les rares fois où il avait vu Carol Chamberlain, ou lui avait parlé, ils avaient bavardé avec jovialité de leurs affaires respectives : celle en cours, pour lui ; celle non résolue depuis longtemps, pour elle. Seul leur passé proche était tacitement considéré comme tabou par tous deux.

Individuellement, et seul, il était beaucoup plus difficile d'y échapper.

Alison Kelly avait téléphoné, un après-midi, et ils avaient bavardé pendant quelques minutes. Thorne lui avait demandé comment elle allait. Leur conversation avait été si limitée, si pitoyablement prosaïque, qu'il avait failli lui demander où elle était. Au fil du temps, il pensait moins à son visage et à son corps qu'au couteau dans sa main, mais, chaque fois qu'elle lui revenait à l'esprit, il songeait à l'inscription gravée dans la première pierre de la prison de Holloway, où elle attendait l'ouverture de son procès d'ici à quelques semaines :

« Fasse Dieu... que, de ce lieu, les malfaiteurs aient la terreur. »

Thorne savait qu'Alison Kelly n'avait aucune raison divine d'être terrifiée...

Temps de rentrer à la maison. S'abritant sous un auvent en ciment au parking de Becke House, Thorne inhala la fumée de la cigarette de Holland et regarda la pluie saloper la voiture qu'il venait de laver le matin même.

– Ça te dit de passer demain soir ? lui demanda-t-il. Pour regarder le match avec Phil et moi...

Malgré tous les efforts de Thorne, l'enthousiasme de Holland pour le football était toujours tiédasse.

– J'ai beau faire, ça ne me dit rien.

– « Rien » ? se récria Thorne. C'est la finale...

Il se préparait à lui balancer un flot de sarcasmes injurieux quand son portable sonna.

Quelque chose dans la voix d'Eileen figea son sourire narquois. Lui glaça le sang.

– Tom... ?

– Qu'est-il arrivé ?

Thorne marcha vers sa voiture, accélérant le pas à chaque seconde de silence qui passa avant qu'Eileen ne reprenne la parole :

– Il y a eu un incendie...

– Bon Dieu, encore ?

Thorne coinça son portable dans le creux de son épaule, chercha frénétiquement ses clés dans ses poches.

– Il va bien ?

Thorne entendit Holland crier quelque chose derrière lui. Il leva la main sans se retourner.

– Eileen ? Il va bien ?

– Je suis navrée, Tom.

Elle éclata en sanglots.

– Ils l'ont trouvé dans la chambre.

Elle avait une voix de petite fille.

Thorne s'appuya contre la voiture. Un gémissement de douleur lui échappa ; il l'étouffa vite avant qu'il ne devienne un cri. Il eut soudain éminemment conscience du temps qu'il avait devant lui. Il se dit que, pour le moment, il fallait réconforter Eileen.

Il ouvrit violemment la portière et monta dans la voiture.

– Eileen, voyons.

Il enfonça la clé dans le contact.

Un incendie...

Il pensa à la gazinière qu'il ne s'était jamais décidé à faire enlever. Cela ne lui aurait coûté qu'un coup de fil. Cinq minutes de son temps. Victor aurait été ravi de s'en occuper. Eileen aurait pu trouver quelqu'un pour venir la chercher, elle avait proposé de le faire, mais Thorne avait promis de s'en charger.

Il n'avait même pas posé une serrure sur la porte de la cuisine...

Il ne pouvait s'en prendre qu'à lui.

– Où est-il, Eileen ? Où a-t-il été emmené ?

Il l'écouta attentivement, mais les paroles de sa tante étaient entrecoupées de sanglots.

– Calme-toi, Eileen, j'arrive...

Alors, une autre pensée le frappa comme un boulet de démolition. Le projeta contre son siège, l'y scotcha, sa main tremblant sur le volant.

Il revit Arkan Zarif assis en face de lui, se souvint de ce qu'il avait dit au sujet du marché qu'il avait conclu avec Gordon Rooker.

« Un accord, que j'ai bien l'intention de respecter... »

Cet accord impliquait, évidemment, un certain niveau de protection. Se pouvait-il qu'il ait aussi inclus une vengeance si quelque chose devait arriver à Rooker ?

Thorne était certain que seul le poids qui oppressait sa poitrine empêchait le contenu de son estomac de remonter jusqu'à sa bouche.

Accident réel ou provoqué ? Pourrait-on le déterminer ? Thorne finirait-il par le savoir... ?

Dans un cas comme dans l'autre : ne s'en prendre qu'à lui...

Il lança un coup d'œil sur sa droite et vit quelqu'un venir vers la voiture, avançant rapidement sous la bruine. Holland leva les bras, articula : *« Ça va ? »*

Thorne avait l'impression de ne plus savoir comment respirer.

Il acquiesça lentement, puis démarra.

Remerciements

En faisant des recherches pour ce roman, j'ai appris des tas de choses grâce à deux livres en particulier : *Gangland Britain* de Tony Thompson (Hodder & Stoughton, 1995) et *Gangland Today* de James Morton (Time Warner Books 2002). Ma profonde reconnaissance envers ces deux auteurs.

Pour leur disponibilité et leur patience, mes plus vifs remerciements, une fois encore, à l'inspecteur Neil Hibberd, et à l'inspecteur-chef Jim Dickey ainsi qu'à Richard Baldwin, le responsable des cimetières du district londonien de Camden. Pour leurs blagues, je dois payer à Phil Nichol et à Carey Marx un pot qu'ils se partageront.

Méga remerciements à Vedat Suruk Deniz et à son frère Sedat Suruk Deniz de l'Archgate Café, sur la N19, pour leur accueil chaleureux, leurs précieux conseils et, bien entendu, leur délicieux *sucuk*. Pour sa grande connaissance de la langue turque, et pour son aide en matière de traduction, je me dois de remercier Hikmet Pala.

Chez Time Warner, il est grand temps que je remercie David Young, Ursula Mackenzie, David Kent, Terry Jackson, Jess Clark (pure coïncidence), Duncan Spilling, Richard Kitson, Nicola Hill, Andy Coles, John Turnbull, Robert Manser, Simon Sheffield, Nick Ross, Richard Barker, Andrew Halley, Gill Midgley, Miles Poynton, Emily Sugarman, Nigel Andrews, Emma Fletcher et Rooney.

Et, bien entendu, je suis redevable, comme toujours, à : Sarah Lutyens, Susannah Godman, Lucinda Prain, Mike Gunn, Alice Pettet, Paul Thorne, Peter Cocks et Wendy Lee.

Plus que jamais le plus grand des mercis va à ma femme, Claire, pour son soutien et sa patience d'ange.

Et au café.

Pour l'éditeur, le principe est d'utiliser des papiers composés de fibres naturelles, renouvelables, recyclables et fabriquées à partir de bois issus de forêts qui adoptent un système d'aménagement durable.

En outre, l'éditeur attend de ses fournisseurs de papier qu'ils s'inscrivent dans une démarche de certification environnementale reconnue.

Composition réalisée par PCA

Impression réalisée sur CAMERON par
BRODARD ET TAUPIN

La Flèche
en janvier 2008

Imprimé en France
Dépôt légal : 95487-01/08
N° d'édition : 01
N° d'impression : 44961

MILE END
15 AVR '08